CB064311

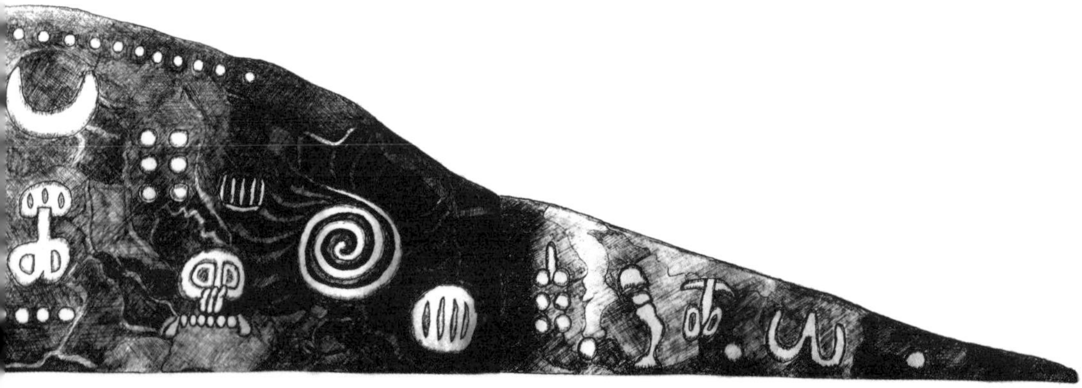

Romance de Dom Pantero
no Palco dos Pecadores

ARIANO SUASSUNA

Romance de Dom Pantero no Palco dos Pecadores

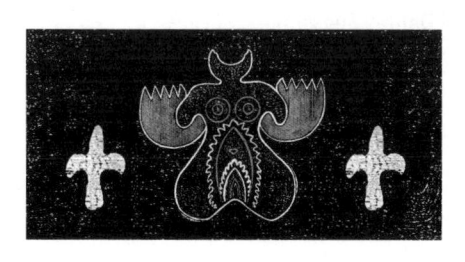

Livro 1

♄

EDITORA
NOVA
FRONTEIRA

Copyright © 2017 Ilumiara Ariano Suassuna

Direitos de edição da obra em língua portuguesa no Brasil adquiridos pela Editora Nova Fronteira Participações S.A. Todos os direitos reservados. Nenhuma parte desta obra pode ser apropriada e estocada em sistema de banco de dados ou processo similar, em qualquer forma ou meio, seja eletrônico, de fotocópia, gravação etc., sem a permissão do detentor do copirraite.

Editora Nova Fronteira Participações S.A.
Rua Candelária, 60 — 7º andar — Centro — 20091-020
Rio de Janeiro — RJ — Brasil
Tel.: (21) 3882-8200 — Fax: (21) 3882-8212/8313

Ilustrações de capa: Ariano Suassuna
Ilustrações de miolo: Ariano Suassuna, Alexandre Nóbrega, Zélia Suassuna, Manuel Dantas Suassuna, J. Borges

CIP-BRASIL. CATALOGAÇÃO NA PUBLICAÇÃO
SINDICATO NACIONAL DOS EDITORES DE LIVROS, RJ

S933r

    Suassuna, Ariano, 1927-2014
        Romance de Dom Pantero no Palco dos Pecadores : O Jumento Sedutor, livro 1 / Ariano Suassuna. - 1. ed. - Rio de Janeiro : Nova Fronteira, 2017.
480 p. : il. ; 23 cm.

    ISBN 9788520932971

    1. Romance brasileiro. I. Título.

17-44773   CDD: 869.93
                                                             CDU: 821.134.3(81)-3

A MARIA,
MÃE DE DEUS,
POR TUDO O QUE SIGNIFICOU
E SIGNIFICA PARA NÓS.

Epígrafes

"Eu cantarei meu Canto de mim mesmo e nele me abrirei como se fosse um Livro feito em carne, folheado sob a luz, pelo vento e pelo Fogo."

CARLOS NEWTON JÚNIOR

"Um Povo tem o direito de guardar o seu Segredo — e aqui estão as pedras do meu Céu e as estrelas do meu Chão. Por isso, pode-se dizer que este é meu Lunário Perpétuo."

ANTONIO NÓBREGA

"Todos os Livros são Autobiografias. Mas ele conhece o segredo das Máscaras com que nos defendemos da Morte."

ROBERTO MOTA

"Na parte mais antiga da minha mente, que foge a meu controle, uma ideia surgiu e vem me atormentando há algum tempo: os Cães, perplexos, uivam para a Lua-cheia, que eles não compreendem.

"Pois bem: as singularidades do Homem são os uivos da Humanidade para o Universo, não posso conter meu uivo."

MARCOS SUASSUNA

Sumário

Prefácio
Dom Pantero e sua Ilumiara
Carlos Newton Júnior 11

Abertura Plagiada, Deturposa, Falsificada e Reversa 29

Livro 1 - O Jumento Sedutor

Prelúdio - O Protagonista Insano 43

Repente - O Antagonista Possesso 121

Chamada - O Chabino Desamado 211

Galope - A Trupe Errante da Estrada 341

Livro II - O Palhaço Tetrafônico

Prelúdio - O Rapsodo Agonizante — 491

Repente - O Bufão Apocalíptico — 659

Tocata - O Caprípede Castanho — 793

Fuga - A Persona do Poieta — 859

Posfácio
Ricardo Barberena — 981

Cronologia de Ariano Suassuna — 987

Prefácio

Dom Pantero e sua Ilumiara
Carlos Newton Júnior

Foi em meados da década de 1980 que Ariano Suassuna começou a tomar as primeiras notas para escrever o *Romance de Dom Pantero no Palco dos Pecadores*, livro que viria a ocupar, num crescendo, até o fim da sua vida, quase todo o tempo que o autor conseguia dedicar à Literatura, em meio às múltiplas atividades artísticas e culturais em que sempre se viu envolvido. Não foram poucas as alterações que empreendeu no plano da obra até chegar a uma forma final que o satisfizesse plenamente. Perfeccionista declarado, Suassuna burilou o texto o quanto pôde. Impossível quantificar os episódios e cenas cortados e acrescentados, os nomes de personagens alterados, as passagens inteiramente reescritas ou simplesmente descartadas. Os milhares de páginas manuscritas conservadas em seu gabinete de trabalho revelam que bastante coisa ficou de fora da versão final — o que nos leva à inequívoca conclusão de que o romance cresceria muito, caso Ariano não tivesse começado a passar, em 2013, pelos problemas de saúde que o forçaram a colocar um ponto final na obra.

Em entrevista publicada em novembro de 2000, nos *Cadernos de Literatura Brasileira*, do Instituto Moreira Salles, falando sobre este trabalho, afirmou o autor: "Já tenho muita coisa escrita, inclusive para frente; o difícil é que eu pretendo que o primeiro volume funcione como uma introdução e sozinho dê conta do projeto inteiro. Assim, caso venha a sofrer uma traição da Onça Caetana, eu terei dado a medida do que seria o resto."

A "medida" do projeto, interrompido com o bote de Caetana (a morte sertaneja, que se transfigura em Onça alada no universo suassuniano), pode de fato ser vislumbrada através do que se publica agora, em dois "livros", *O Jumento Sedutor* e *O Palhaço Tetrafônico*, cada um deles composto por quatro "cartas" que o personagem Antero Savedra dirige "Aos nobres Cavaleiros e belas Damas da Pedra do Reino" e publica no suplemento pseudoliterário "Sibila", do jornal "A Voz de Igarassu". E que medida é esta? A medida de uma "obra total", intitulada "A Ilumiara", obra que representaria a súmula da produção de Ariano Suassuna como artista e como pensador, uma vez que, transcendendo o campo da literatura (arte temporal) para abarcar o das artes plásticas e o das artes de síntese, sobretudo o teatro, também incursiona pelo ensaísmo do autor, incorporando os fundamentos de sua visão acerca da cultura brasileira e da nota peculiar que esta deveria tocar no concerto das nações do mundo.

Como já tivemos a oportunidade de dizer, em texto introdutório ao *Romance d'A Pedra do Reino*, Suassuna começa a usar o neologismo "ilumiara" para se referir aos "anfiteatros" formados por pedras insculpidas e ou pintadas que os primeiros habitantes do Brasil provavelmente usavam como locais de culto, estendendo o termo, depois, para identificar conjuntos artísticos os mais diversos, realizados em todos os tempos e também lugares (acrescentamos agora), que pudessem ser vistos como símbolos da força criadora de um povo ou espaços de celebração da sua cultura. Na visão de Suassuna, até mesmo certos livros, como *A Divina Comédia* e o *Dom Quixote*, poderiam ser classificados como ilumiaras, pela capacidade de sintetizarem os anseios universais do homem a partir de realidades locais e pelo vínculo que mantêm com a tradição — aqui entendida não como cópia do passado, mas como diálogo fraterno com os nossos mortos, um diálogo que revele "qualquer coisa por onde se note que existiu Homero", como afirmou Fernando Pessoa em suas "Considerações sobre o novo". Voltando ao nosso contexto, as ilumiaras seriam marcos sagratórios do "Brasil real" (em oposição ao "Brasil oficial"), erguidos em homenagem à cultura brasileira. Assim também Ariano pensava a sua obra: como um marco do Brasil verdadeiro e profundo, que apontasse para o nosso povo um novo caminho a seguir, mais justo e fraterno, do ponto de vista social, do que o que trilhamos até agora; e mais belo e original do que o caminho da vulgaridade, da descaracterização e do mau gosto, apontado pela massificação cultural e pelos apóstolos da globalização.

Nossas conversas sobre este romance, ainda no início dos anos 1990, giravam em torno de um personagem chamado Laivos Schabino, que aparece em inúmeras notas e trechos descartados da obra e acabou dando lugar, muito provavelmente, a Antero Schabino, ou mesmo a Antero Savedra, sobrinho, afilhado e discípulo do primeiro, escritor frustrado que, sob a máscara de Dom Pantero, termina por ser o protagonista da história — se é que um livro como este, composto por uma polifonia de vozes, possui, de fato, um só protagonista. Dom Pantero parece mais um maestro, a reger um coro formado por inúmeros coadjuvantes e muitos protagonistas em pé de igualdade com ele próprio, principalmente quando pensamos que o conteúdo das suas cartas, escritas sob a forma de diálogo, resulta da fusão de textos de diversos autores, entre os quais seu tio Antero Schabino, ensaísta, e seus irmãos Auro e Adriel — o primeiro, romancista; o segundo, dramaturgo. Isto sem falar nos poemas de Albano Cervonegro, pseudônimo com que Auro e Adriel escreviam poemas baseados nos sonhos do seu irmão Altino. Lembremos que Albano Cervonegro já aparece na obra de Suassuna na década de 1980, no álbum de "ilumino-gravuras" *Sonetos de Albano Cervonegro*, e que a sua verdadeira identidade já fora revelada pelo autor na mesma entrevista aos *Cadernos de Literatura Brasileira*, há pouco referida.

Não é difícil imaginar que a forma final do romance, estruturado por "Cartas-Espetaculosas" (justamente porque procuram recriar o ambiente das "Aulas-Espetaculosas" ministradas por Antero Savedra), começou a se impor ao autor no momento em que ele próprio passou a ministrar as suas famosas "Aulas-Espetáculo", assim chamadas a partir de sua atuação como Secretário de Cultura de Pernambuco, de 1995 a 1998. Já em 1996, quando escreveu a peça teatral *A História do Amor de Romeu e Julieta*, Ariano pôs em cena Antero Savedra e Dom Pantero, responsáveis pela apresentação e condução do espetáculo. Eram, ali, visivelmente, dois personagens distintos; prova disso é que quando a peça foi publicada no jornal *Folha de S.Paulo*, em 19 de janeiro de 1997, Dom Pantero cedeu lugar a Quaderna, o narrador do *Romance d'A Pedra do Reino*, como se Suassuna ainda estivesse duvidando da força daquele que viria a ser o seu grande personagem, depois transformado numa "máscara" — e não só pseudônimo — de Antero Savedra.

De 2007 a 2010, Suassuna assumiu, novamente, a Secretaria de Cultura de Pernambuco, desta vez com uma estrutura mais direcionada para a realização das Aulas-Espetáculo. Pôde, assim, percorrer todo o estado com o seu "circo", o Circo da Onça Malhada, levando uma trupe de músicos, bailarinos, cantores, cantadores e violeiros para ilustrar as suas bem-humoradas e quixotescas "saídas" em defesa da cultura brasileira. Vestido de preto e vermelho, às vezes com um medalhão ao pescoço, fez dele próprio, assim, experimento para o seu personagem Dom Pantero, e não era à toa que terminava suas apresentações declamando para o público os mesmos versos com que seu personagem se despede em suas cartas:

> *Pois é assim: meu Circo pela Estrada.*
> *Dois Emblemas lhe servem de Estandarte:*
> *no Sertão, o Arraial do Bacamarte;*
> *na Cidade, a Favela-Consagrada.*
> *Dentro do Circo, a Vida, Onça Malhada,*
> *ao luzir, no Teatro, o pelo belo,*
> *transforma-se num Sonho — Palco e Prelo.*
> *E é ao som deste Canto, na garganta,*
> *que a cortina do Circo se levanta,*
> *para mostrar meu Povo e seu Castelo.*

O romance, assim, se apresenta, de fato, como uma autobiografia, mas uma autobiografia deformada — deformadíssima, diríamos melhor — pelo espelho da arte, posto que é "Musical, Dançarina, Poética, Teatral e Vídeo-CinematoGráfica". Uma autobiografia em que o autor passa em revista toda a sua diversificada obra, cuja autoria é atribuída, por gênero, a seus diversos heterônimos, todos membros da família Savedra. E, da mesma forma que Ariano afirmava ser a sua poesia a fonte profunda de tudo o que escrevia, toda a obra dos Savedras é composta "com base na obscura Poesia sonhada por Altino Sotero, irmão deles".

Que não se confunda, então, "A Ilumiara", a obra que Dom Pantero pretende escrever, com a ilumiara de Ariano Suassuna. Da primeira, poderíamos dizer, talvez, algo semelhante ao que o escritor Antonio Carlos Villaça disse, em *O Nariz do Morto*, em relação ao *Diário Íntimo*, de Henri-Frédéric Amiel, considerando-o como o diário de uma frustração, de uma impotência, de uma desilusão: "Pois Amiel desejou mais, quis fazer uma obra ambiciosa. E não pôde." Deixada propositalmente na forma de um arcabouço de romance, como uma espécie de catedral inacabada, uma "Sagrada Família" feita de palavras e imagens ("como se a tradição de minha Família fosse nunca fechar suas Obras", afirma o personagem em certa ocasião), "A Ilumiara" de Dom Pantero serve-nos como uma espécie de "roteiro" para a compreensão da ilumiara do próprio Suassuna, ou seja, para a apreciação do universo suassuniano a partir de uma visão sistêmica, de conjunto, em que cada obra, isoladamente, lança luz sobre as demais. A forma como a peça *A História do Amor de Romeu e Julieta* é incluída no romance, por exemplo, leva-nos a pensar como o *Auto da Compadecida* (o "Auto d'A Misericordiosa", de Adriel Soares) poderia ser levado ao palco do Circo-Teatro Savedra, representando Dom Pantero, no caso, o papel do Palhaço. Era assim que Ariano gostaria que víssemos toda a sua obra: como uma ilumiara, ou como uma grande Aula-Espetáculo sobre a cultura brasileira, sobre o Brasil, seu povo e seu destino.

  Antero Savedra inicia a sua primeira "Carta-Espetaculosa" citando versos de "Noturno", poema de 1945 com o qual Suassuna, aos dezoito anos de idade, deu início, oficialmente, à sua vida literária. Do mesmo modo, sob a máscara de Dom Pantero do Espírito Santo, Savedra termina a Carta que conclui o *Romance de Dom Pantero*. Assim, ao final da leitura, voltamos forçosamente ao seu início, configurando a imagem do eterno retorno que integra o "ser" à "pulsação do ser": em todo homem velho permanece algo do menino que ele foi um dia; e se tudo o que há de permanente em nós pode ser transfigurado na grande obra de arte, muito do que fomos fatalmente sobreviverá ao trânsito e à ruína da condição humana.

Estamos tratando, aqui, de um romance profundamente familiar, não apenas no sentido da *família de sangue* — considerando que elementos autobiográficos encontram-se na gênese da maioria (se não da totalidade) dos acontecimentos aqui narrados ("*meu Sangue é minha Fonte-do-Cavalo*", diz um verso de Albano Cervonegro). Familiar, também, no sentido da *família espiritual* que todo artista possui, e cujos vínculos acabam se tornando, muitas vezes, mais importantes que os laços de sangue. É por isso que, quando chamados a participar do espetáculo, os diversos autores da linhagem a que Suassuna pertence, sejam eruditos ou populares, assumem o sobrenome Savedra ou Schabino (às vezes fundindo seus nomes, no caso de autores de línguas estrangeiras, aos nomes dos seus respectivos tradutores para o português), e são eles que deformam as suas próprias palavras para as conformarem ao discurso de Dom Pantero, legitimando, assim, o processo de "imitação" que Antero Savedra herdou do seu tio e padrinho Antero Schabino.

Aos poucos, à medida que o leitor vai se familiarizando com tantas vozes e tantos nomes (até porque Dom Pantero não é a única "máscara" de Antero Savedra, e mesmo o seu padrinho também se valia de pseudônimos), a história vai se desvelando à sua frente — a dolorosa história de um escritor frustrado, que sonha com uma obra muito além das suas forças, porque além das forças de qualquer ser humano. Sendo curto o tempo, e longa a arte, Dom Pantero almeja o grandioso, o sublime, pois pretende alcançar, pela beleza artística, aquele "Todo" que, nas palavras de Mefistófeles, no *Fausto* de Goethe, "só para um Deus é feito".

Entre todos os nossos grandes escritores, Suassuna foi talvez aquele que com mais frequência revelou as influências recebidas ao longo da construção da sua obra, desde as de escritores canônicos, a exemplo de Camões ou Cervantes, às de outros que a crítica tem considerado "menores", como o italiano Rafael Sabatini, autor de *Scaramouche*, ou o brasileiro Júlio Ribeiro, autor de *A Carne*. Influências tão entranhadas no autor que transcendem em muito as citações interpoladas ao longo das cartas de Dom Pantero. Para pensarmos apenas em Sabatini, lembremos que André Luiz Moreau, protagonista de *Scaramouche*, romance que se passa no contexto histórico da Revolução Francesa, foge da perseguição das autoridades policiais ingressando numa companhia de teatro ambulante, na qual trabalha como escritor de peças e ator, algo semelhante ao que faz Antero Savedra, em dado momento de sua vida, ao viajar do Recife para Taperoá, fugindo das forças repressivas do regime militar, na década de 1970.

Que o leitor não estranhe, por fim, a profusão de iniciais maiúsculas e de hifens aparentemente arbitrários ao longo do texto. Talvez até mesmo neste quesito — bem como na não aceitação da modernização dos nomes próprios — Antero Savedra tenha querido superar o seu irmão Auro Schabino, autor do *Romance d'A Pedra do Reino*. Se a inicial maiúscula de uma palavra qualquer, em um verso, não nos causa maior estranheza, por que seria diferente num texto que se pretende resultante da fusão de vários gêneros, como se a prosa fosse essencialmente poética, verso expandido, e não só na medida em que incorpora versos transcritos sem estrofação, como se trechos de prosa fossem? No tocante aos hifens, lembremos o efeito visual que eles provocam em determinadas palavras e expressões, que logo saltam à nossa vista e se impõem como imagens, como ocorre já em *A Pedra do Reino* com a expressão "Rapaz-do-Cavalo-Branco".

Se Suassuna havia conseguido renovar o romance brasileiro com o estilo "régio" de Dom Pedro Dinis Quaderna, narrador de *A Pedra do Reino*, repete agora a façanha com o estilo "pantérico", que inclusive absorve o anterior (por sua vez *contrátese* dos estilos dos mestres de Quaderna, o professor Clemente e o doutor Samuel), na *síntese* definitiva que é "A Ilumiara".

É nesta renovação que se encontra a pedra central do conjunto. Porque se a perfeição, na obra de arte, vincula-se à *forma* final que o autor consegue imprimir à sua matéria, evidenciando-se — no caso de romances narrados sem a voz onisciente do autor — na profunda identidade entre o personagem narrador e o estilo da narrativa, a voz de Dom Pantero só poderia ecoar, de fato, através de um fragmentário "Castelo de Cartas-Espetaculosas".

Após uma obra-prima como *A Pedra do Reino*, uma renovação assim (não se pode deixar de reconhecer) é empresa das mais difíceis. E se o *Romance de Dom Pantero* não é livro de leitura fácil, sobretudo devido às inúmeras referências de natureza intra e intertextual que o compõem, deve-se também reconhecer, usando as palavras de Gógol, que "sua substância é feita de futuro". Não temos, portanto, a menor dúvida em afirmar: os leitores que o irão ler e compreender, a cada nova geração, farão dele, seguramente, um êxito da nossa literatura.

Recife, 9 de agosto de 2017.

SUASSUNA ILUMIARA

A Ilumiara

Romance de
Dom Pantero
no Palco dos Pecadores

Autobiografia Musical, Dançarina, Poética, Teatral e Vídeo-Cinematográfica

A Ilumiara

Castelo, Obra, Fortaleza ou Marco, no qual se contêm as Confissões de Santo Antero, compostas de acordo com o sonho da Casa, a viagem do Circo, a cadência do Espetáculo, as águas do Córrego, o claro-escuro do Palco, o sol da Estrada e a rabeca da Sabedoria.

Incursão religiosa, orgiástica e exotérica, na qual, por meio de Cartas, Depoimentos-Entrevistosos e Diálogos-de-Narrativa-Espetaculosa, se apresentam ao público d'O Grande Teatro do Mundo as Airesianas Brasileiras — imitações da Arte universal nacionalmente refletidas pelo Espelho d'O Grande e Verdadeiro Livro de São Cipriano e a Bruxa Lagardona.

Dom Pantero

Imitação de Ésquilo, Apuleio, Plauto, Dante, Santa Teresa, Cervantes, Gregório de Mattos, Antônio José da Silva, Lima Barreto, Euclydes da Cunha, Machado de Assis, Augusto dos Anjos e Cassandra Rios. Baseada em notas extraídas por Gerson Camarotti, Carlos Tavares e William Costa dos anais do Simpósio Quaterna e publicadas na Sibila — suplemento feminino, erótico, rural e esotérico do Jornal A Voz de Igarassu.

Memorial-Político e Jornada-Poética, empreendida, a modo de Viagem-Filosófica ou Descida-Purificatória, ao Reino Perigoso do Ladrido.

Poema-Heroico escrito "em romance". Encenado, recomposto, estilografado a ponta-de-metal e depois fotogravado por Carlos de Souza Lima, Manuel Jaúna e Antero Savedra — Rei-de-vidrilho, Poeta-frustrado, Profeta-extravioso, Ator-por-acaso, Mágico-amador, Palhaço-de-suporte e Viajante-imaginário.

Chave das Ilustrações

As estampas que figuram n'A Ilumiara às vezes são baseadas em inscrições rupestres, em imagens barrocas e em gravuras populares; ou então em obras de Artistas cujos nomes vão indicados ao pé das páginas (e dos quais os mais frequentes são José de Azevedo Dantas e Paulino Villar, colaboradores do Livro Negro do Cotidiano, de meu Tio materno João Soares Sotero Veiga Schabino de Savedra — João Sotero).

✻ Mariano Jaúna ✻ Antero Savedra ✻ Dom Paribo Sallemas ✻
✻ Dom Pantero do Espírito Santo, Imperador ✻

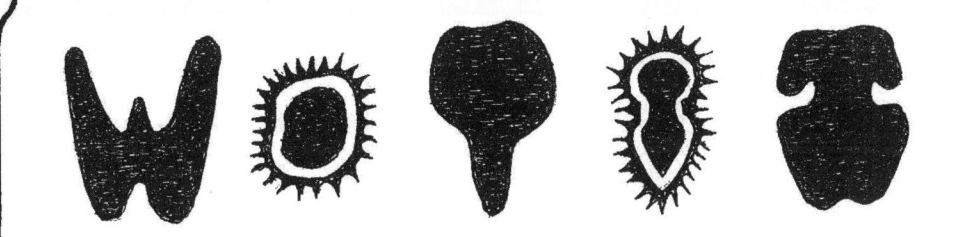

Nota

A Tipografia Armorial, usada em alguns trechos d'A Ilumiara, foi criada por Ricardo Gouveia de Melo e Giovana Caldas. A transposição, para o computador, do texto e das Estilogravuras que o ilustram, foi feita por Carlos Newton Júnior e Ricardo Gouveia de Melo. E os Vídeos que contêm imagens dos Castelos, das Saídas e Aulas-Espetaculosas ministradas por Dom Pantero foram organizados por Manuel Dantas Suassuna e Manuel Dantas Vilar.

Dom Pancrácio Cavalcanti

(http://sertaofilmesailumiara.com.br/videos)

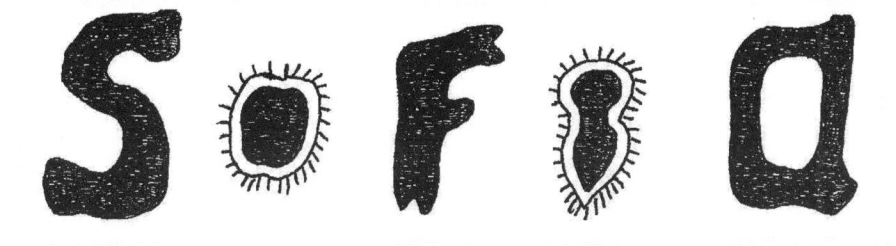

Advertência

Principalmente por causa da presença, nela, de Antero Schabino e Dom Pedro Dinis Quaderna, esta Narrativa-Espetaculosa só deve ser lida, folheada ou vista *"por adultos de sólida formação religiosa, moral, poética e filosófica"*.

Romance de Dom Pantero no Palco dos Pecadores

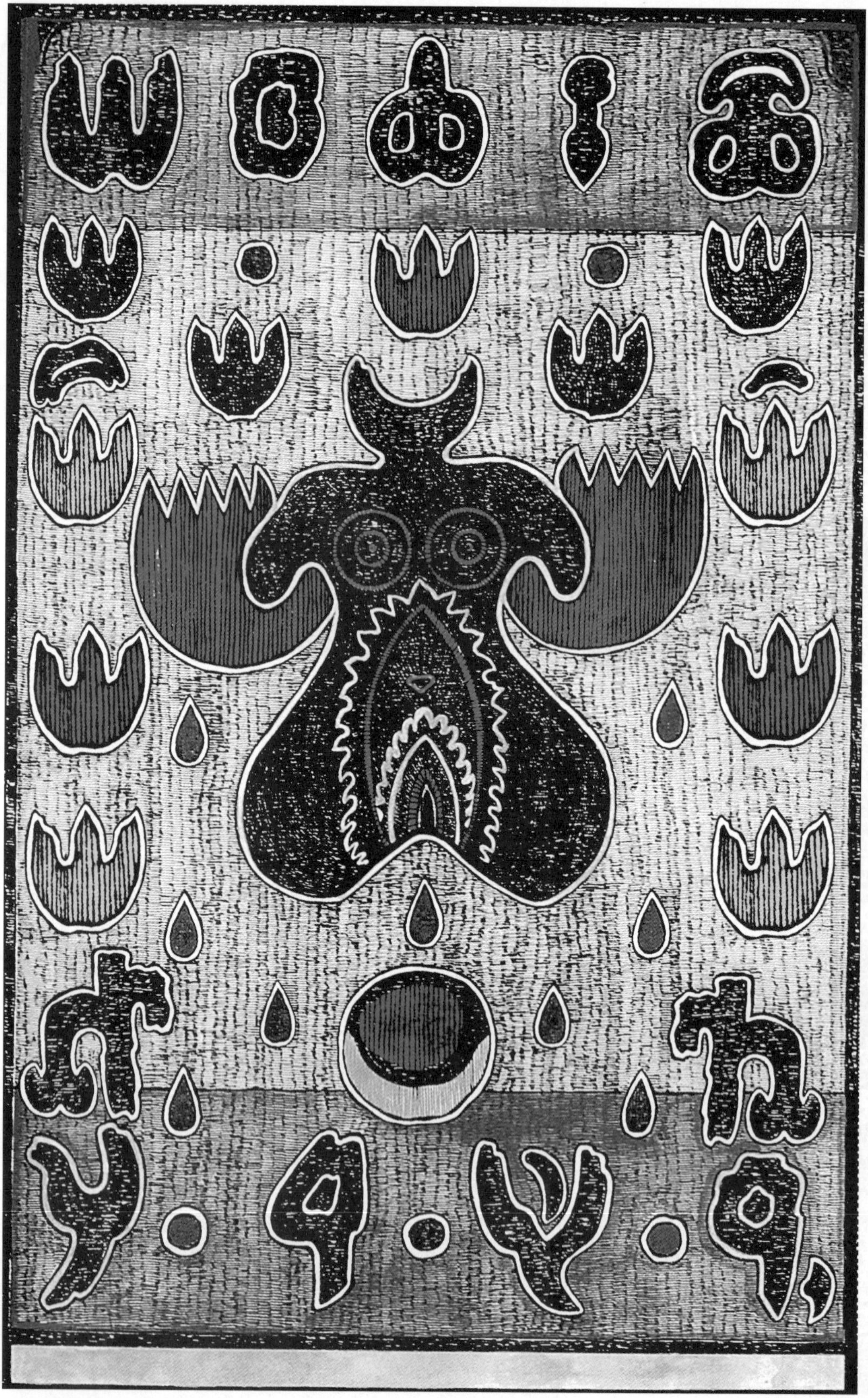

Abertura Plagiada, Deturposa, Falsificada e Reversa

Com mote recorrente de Manuel Bandeira

Andante Introdutório

ANTERO MARIANO SAVEDRA JAÚNA

"*É preciso cerrar os dentes e compartilhar a sorte do nosso País*" — escreveu, um dia, o grande Poeta e Romancista que foi Boris Pasternak. Era um tempo em que sua pátria, a Rússia, vivia a opressão violenta, aberta e declarada do Stalinismo marxista.

Hoje, o Stalinismo acabou, Pasternak morreu, mas sua obra está viva e cresce a cada dia, revelando-se cada vez mais como profética. Entretanto a impostura, a opressão hipócrita do

Capitalismo, a ditadura do mercado e do consumo, da vulgaridade e do gosto médio imposto como modelo pelos meios de comunicação de massa (essa ditadura que se autodenomina Democracia Neoliberal ou Social-democracia) estão fazendo algo talvez pior do que oprimir a pátria de Gógol e Dostoiévski, primeiro traída por Gorbachev, depois aviltada por Boris Iéltsin e seus sucessores. Lembro-me de algumas palavras de Michelet que li na adolescência e que copiei, fazendo interiormente a promessa de nunca esquecê-las e de sempre me manter fiel ao que ele afirmava:

Júlio Michelet Schabijuo de Savedra

"A pessoa humana é coisa sagrada. Na medida em que uma Nação assume o caráter de pessoa e se torna uma alma, sua inviolabilidade aumenta na mesma proporção. O crime de violar a personalidade nacional torna-se então o maior dos crimes. Assassinar um homem é um crime. Que coisa terrível não será, portanto, assassinar uma Nação? Como qualificar tal monstruosidade?

"Pois bem, existe uma coisa pior do que matá-la: é aviltá-la, envilecê-la, violá-la, roubar-lhe a alma e a honra. Este crime é o único para o qual não deveria existir prescrição."

Assim, levando em consideração estas palavras de Michelet, desde muito moço comecei a me opor à visão daqueles que afirmavam (como continuam afirmando) que *"a base material da Democracia é a economia de mercado"*, e que *"por ser universal, a Arte ligada ao mercado é que deve servir de modelo às Artes de*

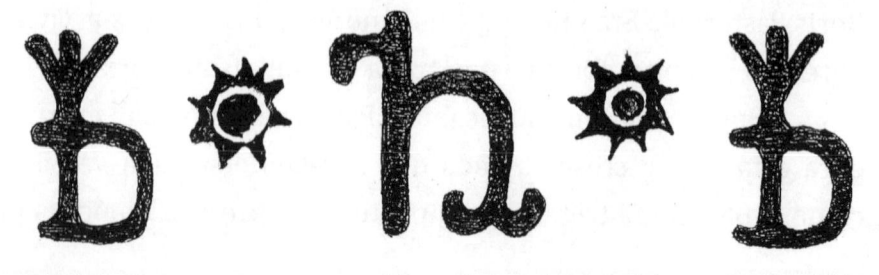

todos os Países", pois, de outra forma, estes jamais acompanhariam os parâmetros da modernidade e da universalidade, cada um permanecendo confinado *"nos estreitos limites do localismo arcaico"*.

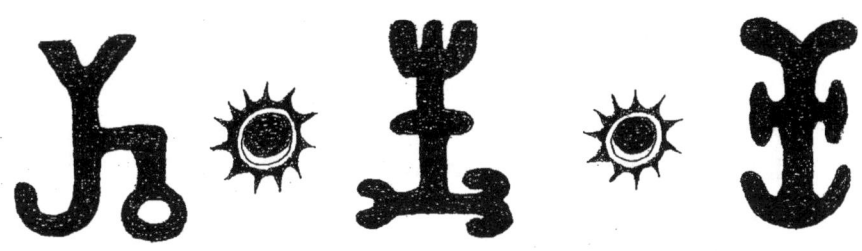

Ao começar meu trabalho de escritor (em 7 de Outubro de 1945), não digo que já tivesse clara consciência do que disse até aqui. Mas, *"na noite criadora da vida pré-consciente do intelecto"* (noite talvez mais clarividente do que a luz da razão puramente reflexiva), eu já acreditava que devia escrever como se a sorte do meu País, do meu Povo, da Rainha do Meio-Dia e até do Mundo dependessem do que eu fizesse. Não tendo poder político nem econômico, isso era o que podia fazer: um Romance, um Teatro, uma Poesia que pelo menos não aviltassem o nosso País; uma Arte que, por ser ligada ao nosso Povo, pelo menos também indicasse um caminho político e esboçasse uma Teoria do Poder que, expressando esse mesmo Povo, desenhasse o contorno do mapa capaz de definir nosso País como Nação.

Infelizmente, via-me obrigado a constatar: o que conseguíramos fazer era pouco, muito pouco; porque, apesar de figuras luminosas como Gabriel Joaquim dos Santos, Euclydes da Cunha, Heitor Villa-Lobos, Lima Barreto ou Augusto dos Anjos, continuam violando e roubando a alma e a honra do nosso País, cuja linha de frente é a nossa Cultura.

Não importa. Fiel ao sonho de minha juventude, venho fazendo o que posso e considerando cada Poema, cada Peça, cada Romance, cada Ensaio que consigo levantar como *"um*

Caco" semelhante aos do genial Arquiteto popular que foi Gabriel Joaquim dos Santos: aos poucos, cada um deles iria se juntar ao todo que é A Ilumiara — uma outra, nova e grande Casa da Flor; um Castelo, Obra, Marco e Padrão, uma Fortaleza, na qual as gerações que vão nos suceder, na pior das hipóteses, poderão enxergar a face do Brasil verdadeiro e profundo — o Brasil *"que poderia ter sido e que não foi"*.

Alegro Solar

Antero Eça de Queiroz Savedra

"A este Livro, serve de Introdução o Romance d'A Pedra do Reino, de meu irmão Auro Schabino.

"Agora que está pronto e em vésperas de ser impresso, começa a pesar sobre mim a desconfiança de que, para ele ser aceitável, muito lhe falta, como estilo e como história.

"Quanto à história, realmente não pretendi meter nele tudo o que tenho a dizer sobre o Povo brasileiro — seus costumes, sua Língua (tão parecida com o Português, o Galego e o Espanhol), sua Poesia, seu Romance, seu Teatro, sua Música, sua Pintura etc. Que interessante estudo não se faria, entretanto, sobre o Povo que construiu em pedra as 5 Ilumiaras que aqui aparecem — a d'A Acauhan, a d'A Coroada, a de Zumbi, a do Jaúna e a da Pedra do Reino!

"No entanto, para dizer o que quero, 3.000 páginas seriam insuficientes, e hoje ninguém mais lê um livro grande, como Memórias de um Médico, de Alexandre Dumas; e então, a mim, como a Dom Pancrácio Cavalcanti e Dom Porfírio de Albuquerque, nos pareceu melhor ir contando cada caso em tomo separado, de modo a que, de volume em volume, a história pudesse ficar mais palatável, mesmo sendo narrada com minudência e largueza.

"É verdade que Críticos ilustres, e mesmo alguns Escritores, às vezes me aconselham a tomar cuidado com a prolixidade, lembrando que Stendhal, Machado de Assis, Graciliano Ramos, João Cabral de Melo Neto e outros eram concisos, sóbrios, secos e despojados. É verdade. Mas Dante, Shakespeare, Euclydes da Cunha e Augusto dos Anjos eram retóricos e excessivos; escreviam num estilo pesado, cheio de imagens, de adjetivos, e, ainda por cima, turvado pela paixão, às vezes até pelo mau gosto.

"Luxurioso, turvo e vingativo como sou, é à linhagem destes últimos que pertenço; e escrevo num estilo carregado e tortuoso, com adjetivação excessiva, epígrafes, citações, arrodeios, digressões e ornamentos da mais variada natureza — o que faço para disfarçar o que ele tem de mal-engendrado e tosco.

"Ora, existe um provérbio que afirma: 'Punhal afiado não precisa de brilho.' Pode ser. Quanto a mim, não quero receber punhaladas de ninguém. Mas se for necessário enfrentá-las, além de fazê-lo com coragem, quero que me venham elas por um Punhal de cabo de prata, trabalhado pelos mais artísticos lavores que se possam imaginar.

"Movido por tal convicção, arrisco-me a apresentar minha história não secamente nua, sóbria, concisa e despojada, mas sim

THEOS

pendurando-lhe por todos os lados, para torná-la mais vistosa, aquilo que 'os descarnados' acham de mau gosto — os dourados galões da Eloquência, da Retórica e da Paixão."

Adágio Doloroso

Antero Mariano Savedra Jaúna

Mas agora vejo-me obrigado a mudar de tom para acrescentar aqui, noutro andamento, o que me aconteceu no dia de minha volta ao Sertão.

Foi no ano de 1970 que, depois de uma longa ausência no Recife, voltei a Taperoá. E ali, num impulso, antes mesmo de chegar à Rua, corri para a Ponte e para o Rio onde nadara pela primeira vez, experimentando uma das maiores e mais puras alegrias da minha vida.

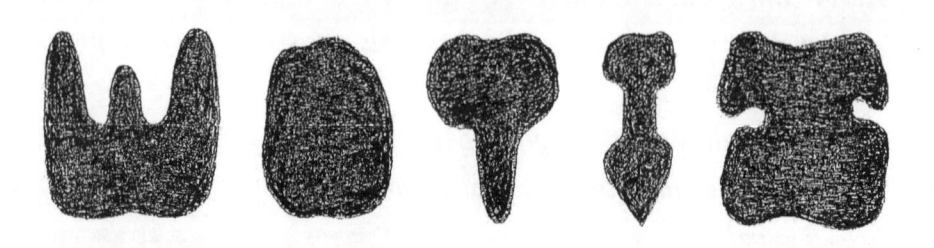

Mas o choque que me desenganou foi brutal: não tanto por estar seco e sujo o leito do Rio; mas porque, embaixo da Ponte, como se fossem Bichos, estava arranchada uma família de Retirantes, ferida pela fome, pela miséria, pela sujeira, pela maior degradação que se possa imaginar. E, por cima da Ponte, desfilavam meus semelhantes — pessoas para as quais "os Miseráveis" era como se não existissem. Nem sequer os viam. E eu, envergonhado por mim e por eles, cuidei de reassegurar-me pelo reencontro com a Casa onde, cicatrizado o ferimento de 1930, fora tão feliz ao lado de meus irmãos e de minha Mãe, Maria Carlota.

De longe, vendo a Casa e a Torre que tanto significavam para mim, minha alma, cantando, correu para elas. Mas, ao aproximar-me e entrar no Jardim, também ali a esperança começou a se transformar numa dor insuportável: no lugar que, outrora, minha Mãe cobria de Flores, e por onde eu errava, encantado, entre mil corolas e Borboletas, só havia agora ruína, feiura e devastação. E, dentro da Casa que eu conhecera tranquila e acolhedora, tinham derrubado paredes, destruindo as antigas divisões e criando outras, entre as quais até o quarto de minha Mãe desaparecera.

Não era mais a minha Casa: era outra, feia e fria, sem o Piano, sem os móveis que eu conhecera e amara.

No primeiro instante, desesperado, pensei em comprá-la, repovoando-a com um Piano e uma mobília pelo menos parecida com a nossa. Mas depois, amargurado, concluí que seria inútil. Tal recuperação somente seria eficaz se, com o Piano, voltasse um certo fim de tarde em que eu, deitado no chão, embaixo do sofá da sala da frente, olhava minha Mãe: ela, de olhos fechados e com a cabeça recostada ao espaldar da cadeira, ouvia meu irmão mais velho, Mauro, ao Piano, tocando uma Música triste e bela, na qual o tema mais pungente era entremeado aqui e ali por uma escala que, começando grave, ia quase até as notas mais agudas do teclado.

Quem a compusera? Quem juntara aquelas notas que me comoviam tanto?

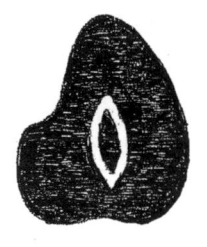

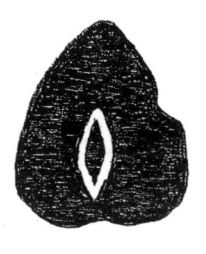

Agora, que Mauro se matou, jamais o saberei. O que sei, e posso garantir, é que, ali deitado, eu experimentava uma sensação indizível de felicidade, uma plenitude tal que, neste instante, somente por recordá-la, as lágrimas me chegam aos olhos.

Vendo, então, que era impossível recuperar a Casa, foi ali que se implantou em mim o sonho de reconstruí-la por meio destas Cartas e do Simpósio Quaterna, com seus Vitrais, sua Música, o claro-escuro do Palco — enfim, com aquele ambiente-de-encantação através do qual eu tentaria recuperar "meus dias para sempre destroçados". E, ao lado disso, arranjaria um jeito de, no Espetáculo, protestar contra a sorte de todos aqueles que eram relegados (pela injustiça, pela maldade, pela indiferença) para debaixo de todas as pontes do Mundo.

Dom Pantero do Espírito Santo, Imperador.

Livro I
O Jumento Sedutor

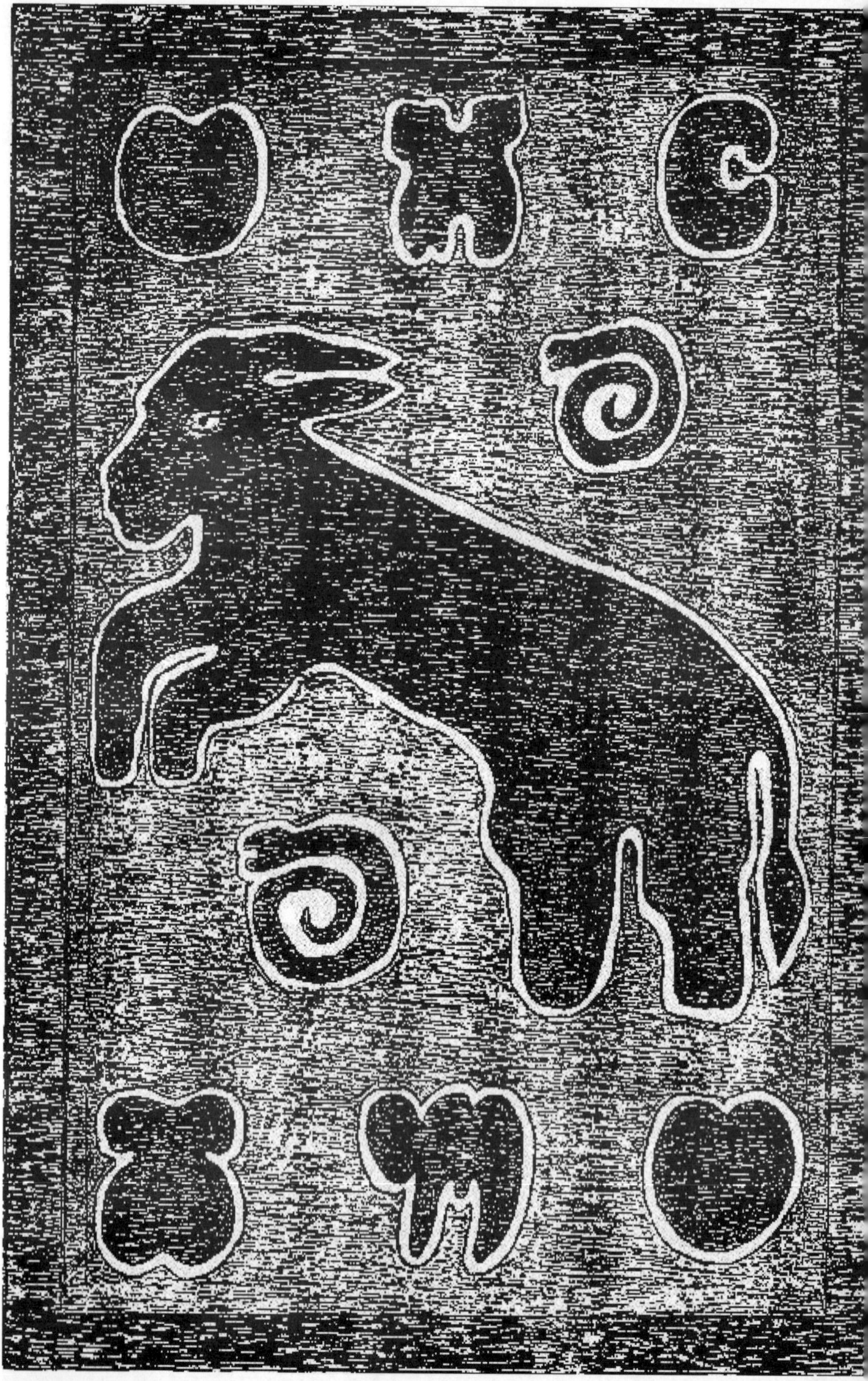

O Jumento Sedutor

Airesiana Brasileira em Sol-Maior

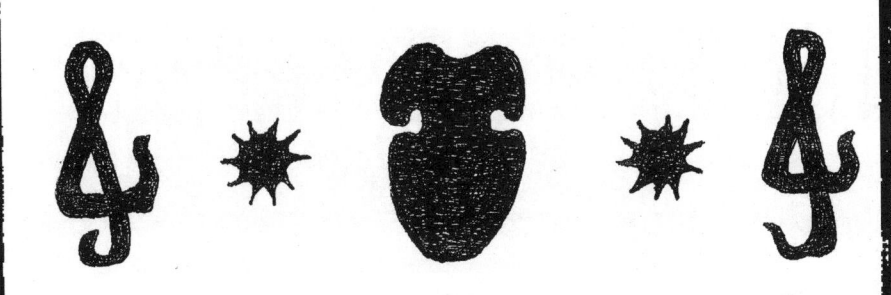

E, SE É'S, AGORA E SEMPRE, A MINHA VI-DA,

Ó MEU AMOR, POR QUE TE LIGO À MOR-TE?

Prelúdio

O Protagonista Insano

O Protagonista Insano
Epístola de Santo Antero Schabino, Apóstolo

Escrita por seu afilhado, sobrinho e discípulo Antero Savedra, em homenagem aos Brasileiros descendentes de Índios, nas pessoas de Maria do Espírito Santo Arcoverde, Tupi; Dom Antônio Filipe Camarão, Potiguar; Vilma, Carijó; Quitéria, Pankararu; Garrincha, Nô Caboclo e Lourença, Fulniôs.

Publicada para comemorar os 500 séculos da nossa Cultura, em sua vertente indígena.

Dirigida aos nobres Cavaleiros e belas Damas da Pedra do Reino. E enviada, por seu intermédio, aos diversos povos do Mundo; especialmente aos da Rainha do Meio-Dia, aqui representada por Angola.

EPÍGRAFES

"Castelo (também denominado Obra, Marco ou Fortaleza) é uma composição prolixa, na qual os Poetas-populares se fantasiam senhores de um Lugar-encantado, cuja descrição fazem sem nenhum respeito pela verossimilhança. O que os Marcos sobretudo revelam é o espírito quixotesco dos Cantadores. José Adão Filho não constitui exceção e blasona, façanhudo: 'Existem belos Poemas, de Poetas de talento, mas nenhum ainda fez, pelo meu conhecimento, um Castelo em prosa e verso, com tamanho comprimento. Existem, no Mundo inteiro, Poetas de grande fama, como, por exemplo, Homero, que primeiro o Povo chama; mas nenhum inda escreveu sete Romances num Drama.'"

LEONARDO MOTA

"Agora, com a idade avançada, estou fazendo uma releitura dos livros que li ao longo da vida. Só leio romances antigos. Hoje, se alguém escrever um novo Dom Quixote ou uma nova Divina Comédia, infelizmente não vou tomar conhecimento dele."

CARLOS HEITOR CONY

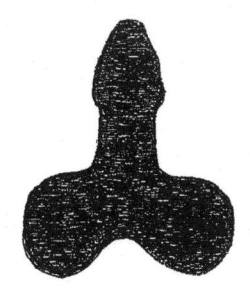

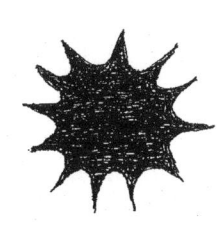

TXEOS

Dedicatória

Este Prelúdio é dedicado a Zélia de Andrade Lima Suassuna e foi composto em memória de Raymundo Francisco de Salles Suassuna, Mariana Felícia Corrêa de Albuquerque, Bevenuto José Pessoa de Vasconcellos e Anna Francisca Xavier de Figueiredo.

Para Eliza
Soneto (com Estrambote-alexandrino reiterativo. A ser recitado ao som de "Für Elise", de Beethoven).

Adriel Soares

Oh Romã-do-pomar, relva, esmeralda, olhos de ouro e de azul — minha Alazã! Ária em corda do Sol, fruto de prata, meu Chão e meu Anel — luz da Manhã!

Oh meu sono, meu sangue, Dom, coragem, Água das pedras, Rosa e Belveder! Meu Candieiro aceso da Miragem, meu Mito e meu poder — minha Mulher!

Dizem que tudo passa e o Tempo duro tudo esfarela: o Sangue há de morrer! Mas quando a luz me diz que este Ouro puro se acaba por finar e corromper, meu Sangue ferve, contra a Maldição, que há de pulsar Amor na escuridão,

— pulsar o nosso Amor até na Escuridão!

O Protagonista Insano e o Circo do seu Castelo

Andante

João Sotero | Pedro Américo – Davi e Abisag

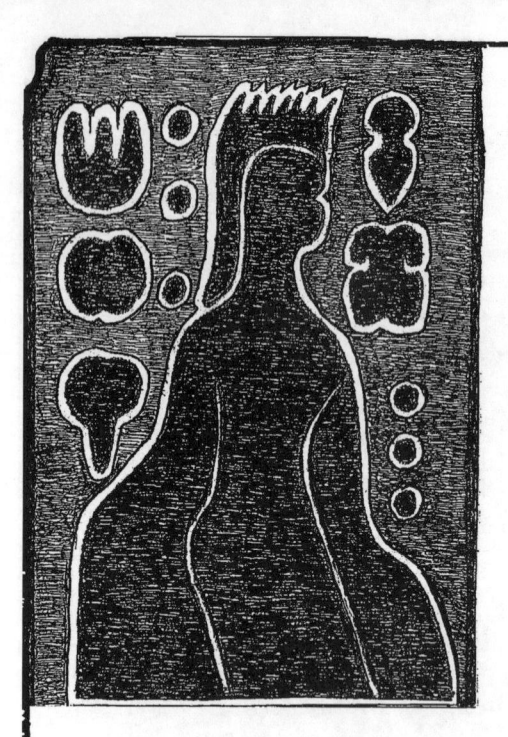

Sibila
Moda, Turismo & Lazer
Igarassu, 8 de Março de 2014
23 de Abril de 2016

Proposição
Com cavalos, atores, dançarinos e música-de-câmera

Prólogo a'O Espelho dos Encobertos

Aos nobres Cavaleiros e belas Damas da Pedra do Reino.

Amigos:

Uma vez, quando eu era bem menino, um Escorpião picou meu calcanhar. Talvez por causa disso, *"têm, para mim, Visões de um outro Mundo, as Noites luminosas, azuladas, quando a Lua aparece mais bonita"*.

Mas é verdadeira, também, a face reversa da Medalha: *"Têm, para mim, Visões de um outro Mundo, as Noites perigosas e queimadas, quando a Lua aparece mais vermelha."*

Num caso e noutro, tais Visões me surgem porque à noite, ao som de Violinos, Pianos, Violões, Flautas e Violoncelos, o Espelho grial e multifacetado que fulge em meu sangue reflete à luz da Lua a imagem de um velho Jaguar, talvez já meio cego mas ainda errante pela Caatinga devastada, não se sabe à espera de quê.

Marcada por ele e pelas Visões noturnas que nos assaltam pelo Espelho, A Iluminara (a Imitação e Narrativa-Espetaculosa que se começa a desvelar aqui) é uma Leitura-de-Trevas; *"um uivo desferido por um Cão agoniado em direção à Lua-cheia"*.

Sendo eu antes de mais nada um Ator e Encenador, em minha formação literária meus dois primeiros grandes Mestres foram Alexandre Dumas e Rafael Sabatini. Este escreveu, abrindo-me a visão do Mundo como um Palco e da Vida como um Espetáculo:

Rafael Sabatini Savedra

"Procuro consolar-me com a lembrança de Epiteto. Dizia ele que todos nós não passamos de atores no Palco da vida, e que representamos os papéis que o Diretor acha por bem confiar-nos."

Dom Pantero

Um outro Mestre nosso, Gustavo Adolfo Bécquer, nem de longe se pode comparar aos dois primeiros. Mas também foi importante para mim, porque seus versos evocavam a figura de minha perdida, amada e jamais esquecida Liza Reis:

Gustavo Adolfo Shabino Bécquer

— *"Eu sou ardente, sensual, morena, eu sou o símbolo da paixão. De ânsias de gozo minh'alma é plena. A mim me queres?*
— *Não, a ti não!*

— *"De fronte pálida e tranças de ouro, posso ofertar-te ditas sem fim. Eu de ternuras guardo um tesouro. A mim procuras?*
— *Não, não a ti!*

— *"Eu sou um Sonho louco, impossível, vago fantasma de névoa e luz. Sou incorpórea, sou intangível. Não posso amar-te.*
— *Oh vem, vem tu!"*

Antero Savedra

Pois bem: obsedado pelo Palco, vivo pela Estrada em busca de Deus, do Santo Graal e do *"Sonho impossível"* de Liza Reis; e este Castelo-de-Cartas-Espetaculosas foi composto nos moldes do Evangelho de São Lucas, dos Atos dos Apóstolos e das Epístolas de São Paulo; com base nas minhas *"Memórias"*, nas *"Saídas"* ligadas às *"Aulas-Espetaculosas"*, na *"paixão"* de Quaderna e nos anais do Simpósio Quaterna, instaurado em Taperoá, a 9 de Outubro de 2000. Por isso deve se apresentar como um Diálogo, no qual os interlocutores aparecem sob o comando de Dom Pantero do Espírito Santo. No conjunto, fundindo-se, nele, Encenação e Narrativa, forma uma espécie de Romance-de-Epopeia-Lírica, de Espetáculo-de-Circo ou de grande Peça-de-Teatro, na qual Dom Paribo Sallemas, Dom Pancrácio Cavalcanti e Dom Porfírio de Albuquerque integram comigo o grupo dos Narradores principais (pois Altino, Auro e Adriel, mais do que Narradores, são Personagens que, tendo já morrido, tiveram a encarná-los, no Circo-Teatro Savedra, 3 dos melhores Atores que compareceram ao Simpósio).

Devo explicar a Vocês que nossas vidas foram marcadas por 4 acontecimentos terríveis. O primeiro surgiu quando, a 9 de Outubro de 1930, meu Pai foi assassinado com um tiro pelas costas. O segundo, quando meu irmão Mauro se matou com 3 punhaladas desferidas contra o peito, o que sucedeu no dia nefasto de 6 de Outubro de 1970. O terceiro e o quarto, quando Auro e Adriel foram também assassinados.

Ora, uma vez meu Tio, Mestre e Padrinho Antero Schabino afirmara que nós, Savedras, éramos *"uma família trágica, como a dos Átridas"*. Por isso A Iluminara é uma espécie de Orestíada, narrada, não por Ésquilo, mas sim por aquele que, na trama, seria um outro Orestes ou um novo Hamlet (ambos filhos de Pai assassinado, de um Rei assassinado). Mas este "Hamlet" acertaria a vencer sua dor no Palco e na Estrada, por meio das Armas que Deus lhe concedeu — *"o galope do Sonho"*, do Rei, e *"o Riso a cavalo"*, do Palhaço.

Dom Paribo Sallemas
E que todos sejam advertidos logo de início:

Albano Cervonegro
Quem, seguro de si, cego no Sol, entrar por este Pasto incendiado, verá o riso, o choro e o desatino de um grande Povo, pobre e iluminado, forjado ao sol-castanho da Favela e ao sangue do Arraial do Leopardo.

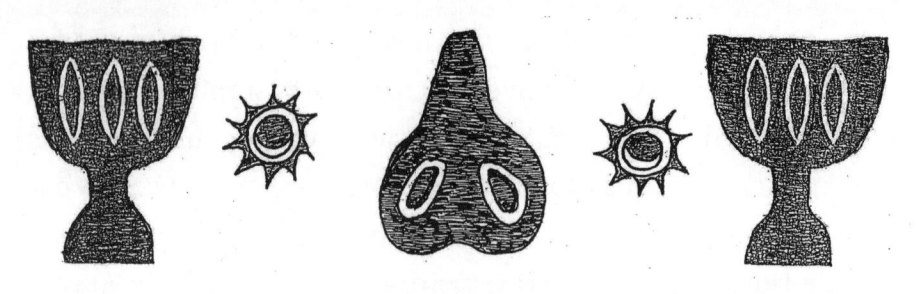

Dom Pantero

Então, que nos seja permitido alinhar os fatos e reflexões que temos a reunir nestas Cartas a partir de pontos de vista arbitrários e pessoais. Somos Brasileiros de origem índia, ibérica, negra, árabe, judaica, cigana etc. Pertencemos, portanto, a um dos Povos escuros, mestiços, pobres e desprezados do Mundo. Povos que, filhos da Iarandara, isto é, da Rainha do Meio-Dia, somos mais dançarinos e musicais do que reflexivos; mais da "*plástica sensual*" e da pulsação do ritmo estético do que da abstração.

Dom Pancrácio Cavalcanti

Para ser fiel a esse outro lado de nossa natureza, Antero Savedra, ao assumir o posto de Narrador principal d'A Ilumiara, teve de acrescentar, à sua história de Reis sombrios e Profetas extraviados, uma outra, dançada pelo Poeta musical e Palhaço lírico que é Dom Pantero.

Dom Porfírio de Albuquerque

Depois de ganhar o posto de Reitor da Unipopt (e principalmente depois que os Prefeitos Miguel de Alencar e Henrique Accioly o nomearam Secretário da Cultura de Taperoá), o nosso Mestre passou a vestir-se de dois modos: de roupa clara, quando encarna Antero Savedra, e de negro-e-vermelho quando representa

Dom Paribo Sallernas ou Dom Pantero (sendo que, neste último caso, pendura um Medalhão ao pescoço). E foi com essas roupas que ele, conduzindo sua trupe de Músicos, Atores, Bailarinos e Cantores, passou a empreender suas *Saídas* pelos palcos, estradas e descaminhos do Mundo — no caso dele representado pelo Brasil (porque sempre sustentou que, sendo o Ser-humano o mesmo em todos os lugares e em todos os tempos, se ele representasse bem o Brasil estaria representando bem o Mundo inteiro, pois "*o Brasil é o Sertão do Mundo*").

Dom Pantero

Mas o Espelho grial e lunar que, à noite, brilha em meu sangue, é também cabaçal e solar; e, durante o dia, ao som de Pífanos, Violas, Rabecas, Tambores e Marimbaus, me encandeia os olhos ao sol de outras fulgurações.

Em tais momentos, quando em mim predomina o "*hemisfério Palhaço*", não é que eu esqueça o abandono e a pobreza em que vive meu Povo: é que vejo na Festa dos pobres um belo e altivo protesto do Sonho contra a feiura e a cinzentice da dura vida que lhes é imposta, de maneira injusta. E aí, o que galopa dentro de mim, com o Jaguar, são Cavalos desembestados, Atores e Dançarinos — Reis pobres e maltrapilhos, cujos farrapos são apenas encobertos por mantos e golas recamadas de sóis, luas, estrelas, vidrilhos e lantejoulas.

ALBANO CERVONEGRO

Impelido por eles, às vezes, olhando o alto Céu azul-iluminado, vejo brilhar ao Sol — joia ante o Olhar divino, Rosa castanha e bela — um Reino de muralhas, Castelos e bandeiras, de Estandartes ao vento e de estrelas na Esfera.

DOM PANTERO

Então, para além da Leitura-de-Trevas, A Iluminara é uma Lição-de-Aleluia; um Cantar-jubiloso que, vencendo o sangue e o choro, se dirige, dançando, à coroa e ao sol do Reino. E eu, com os olhos voltados para "*O Histrião Desabusado*" que foi meu Tio e Padrinho, Antero Schabino (Aribál Saldanha, Ademar Sallinas), cobro novo ânimo para empreender a perigosa Viagem a mim por ele imposta, mas que procuro realizar do modo como foi sonhada por meu Pai (isto é, fundindo o galope épico de Os Sertões ao riso do Triste Fim de Policarpo Quaresma e à poesia do Eu, de Augusto dos Anjos).

ALBANO CERVONEGRO

O Espelho e os girassóis apontam para o sol de Deus. Refletem um Povo que canta sobre um Chão marcado por seu próprio sangue e gargalha ao som de um choro causado por terríveis infortúnios.

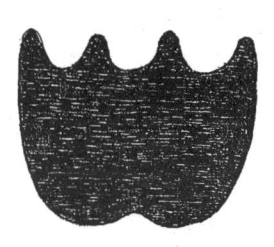

Canta sob o Sol e dança diante das malhas do Jaguar, do voo leve da Garça viageira e do olhar triste e belo do Cisne agonizante.

Dom Pantero

De tal modo, além de grial e lunar, A Ilumiara é um Esconjuro cabaçal e solar, e nela se figura uma Demanda — a labiríntica busca de um Castelo que nos foi profetizado.

Mas é também um Diálogo estradício e arraial-romançário, representado num Circo, em cujo picadeiro o Protagonista (Rei-de-vidrilho e Profeta-de-sacristia) atua em contraponto a um velho Palhaço (um Poeta-impostor, brincante, irreverente e pornográfico).

Chamo-me Antero Savedra, nobres Cavaleiros e belas Damas da Pedra do Reino; e, como Altino, Auro e Adriel, sou filho do Cavaleiro — João Canuto Schabino de Savedra Jaúna — e de sua Mulher e prima, Maria Carlota Sotero Veiga Schabino de Savedra. Mas, do ponto de vista da nossa formação intelectual, fomos educados por nosso Tio, Antero Schabino — Paulo Antero Soares da Veiga Schabino de Savedra —, irmão de nossa Mãe e autor de dois Livros, o Diálogo d'A Onça Malhada e a Ilha Brasil e o "*quase-romance*" O Desejado, ambos publicados, à sua custa, sob os pseudônimos de Aribál Saldanha e Ademar Sallinas.

Dom Pancrácio Cavalcanti

Aí, tentando ridicularizar esta ascendência ilustre, os adversários dos Savedras, espalhando a versão de que o Tio deles era mentiroso e megalomaníaco, chamavam Antero Savedra de "*Dom Mariano Beato, O Donzelo*"; e ao Tio (principalmente por ter recebido o título de "*Guerreiro e Rei-de-Honra*" do Maracatu-Rural Piaba de Ouro), de "*El-Rei Dom Antero Megalo, O Histrião*"; ou de "*Antero Mitoma, O Hebéfilo*", como também o apelidavam.

Antero Schabino

Não viam que, irônicas como fossem, tais alcunhas terminavam por reconhecer a invulgaridade da nossa estirpe, a da Casa da Torre dos Savedras, que se mudou da Galícia para Portugal em 1290 e da qual assim falou um Poeta e Genealogista de mérito:

Dom João Ribeiro Gaio

"*Antes que os reis fossem Reis, e que as pedras fossem Pedras, Schabinos eram Schabinos, Savedras eram Savedras.*"

Dom Pancrácio Cavalcanti

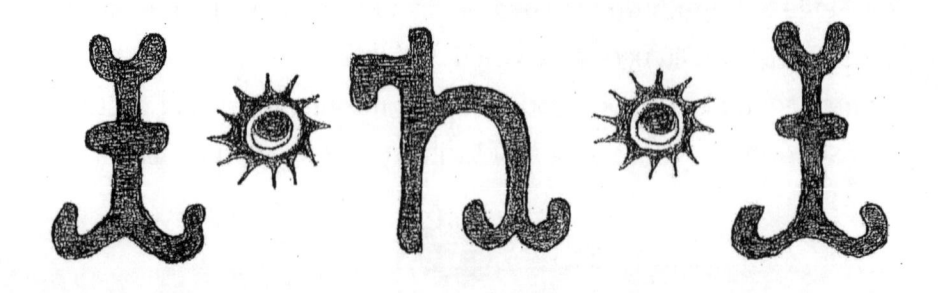

Se é por isso, Alexandre Dumas considerava a família Cavalcanti, "*inscrita no livro-de-ouro de Florença*", como "*uma raça de Príncipes*", cujo Genealogista não era um Dom João Ribeiro Gaio qualquer, mas sim o próprio Dante. Portanto, Palhaço como seja, é como Rei que apareço aqui.

Dom Porfírio de Albuquerque

Minha família também marcou presença nas guerras da Índia e do Brasil, assim como na África, na Batalha de Alcácer-Quibir, ao lado de El-Rei Dom Sebastião.

Dom Paribo Salletas

É verdade: Dom Porfírio é um Albuquerque-palhaço; um Albuquerque lascado, fudido e mal pago, mas, ainda assim, um Albuquerque.

Dom Pantero

Por causa de tais estirpes tenho o direito de montar Graciano, o Cavalo castanho e alado que é o timbre de nossa Raça; e de, montado nele, empreender minha Viagem, escrevendo-lhes esta Carta e enviando-lhes, daqui, "*meu muito saudar*" — expressão que os Reis portugueses e nosso primeiro Imperador costumavam empregar nas suas, quando se dirigiam a seus apaniguados e cortesãos.

Conforme se vê por aí, estas Cartas pretendem apresentar uma versão literária daquele Pasto-Incendiado através do qual se ligava Taperoá à Iluniara Jaúna pela Estrada de Matacavalos — Via principal da Peregrinação dolorosa (mas celebrativa e sagratória) que se encontra por trás do espetáculo d'A Iluniara.

É, portanto, indispensável que em tal Via eu os introduza, numa espécie de Viagem-probatória e com ajuda de 3 Poetas, cujos Versos são Variações compostas sobre o tema da Estrada.

Antero Savedra

O primeiro deles é Dante, que assim começa seu Poema:

Dante Cristiano Martius Savedra

"*Ao meio do caminho desta Vida, achei-me a errar numa Caatinga escura, pois a Estrada real fora perdida.*

"*Ah! descrever não posso esta Espessura, a Estrada tão selvagem, densa e forte, que ao relembrá-la a mente se tortura.*"

Dom Paribo Sallemas

O segundo é Augusto dos Anjos, que cantou:

Augusto Schabino dos Anjos

"Quem foi que viu a minha Dor chorando? Saio. Minh'alma sai, agoniada. Andam Monstros sombrios pela Estrada, e, pela Estrada, entre esses Monstros ando."

Antero Savedra

O terceiro é Severino Cesário, que assim começou um de seus Folhetos:

Severino Cesário Savedra

"Aqui eu mostro a Estrada do passado e do presente, que levou à morte um Rei, molhado em seu sangue quente: um Rei, porém, que aqui vive, como foi e é para sempre."

Dom Pantero

Postando-se numa Estrada selvagem logo no começo de sua Incursão, Dante (juntamente com Euclydes da Cunha, Cruz e Souza e Augusto dos Anjos) é o Patrono principal daquilo que este Romance tem de trágico, de lírico e pessoal: porque aqui, como n'A *Divina Comédia* e n'A *Vida Nova*, o Narrador é o Personagem-central de seu Poema, de seu Diálogo, de suas Cartas, de seu Espetáculo.

Dom Porfírio de Albuquerque

Já o Patrono da parte humorística é Cervantes, devidamente coadjuvado por Gregório de Mattos, Antônio José da Silva ("O Judeu"), Machado de Assis e Lima Barreto.

Ora, Cervantes, escrevendo sobre o episódio em que Dom Quixote e Sancho, também numa Estrada, encontram uma Trupe circense de Atores ambulantes, assim é parafraseado pel'O Judeu:

"Vida do Grande Dom Quixote de la Mancha"
Variação sobre o tema d'O Cavaleiro e o Pajem

Ópera que se representou, com Atores e Bonecos, no Teatro do Bairro Alto, em Lisboa, a 9 de Outubro de 1773

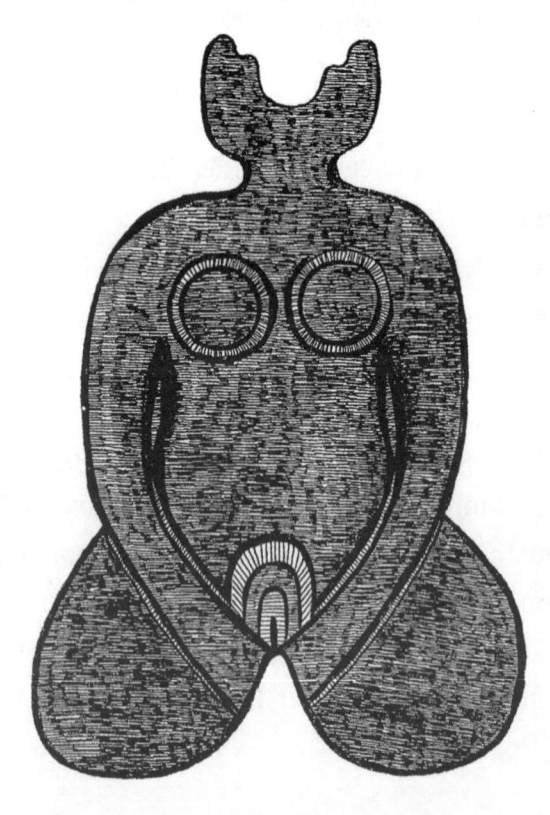

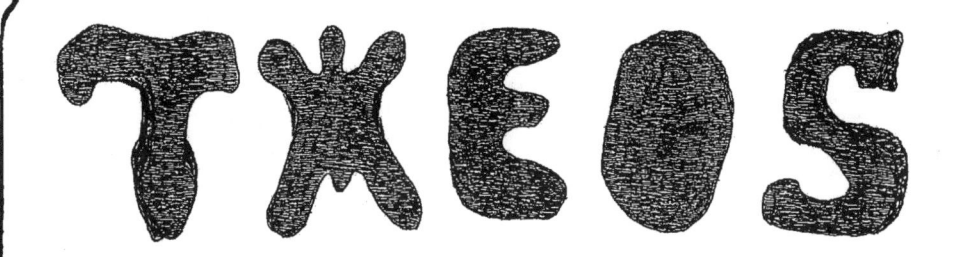

TÆOS

Miguel de Cervantes Schabino de Savedra

"Estando os dois conversando, viram aparecer na Estrada uma Carreta, sobre a qual vinham um Diabo, um Palhaço — um Bufão (ou 'Mateus'), com um pau em cuja ponta havia 3 Bexigas cheias —, a Morte, um Anjo, um Rei e outras Figuras.

"Amedrontado, Sancho quis correr. Mas Dom Quixote segurou-o por um braço e disse:

Dom Quixote

"Oh Sancho, espera! Não vês que aquilo é apenas um Castelo-movediço, com muita gente dentro? Grande aventura nos chega, Deus seja conosco!

Sancho

"Ai, pobre Sancho, onde estás metido? Melhor me fora estar na minha Aldeia, que não via agora este bando de gigantes Engolias!

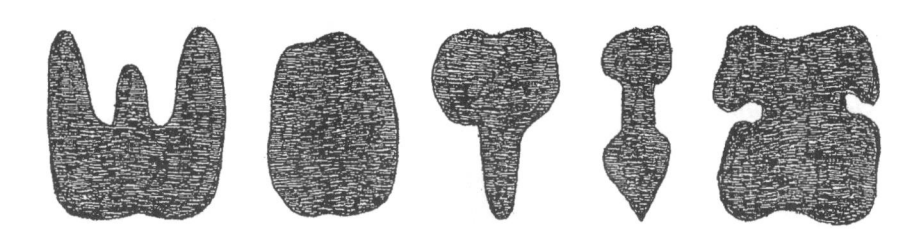

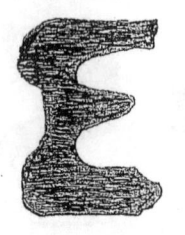

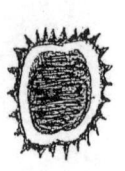

Dom Quixote

"Que temes, covarde? (Aos Atores) Oh vós, quem quer que sejais, dizei-me quem sois e aonde ides!

Diabo

"Senhor, nós somos uns pobres representantes de Comédia, que imos aqui já vestidos para fazer um Auto-Sacramental. Eu faço o papel de Diabo, este de Anjo, esse da Morte, aquele de Rei, outro de Palhaço, e os demais fazem diversos papéis.

Sancho

"Boas novas Deus te dê, que eu já estava sem pinga de sangue no corpo!

Dom Quixote

"Ouve, Sancho: não existe metáfora que melhor nos represente o que somos do que a Comédia. Os Comediantes nos colocam à frente um Espelho, onde se veem Damas, Reis, Imperadores, Cavaleiros, Pontífices e outros Personagens, ricos ou pobres, 'do grande teatro do Mundo'. Um faz de Rufião, outro de Pícaro-embusteiro; este de Mercador, aquele de Soldado; este de Camponês astucioso, aquele de ingênuo Enamorado; e, acabado o Espetáculo, despidos os trajes, todos os Comediantes ficam iguais.

"Pois a mesma coisa, Sancho, acontece na comédia da Vida, onde cada um faz o papel que lhe cabe; mas, chegando ao final, a Morte lhes tira as roupas que os diferenciavam, e, na Sepultura, ficam todos iguais."

Dom Pantero

Aqui, pois, é como se Dante fizesse o papel de Homero; Euclydes da Cunha, o de Virgílio; Augusto dos Anjos, o de Camões; Cervantes, o de Apuleio; Antônio José da Silva, o de Plauto; Machado de Assis e Lima Barreto, o de Boccaccio; Cassandra Rios, o de Santa Teresa; e é como se todos me servissem de Guias em minha incursão pela Estrada que atravessa o Reino Perigoso do Ladrido.

SOFIA

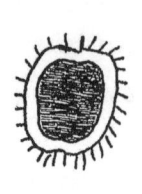

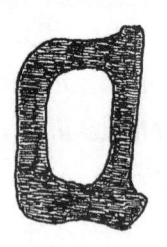

MARIANO JAÚNA

Quando éramos crianças, ouvimos de nossa Mãe, Maria Carlota, uma frase que nunca mais esquecemos. Falando do Cavaleiro para nossa Tia, Maria Francisca, irmã do nosso Pai, ela afirmou:

MARIA CARLOTA

"Se, no dia 9 de Outubro de 1930, Canuto tivesse ficado em nossa Casa, como lhe pedi — e não saído por aquela Estrada —, não teria sido assassinado. Mas se era para ele fugir ou ser humilhado e desmoralizado (como vi acontecer com outros), então foi melhor que morresse como morreu."

DOM PANTERO

Desde o momento em que ouvimos tais palavras, fincou-se dentro de nós a certeza de que a Casa era um abrigo seguro e a Estrada um perigo mortal; mas perigo que devia ser enfrentado com coragem, pelo *"Riso a cavalo"* e pelo *"galope do Sonho"*, no Palco daquele Teatro que era o Mundo, ou no Circo daquela Estrada que era a Vida.

Sim, porque, para nós, o Palco sempre foi também um picadeiro de Circo, semelhante aos que víamos em Taperoá; Circos que, quando viajavam pela Estrada, eram *"Castelos-movediços"*, como o de Sancho e Dom Quixote; e, quando armados na rua, eram Casas ou *"Castelos-fixos"* — Fortalezas de pano, porém muito mais brilhantes e animadas do que as comuns, de pedra-e-cal.

Principalmente porque, dentro de sua forma uterina e circular, encenavam-se Tragédias, Dramas e Comédias; apareciam Bailarinas, Malabaristas, Mágicos, Palhaços, Atrizes, Atores e Trapezistas; e assim, ora luminoso, ora sombrio, o Espetáculo assumia o caráter de *"uma outra metáfora do Mundo"*:

Marcos Shabinno Chagall

"Para mim, o Circo era um Espetáculo mágico, que fundava todo um universo. Além disso, o mundo do Circo tinha uma face inquietante, profunda, secreta. Aqueles Palhaços, aquelas Equilibristas, aqueles Acrobatas, instalaram-se de uma vez para sempre em minhas Visões.

"Por que suas Máscaras me perturbavam tanto? É que, com elas, eu me aproximava de outros horizontes. Era um nome mágico, aquele do Circo — um jogo milenar que se dançava; um jogo em que os Atores, as gargalhadas, as caretas, os saltos e os passos de Dança às vezes tomavam a forma de uma grande Arte.

"Mas, ao lado de sua face cômica, lírica e divertida, o Circo era também uma encenação trágica. Através dos séculos, ouvia-se nele o grito mais agudo e pungente da busca da alegria do Homem;

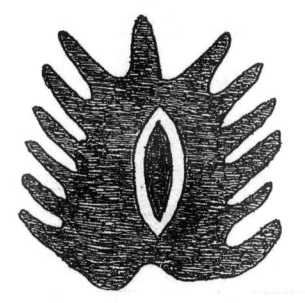

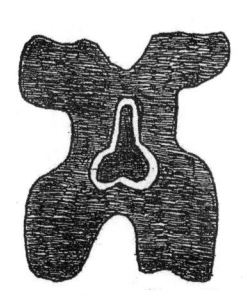

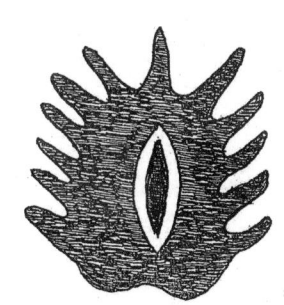

e, assim, o Circo assumia, às vezes, o caráter da mais alta Poesia. Em tais momentos, eu tinha a impressão de, no Picadeiro, estar vendo Dom Quixote em busca de seu ideal; e seu criador, Cervantes, como o Palhaço genial que, fundindo o doloroso e o risível, chorara e sonhara o Amor humano."

Dom Pancrácio Cavalcanti

De modo semelhante, para Dom Pantero, em sua condição de Ator e Encenador, o palco do Teatro Savedra terminou por ser um Circo; e no próprio universo das peças ou do romance de Adriel e Auro, irmãos dele, o cenário e os personagens configuravam uma espécie de *"Circo singular"*.

Dom Pantero

Entretanto, apesar dessa atmosfera luminosa do Circo, é tenso e preocupado que escrevo agora: a Estrada de Matacavalos ligava Taperoá à Ilumiara Jaúna, e esta à Fazenda Saco da Onça. Foi na Ilumiara que mataram o Cavaleiro, e tenho dolorosa consciência de que, como a escrita, a leitura destas Cartas é uma áspera Viagem que lhes imponho, penosa de se levar adiante. Enquanto a empreendia, lembrava-me a cada instante de um Soneto que, sob o pseudônimo de Albano Cervonegro, meus irmãos Auro e Adriel tinham incluído na Vida-Nova Brasileira (primeira parte d'O Pasto Incendiado): o Soneto bem mostrava o que as Estradas — e aquela de Matacavalos em particular — significavam para nós. E é importante que se recorde: a Vida-Nova Brasileira musicada por Antonio Madureira foi incluída aqui porque, imitando a de Dante, foi ela que me permitiu empreender a Autobiografia--em-prosa-e-verso que é A Ilumiara.

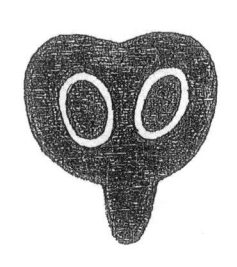

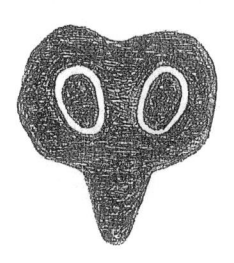

Dom Porfírio de Albuquerque

Como acontecia com tudo o que os Savedras escreviam (e até com os Espetáculos encenados por Dom Pantero), o Soneto fora composto com base na obscura Poesia sonhada por Altino Sotero, irmão deles.

Dom Pancrácio Cavalcanti

Altino era um sujeito estranho, obsedado por sexo, pela música de Schumann, pela pintura de Carlos Pertuis e pelos poemas de Hölderlin. E, quando envelheceu, a preferência se revelou, na verdade, como uma identificação, pois também ele acabou sua vida mergulhado na demência.

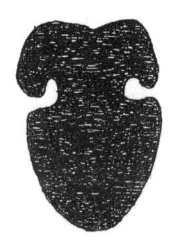

Dom Panteiro

Desde muito cedo, revelara total incapacidade para a vida prática. Nós tínhamos verdadeira reverência por ele; encarregávamo-nos de sustentá-lo; e, quando Auro foi morar na Favela-Consagrada — ou Ilha de Deus — Altino o acompanhou, recusando-se a continuar, comigo, com Eliza e Adriel, na Casa recifense dos Savedras, que até ali abrigara todos nós.

Dom Porfírio de Albuquerque

Além disso, com as ideias que Auro, Adriel e o próprio Altino sustentavam, não admira que compusessem o Soneto como uma Glosa, cujo Mote eram os versos finais da estrofe de Augusto dos Anjos há pouco citada aqui.

Altino Sotero

É que a Vida me aparecia como uma Estrada perigosa e estranha: uma Estrada diante da qual meu sangue se crispara de uma vez para sempre, tornando-me cerrado e tenso perante os enigmas e as emboscadas do Mundo.

Adriel Soares

Quanto a mim, provavelmente por causa do papel que Eliza desempenhou em minha vida, a Estrada, mesmo com aquela face terrível e sangrenta da qual falou Altino, também se desdobrava à nossa frente como uma Roda-de-Jogo, povoada por Cavalos, zodíacos, Cabras, signos e insígnias, trupes de Atores, Músicos, Cantores e Bailarinos.

Antero Savedra

E, apesar de seu perigo, sobrepondo-nos ao ferro-em-brasa com que ela nos marcara, nós a celebrávamos assim:

A Estrada
Com mote de Augusto dos Anjos

Albano Cervonegro

No relógio do Sol, o sol-ponteiro sangra a Cabra, no estranho Céu chumboso. A Pedra lasca o Mundo impiedoso. A chama da Espingarda fere o Arqueiro.

No carrascal do Céu, azul braseiro, refulge o Girassol rubro e fogoso. Como aceitar a sombra-sem-repouso? Como enfrentar a Morte e o Desespero?

Lá fora, o incêndio: o aceso lampadário das Macambiras roxas e auri-pardas vai a Arcanjos e a Tronos apelando.

Sopra o Vento, o Sertão incendiário. "Andam Monstros sombrios pela Estrada, e, pela Estrada, entre esses Monstros ando."

Dom Pantero

Ora, sendo a Estrada o Palco mais significativo das Viagens, o livro que nosso tio Antero Schabino sonhava escrever quando morreu chamava-se exatamente A Divina Viagem; de modo que, agora, esta Incursão, este Castelo teatral, novelesco, circense, movediço e ambulante, é que verdadeiramente começa a minha — a Viagem final e insólita que estas Cartas aos poucos pretendem narrar.

O Sonho da Ilumiara
Variação sobre o Tema da Pedra da Profecia

Dom Pancrácio Cavalcanti

Pelas últimas palavras que alinhou aqui, vê-se como, na idade em que se encontra (e apesar de ter abandonado a Poesia, trocando-a pelo Palco), Dom Pantero continua a ser aquele mesmo "*Poeta*" que foi na juventude — feio, sonhoso, falhado, quimérico, perseguido por Visões perturbadoras.

Dom Pantero

Ainda há pouco, no momento de começar esta Carta, fui surpreendido por uma: ao som do Tríptico, de Antonio Madureira, vi duas imagens iguais da mesma Mocinha.

Reconheci imediatamente o rosto gracioso, a cintura esbelta e o busto adolescente de Liza Reis, apenas ressaltado sob o vestido, assim como está num dos Retratos que dela me ficaram depois que a perdi.

Como frequentemente me acontece agora, o que mais me doía naquele instante era o contraste que havia entre a minha Máscara feia, roída pelo tempo, e a radiosa juventude de Liza: pois enquanto eu continuava como o Velho extraviado e meio cego em que a Vida me transformou, ela me aparecia jovem e bela, envolta no mesmo halo, cercada pela mesma auréola que a meus olhos a iluminava desde que a vi pela primeira vez.

Espantava-me também o Sol que, na escuridão da noite, estranhamente brilhava entre as duas imagens. Por causa dele inclinava-me a crer que uma daquelas Mocinhas representava a Graciosa; e a outra, a Coroada: a Mulher Vestida de Sol; a Aparecida; a Misericordiosa; aquela cuja figuração terrestre é a Iarandara — a Rainha do Meio-Dia em cujo centro fica o Brasil.

Mas foi aí que uma luz de claro-escuro começou a envolver tudo e eu me vi diante da Ilumiara Jaúna — o feroz Anfiteatro que, com baixos-relevos insculpidos e petróglifos pintados em seus Lajedos (mas principalmente por ter sido o lugar onde mataram o Cavaleiro), nos propunha o Enigma, cercava-o pela festa de formas poderosas, e assim nos desafiava a tentar sua decifração.

Quando comecei a vê-lo, eu estava em frente da Itaquatiara. Mas, por cima da Pedra, olhava, lá adiante, para o Lajedo d'As Tábuas da Lei, junto do qual estavam a Besta Fouva e a Moça Caetana — a Madre-Terrível, a segunda entre As Sete Mulheres da Wopia (ou seja, da Zofia, ou Sofia, de acordo com o que, até agora, se pôde decifrar sobre os caracteres insculpidos na Ilumiara). E era como se ela fosse a imagem oposta à d'A Mulher Vestida de Sol:

A Moça Caetana
Com tema de Deborah Brennand

Albano Cervonegro

Eu vi a Morte, a Moça Caetana, com o Manto negro, rubro e amarelo. Vi-lhe o inocente olhar, puro e perverso, e os dentes de coral da Desumana.

Eu vi o Estrago, o bote, o ardor cruel, os peitos fascinantes e esquisitos. Na mão direita, a Cobra-cascavel, e, na esquerda, a Coral, rubi maldito.

Na fronte, uma Coroa e um Gavião. Nas espáduas, as Asas deslumbrantes, que, ruflando entre as pedras do Sertão, pairavam sobre Urtigas causticantes, "caules de prata, Espinhos estrelados e os cachos do meu Sangue iluminado".

Dom Pantero

No momento em que ouvi este Soneto (que me chegava como que recitado, no sonho), os Lajedos pareciam alumiados pelo Sol, mas o resto do Anfiteatro estava mergulhado em trevas. Sobre a Itaquatiara pairava um enorme Pássaro — O Encourado, talvez — com as grandes Asas espalmadas contra o Céu. E, amarrado à Pedra, um Homem, um Velho, chorava desoladamente, com os cotovelos apoiados sobre os joelhos e as mãos tapando o rosto. Seria por causa do Abutre? Por causa do Crime, do Pecado e do Sonho perdido?

Ouviam-se os acordes de uma Toada-instrumental de Antonio Madureira, A Divina Ilumiara, que servia de contraponto a outra, coral e cantada, Canindé-Lune, na transcrição feita a capela por Heitor Villa-Lobos. Ao som delas aparecia o Anjo-Abrasador, que perguntava:

— *"Por que chora este Homem?"*

Alguém respondia:

— *"Chora por causa da Morte, do Sofrimento, do Mal e do Pecado."*

E o Anjo tornava:

— *"Não é preciso mais chorar, porque agora não mais existe fome, nem injustiça, nem opressão, nem frieza, nem qualquer outro tipo de feiura e crueldade. Antes imperava o Pecado, pela Morte. Agora impera a Graça, para a Vida-eterna, porque o Cordeiro venceu o Mal, o Pecado e a Morte."*

Aí o Sol, rompendo Nuvens cor-de-chumbo, aclarava o Céu, e eu via, não só um grande Trono, mas, sobretudo, Aquele-que-no-trono-se-assentava. Um cheiro embriagador — o cheiro de um Juremal, de madrugada — começou a encantar tudo, impregnando até o som da Música, cujo ritmo se tornava cada vez mais galopado. Abriam-se Livros — um em especial, O Livro da Estrada, O Livro da Vida. Tinham-se rompido as cadeias que amarravam o Homem. A Terrível, a Besta e o Encourado tinham desaparecido e em lugar deles surgiam o Cervo, a Corça e o Gavião, pois fora estabelecido o Reino-do-Sol.

Uma Voz bradava:

— *"O Sol é o girassol do sol de Deus!"*

Na verdade, chegara-se ao fim dos tempos e o Cordeiro entregara o Reino a Deus-Pai, depois de ter destruído todo Estado, toda Autoridade, todo Poder (inclusive o do Dinheiro). Já colocara todos os nossos inimigos debaixo de seus pés e o último deles a ser destruído fora a Morte, que, com o Inferno, fora lançada a um lago-de-fogo. O Sangral fora encontrado: eu via o Encoberto, um novo Céu e uma nova Terra, porque o céu e a terra que conhecemos haviam desaparecido e o mar não mais existia. Via também descer do Céu a Cidade-Santa, o Reino-do-Sol, o Reino-de-Deus. Outra Voz poderosa clamava, junto ao Trono:

— *"Eis a terra de Deus com os homens (e não contra os homens); eis a terra dos homens com Deus (e não contra Deus). Ele habitará nela com os homens, eles serão o seu Povo e Ele será o seu Deus. Ele enxugará todas as lágrimas dos nossos olhos, pois nunca mais haverá morte, nem clamor de desespero, nem brutalidade, nem luto, nem dor ou sofrimento de qualquer espécie."*

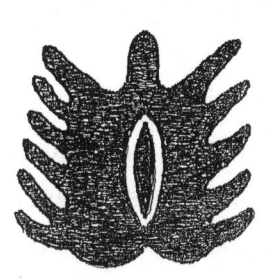

A essa altura, porém, eu olhava para o Espelho, no qual, além de mim mesmo, via a Ilumiara, o Anjo, a Rainha e o Gavião, todos nós deformados e convertidos, pela inversão das imagens, em nossos duplos-contrários. Mais uma vez, nada fora decifrado nem resolvido. O Homem continuava encadeado à Pedra e era com a face ambivalente do Encourado e da Terrível que o Anjo me comunicava:

— "*A ameaça contida nos Sinais permanece. O Mal continua, ligado à Dor, ao Crime, à Morte, ao Pecado e ao Enigma, que continuas obrigado a decifrar, mesmo sabendo que o risco é de morte e que a Princesa, o Príncipe, o Rei e a Rainha jamais serão reencontrados.*"

Mas não me intimidava. Como o Rei Davi diante da Arca, ou como os Velhos e Mestres dos Espetáculos populares brasileiros, eu me rebelava contra o Mal pela Dança e enfrentava o Enigma pela Festa, na qual era possível fundir o "*galope do Sonho*" do Rei com o *"Riso a cavalo"* do Palhaço; o riso de Brincantes que ora atuavam a pé, como o Bastião e o Mateus, ora montados, como o Capitão — todos três participantes do Cavalo-Marinho, mas o último comandando a Festa numa estranha e pobre montaria feita de pano, tinta, papel, cola e madeira; e todos criando em torno de si um ambiente de sagração e gargalhadas que se sobrepunha a qualquer dor e era, ao mesmo tempo, risível e doloroso; cômico e lírico por um lado, épico e trágico por outro:

Frederico Savedra Nietzsche

— *"Em torno do Rei, tudo vira Tragédia"* — diz o Profeta.
— *"Mas em torno de Semideuses como Sátiros e Faunos, tudo se transforma em gargalhadas"* — retruca o Palhaço.
E, mostrando que tais verdades são complementares, e não opostas, conclui o Profeta:
— *"É preciso que o Poeta tenha o Mundo inteiro dentro de si para poder gerar, no chão, ao Sol, a luz de uma Estrela dançante."*

Dom Pantero

No áspero Castelo erguido por um dos nossos Mestres, Euclydes da Cunha, o fogo era ateado por um Sol ardente e trágico, forte e sombrio. Mas eu tinha sempre fincadas em meu sangue as palavras que meu irmão Auro glosara ao pensar nos Mestres:

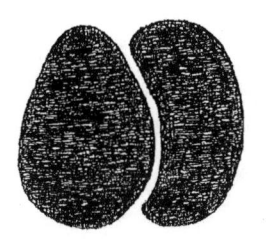

João Auro Jaurès Schabino

"Aqui não se cultuam as cinzas dos Antepassados, mas sim a chama imortal que os animava, e que aponta para o Futuro."

Dom Pantero

Era em tal sentido que eu sonhava levar adiante a chama acesa no Eu, n'Os Sertões e no Triste Fim de Policarpo Quaresma, construindo meu próprio Castelo, a partir destas Cartas e do Simpósio Quaterna. Nele, o sol do Rei, a princípio radioso e brilhante, fora depois marcado pela mancha sombria do Crime. O Príncipe se matara. Mas, precária como fosse a compensação, era ao Rei e à Rainha, ao Príncipe e à Princesa, que se iria votar esta Ara-de-Pedra, levantada por um Profeta extraviado mas erguida ao sol do seu Povo, no chão de sua Raça; o Castelo; a Fortaleza, na qual tão ardente quanto o fogo do Sol era a luz da Estrela, dançada pelo Palhaço e cantada pelo Poeta. A Morte era certa — e eu dançava. As Máscaras-de-Espetáculo eram apenas disfarces que procuravam esquecer a dor e a tristeza insondável da Vida — e eu dançava. O Poeta talvez ficasse cego — e eu dançava. O Passado estava irremediavelmente morto — e eu dançava. A vulgaridade, a feiura, o sofrimento e a injustiça faziam de uma das faces do Mundo um Pesadelo sinistro, cruel e sujo que o Espelho também deveria refletir — e, com os Cantores, Músicos e Bailarinos do meu Circo, eu cantava, ria e dançava, procurando cercar a maldade e o desespero de gargalhadas e lutando, com meu Canto-de-Aleluia, contra o abismo escancarado de onde me espreitavam todas as faces do Mal e da Morte. E um dia — quem sabe? — antes da cegueira possível e da morte certa, talvez ainda desse tempo de a Dança me colocar diante da Imagem que o velho Jaguar passara a vida inteira procurando por entre as cinzas de seu Pasto Incendiado — o matagal do Mundo.

Antero Savedra

Sim, porque aquela Visão era também uma Sagração e foi ela que me permitiu escrever estas Cartas com a paixão que meu assunto exigia: mesmo continuando a ser o Antero Savedra sombrio, culposo e feio do dia a dia, a Visão, ao fundir-me à máscara-e-persona de Dom Pantero, fizera de mim um Personagem, mais uma vez possuído pelo Dáimone, *"um Rei imortal, transfigurado em Poeta, Palhaço e Profeta"*.

Mariano Jaúna

De qualquer maneira, tal foi a Visão; e era indispensável que fosse descrita agora, porque a Ilumiara Jaúna, marcada pelo sangue do Cavaleiro, teria de ser logo colocada aqui, como um rescaldo-de-fogo que nunca mais deixou de arder no sono das nossas noites.

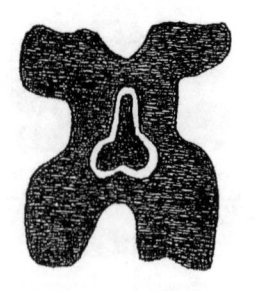

Dom Pantero

E para que o Castelo ficasse mais de acordo com o Palco onde atuam os Personagens e as Máscaras que a ele comparecem, aqui também se transcreve o que dizia Joanot Martorell, em Tirante, O Branco:

Joanot Giordano Martorell Savedra

"Estabeleceu a Divina Providência que os 7 Planetas exerçam influência no Mundo e tenham domínio sobre a natureza humana. Por isso, com ajuda divina, o presente Livro de Cavalaria se dividirá em 7 partes. Sendo eu mesmo um cavaleiro, imponho-me nele a tarefa de narrar a minha vida; de cantar o Brasil e a Iarandara; e de celebrar os atos-de-cavalaria daquele ilustríssimo Cavaleiro que, assim como resplandece o Sol sobre os demais Planetas, assim brilha em singularidade de Cavalaria perante os demais cavaleiros do Mundo (incluindo-se, aí, os da Pedra do Reino).

"De tal modo, esta Obra iluminará aqueles que moralmente pertencem à Cavalaria, apresentando exemplos de bons costumes, eliminando ou atenuando pela Arte a urdidura dos Vícios e a ferocidade dos atos monstruosos (entre os quais aqui se incluem o estupro de uma Menina e o assassinato do Cavaleiro). E se, por acaso, eu disser ou mostrar coisas impróprias, corrigi-as ou desconsiderai-as, pois elas provêm de um Homem criado no Ermo."

Dom Pantero

Seguindo caminho parecido, A Ilumiara é, também, A Grande e Famosa Peleja de São Cipriano e a Morte, obra inserta na Entrevista que, no Simpósio Quaterna, concedi a alguns de seus participantes. É um Poema heroico e quase-teatral, às vezes cômico pelo fato de partir da figura do "*Imperador*"; e às vezes doloroso, por se ligar à sua tentativa incessante e cega — mas sempre esperançosamente retomada — de ressuscitar o Rei, rever a Rainha, reencontrar o Príncipe e a Princesa. É escrito "*em romance*", para, sem crime (como o sonhavam Altino, Auro e Adriel), compensar de algum modo a morte de Mauro, a de Joaquim e a do Cavaleiro; e aqui é apresentado sob forma de CosmoAgonia-Erótica e Solmização-Ritual.

Dom Pancrácio Cavalcanti

Por isso Joaquim Simão é convocado a participar da celebração, a fim de cantar, ao som da Viola, um resumo-em-verso do Marco-Sagratório que é A Ilumiara. É uma Sextilha, adaptada para aqui da Cantiga do Valente Vilela:

Joaquim Simão

"*Meu Povo, preste atenção ao que agora eu vou contar, de um valente Cavaleiro, que morava num lugar, e que até seu assassino teve medo de enfrentar.*"

Dom Pantero

A tais Versos, segue-se a Invocação, no caso um Martelo-Agalopado, à guisa de Abertura na Chave-do-Sol. Alguns integrantes do Coro empunham, ao Sol, a sagrada Rabeviola que viemos herdando, por aí, de Folhetistas, Bandarras, Profetas e Cantadores. E entoam, ao Sol, na solfa que Antonio Madureira e Tonheta Meia-Garrafa escolheram para nós entre as toadas dos Violeiros, o seguinte Martelo, composto em 1972:

INVOCAÇÃO
Abertura ao Som da Viola

RECITATIVO
Com citação de Frei Antônio do Rosário

CORO
"Ay, ay, ay, três vezes ay!"

ADRIEL SOARES
Erga-se o Canto ao chão do meu Rebanho, e ao Sol-que-rege, oculto entre as Moradas; em favor da Rainha-Desprezada, de nobre

sangue-escuro e solo-estranho. Cante o Corne, do chão negro-e-
-castanho, a pulsação do Ser — fogo e legado. Mas que, ao pranto do
Povo injustiçado, ungido em Pedra e Sol, enfrente o medo, e erga o
Reino-do-Sol (sonho e segredo), nas pedras do meu Sol transfigurado.

Canto
Com citação de Cazuza Nunes

Isaar França
"Ay, ay, ay, três vezes ay, meu Deus!"

Edinaldo Cosmo de Santana
O galope sem freio dos Cavalos, os punhais reluzentes do Cangaço. As primas e bordões no seu traspasso, a matraca do Rifle e seus estralos. O Sino, com seus toques de badalo, e as Onças com seus olhos amarelos. O Lajedo, que é Trono e que é Castelo, o ressono do Mundo, esta Onça parda, o vento, o Sol, o sangue, a madrugada, e eu tinindo o galope do Martelo.

Isaar França
"Ay, ay, ay, três vezes ay, meu Deus!"

OLIVEIRA DE PANELAS

Na prisão destas Pedras fui atado, aos olhos baços de uma cega Fera. O sangue da pobreza é uma Pantera que estraçalha meu Povo injustiçado. Onde reina a justiça do Sonhado, senhores-do--baraço-e-do-cutelo? Ela vem! E eu, no fogo do Flagelo, mesmo em dura Prisão assim metido, "na Cadeia dos anos, vou, detido", retinindo o galope do Martelo.

ISAAR FRANÇA
"Ay, ay, ay, três vezes ay, meu Deus!"

EDINALDO COSMO DE SANTANA
E as Abelhas, o Mel acre e dourado, o Angico, o Tambor, a Baraúna; o Concriz aurinegro, a Caraúna, o Cardeiro de

frutos estrelados. Chora a Vida: "Ai meu sangue assassinado!" Grita o Mundo: "Na Pedra, eu me cinzelo!" E o Tempo: "Tudo eu queimo e desfarelo!" Quanto a mim, aos açoites da Virola, vou, nas cordas de prata da Viola, retinindo o galope do Martelo.

Dom Paribo Sallemas

Filmada por Mauro Galvão, a parte cantada desta Invocação foi colocada como Abertura do Disco-de-Vídeo realizado por Manuel Savedra Jaúna e Dantinhas a propósito da Primeira Saída, Aula-Espetaculosa que Antero Savedra deu em Patos, no Sertão paraibano d'A Espinhara; e é acentuado por seu caráter musical que ele retoma o fio d'A Ilumiara, empreendendo sua Dedicatória:

Dedicatória
Com versos de Olavo Bilac

Dom Pantero.

Como se pode notar pela entonação de seus versos, o Martelo apresentado na Invocação foi composto *"ao trom e no tom do Sol-Maior"*, e assim deve ser cantado por quem, depois de nós, se atrever a retomar A Ilumiara, seja na linha d'O Espelho dos Encobertos, seja na d'O Palco dos Pecadores.

Mas, como aconteceu também a São Cipriano, esta é a história de um homem que, para expiar seus pecados, vencer sua dor e celebrar sua festa, tenta alcançar, penetrar e decifrar (a toda hora, a cada instante!) o Castelo da Divina Ilumiara. Isolado na Casa em que me confinei para ver se, finalmente, consigo realizar a Viagem, de vez em quando, numa espécie de Périplo obsessivo, empreendo uma Incursão ao lugar em que Manuel Savedra Jaúna procura construir uma nova Ilumiara Jaúna; ou então ao outro local em que, agora, se veem apenas as ruínas do Castelo; ruínas em torno das quais ainda assim fico rondando, como as almas indignas de que falava Santa Teresa e que jamais conseguem entrar no seu.

Dom Paribo Sallemas

Para Santa Teresa, o Castelo era interior. Para nós era interior e também exterior o Castelo que A Iluminara terminaria por configurar. E mais ainda: era como Castelo exterior que a Obra — construída a partir do centro formado pelo Recife, por Olinda, Igarassu, Taperoá e Belmonte — acabaria por definir o Brasil como um Castelo, daí por diante imune a todas as vulgaridades ou injustiças, a todas as vilezas e feiuras que os traidores imaginassem ou fizessem contra ele, na tentativa de manchar e destruir sua imagem.

Dom Pantero

Quanto a mim, apesar da advertência de Santa Teresa (e apesar de sempre frustrado em minhas tentativas), continuo, obstinado, na procura; principalmente porque, no caminho, tenho

Sofia

contado sempre com a proteção da Coroada, da Misericordiosa, que é a incontrastável Soberana do meu Reino. É ela quem, nas Incursões, me ajuda a cicatrizar os ferimentos que vou recebendo pela Estrada, e assim possibilita que eu encare como festiva, e não como dolorosa, a cisão que me dilacera entre a Persona que vivo e as Máscaras que uso — desnecessárias talvez para os outros, mas indispensáveis ao cumprimento da Missão que me foi confiada pelo Rei.

Ora, por meio de um novo Tirante, O Branco, neste Castelo-de-Cartas-Espetaculosas vai-se fundir uma segunda Demanda do Santo Graal com um outro Lazarilho de Tormes.

Por isso, esta Dedicatória deveria ser feita *"em honra, louvor e glória de Nosso Senhor Jesus Cristo e da santíssima Virgem Maria, nossa Madre e Senhora"*.

Mas pesa-me chegar a Eles com uma Obra que, aparentemente, tanto se desvia, às vezes, do seu impulso religioso fundamental. E recorro à Graciosa, para que resolva: leia estas Cartas e depois decida se elas podem ser colocadas aos pés da Coroada, diante de quem me prostro, entregando-lhe a sorte do meu corpo, da minha alma e do meu sonho — do meu Auto imortal: pois sempre encarei A Iluminara como um novo e grande Auto d'A Misericordiosa, preparado em louvor do Rei, da Rainha, da Princesa, do Príncipe e do Cavaleiro.

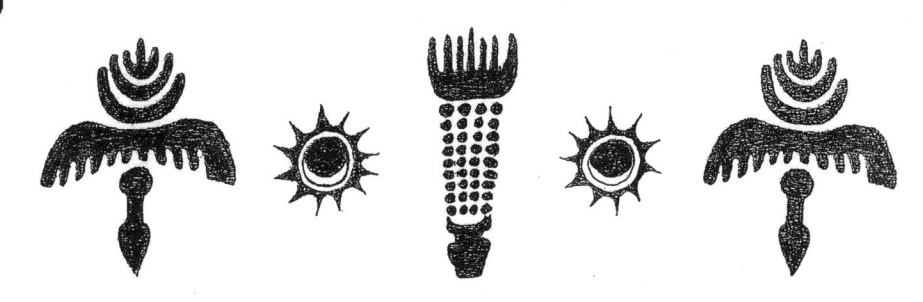

Assim, não veja Ela, em tudo, a feiura e as impurezas do Escorralho, mas o profundo amor que lhe consagro, e que venho reafirmar aqui, no momento em que retomo pela última vez, para refundi-los num Amálgama só (*"Ouro nativo que, na Ganga impura, a bruta Mina entre os cascalhos vela"*), os destroços e falhados fragmentos de uma Obra que, seguro de sua misericórdia, ouso dizer que lhe é por inteiro dedicada.

Gregório Mateus de Sousa

Entretanto, duas das mais importantes Máscaras-Coregais que compareçam ao Espetáculo são Francisco Furiba dos Santos Filho (mais conhecido como Chicó Chico Furiba, ou simplesmente Chicó) e João Tinoque Serra-Negra Júnior, João Grilo — nome sob o qual, junto com Chicó, ele aparecia no Circo da Onça Malhada, ambos na condição de *"jograis da Misericordiosa"*.

Galdino Bastião Soares

Então, assim como ocorreu há pouco com Joaquim Simão, agora João Grilo e Chicó são convocados para dar tom à Dedicatória, o que eles procuram fazer através da Ave-Maria dos Índios brasileiros:

João Grilo
"Salve Maria, cheia de formosura! O Pai-que-mora-na-tenda-da-chuva está contigo. Entre todas as Mulheres tu és a formosíssima, e Jesus, teu Filho, é belo!

Chicó
"Maria boa, Mãe do Pai-que-mora-na-tenda-da-chuva, pede por nós, gente ruim, agora e no Sol do nosso morrer. Amém."

Dom Pantero
Finalmente, o Palco desta história desdobra-se em dois polos. De um lado, o Brasil litorâneo, com a Cidade do Recife, cercada pelo Mar e pelo *"jardim do Éden"* da Zona da Mata. De outro, o Brasil mais agreste, que tem como núcleo o espinhento e pedregoso *"eldorado do Sertão"*, batido por um Sol de fogo.

Dom Paribo Sallemas
Por isso, A Iluminara terá que ser, ao mesmo tempo, uma Farsa dançarina e uma Tragédia teatral e sangrenta; uma Festa religiosa e uma Narrativa-cantável, às vezes dolorosa, às vezes

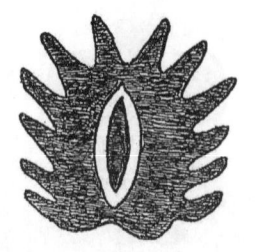

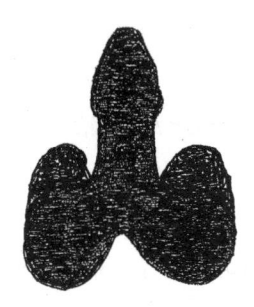

cômica, e outras vezes orgiástica, porque está sendo composta segundo a compulsão, a cadência e o ritmo poético da Música, a obsessão e o impulso sexual da Dança.

Dom Pantero

A Vida-Nova Brasileira e O Pasto Incendiado eram claramente filiados ao *"galope do Sonho"* do Rei, que caracterizava Altino e, em medida menor, Auro e Adriel.

Mas, para concluir a Obra deles, como sempre sonhara, eu precisava fundir aquele *"Sonho de Rei"* ao *"Riso a cavalo"* do Palhaço. Eu já era ligado ao Palco e ao Circo, como Encenador — condição em que pudera avaliar: a Comédia ganhava muito mais aplausos do Público do que a Poesia. Mas queria ser também Ator, porque não me conformava em ficar escondido nos bastidores do Teatro quando encenávamos nossos Espetáculos: queria ganhar, em cena aberta, aplausos que, já Velho, me compensassem da minha infância dura, sangrenta e atormentada, assim como do anonimato em que vivera como jovem e como adulto.

Entretanto, era impedido de realizar tal Sonho porque era incapaz de repetir no Palco, com naturalidade, os textos escritos das Peças que encenávamos.

Até que, um dia, fui salvo deste beco sem saída por meu amigo José Laurenio de Melo, que me disse:

José Laurênio de Melo

"Coevo, no dia 26 de Setembro de 1946 vi Você encantar o Público ao apresentar 3 Cantadores e 1 Poeta popular no Palco do Teatro de Santa Isabel. Você pode ser incapaz de repetir um texto decorado; mas, improvisando, como fez naquela espécie de Aula-Espetaculosa, pode se tornar o Ator que sonha ser, até agora sem conseguir."

Dom Pantero

Estas palavras desencadearam em mim a importante transformação que iria se refletir até na realização d'A Ilumiara, depois de concluído o Simpósio Quaterna.

Dona Clarabela

Tendo acompanhado o "fenômeno" quase desde o começo, posso assegurar que a transformação foi completa; e que, desde aquele "rito-de-passagem", a sedução e o encanto das Plateias não seriam despertados somente pelos Músicos, Cantores e Bailarinos; pois quando, no Palco, "o Dáimone" baixa em Dom Pantero, ele se transfigura num velho Palhaço risonho e luminoso; num Palhaço que, para usar a expressão de Florbela Espanca, "é como um Jasmineiro em alvoroço, ébrio de Sol, de aroma e de prazer"; ou como o "bonito Herói, cheirosa criatura", de B. Lopes.

Dom Pantero

Como se vê, com a brilhante centelha de sua aguda inteligência, Dona Clarabela notou que, quando me baixa o Dáimone no sangue, eu me transformo numa espécie de novo Antônio Conselheiro; e o Público, "*arrebatado por este Bufão possuído por Visões apocalípticas*", também fica "*hipnotizado ao contato de minha insânia formidável*", para lembrar as palavras de Euclydes da Cunha sobre o outro Profeta, o de Canudos.

O mais curioso é que, ao contrário do que normalmente acontece com os Palhaços, eu passei a obter, como Velho, um êxito que, jovem, jamais alcançara; e — o que foi mais importante — por meu intermédio é que Antero Savedra começou a se libertar do que ainda restava de orgulhoso, sombrio, luxurioso e vingativo na parte "*hamletiana*" do seu sangue.

Mas para que os nobres Senhores e belas Damas da Pedra do Reino entendam melhor as razões que me levaram a realizar minhas Saídas devo dizer-lhes: Quaderna costumava se apresentar como inventor de um gênero-literário novo, o "*Romance heroico-brasileiro, ibero-aventuroso, criminológico-dialético e tapuio-enigmático de galhofa e safadeza, de amor legendário e de cavalaria épico-sertaneja*".

Ora, eu pretendia fazer destas Cartas um "*Pergaminho sagrado*" para, através dele, compor A Iluminara; e nesta transformar em Espetáculos todas as Obras deixadas por meus irmãos — o que me tornaria Autor único de todas elas.

Ao mesmo tempo achava indispensável que, na Obra final, eu aparecesse como Protagonista e Quaderna como Antagonista. E foi por isso que, não podendo ficar atrás de meu oponente sob nenhum aspecto, resolvi também criar meu *"gênero literário novo"*, o *"Romance musical, dançarino, poético, teatral e vídeo-cinematoGráfico"*. Fiz isso por meio dos Vídeos aqui anexados; principalmente, no início, a Aula-Espetaculosa filmada por Vladimir Carvalho, A Pintura Rupestre do Cariri Paraibano e a Vida-Nova Brasileira — os dois últimos preparados por meu sobrinho e filho-adotivo Manuel Savedra Jaúna; e também por Manuel Dantas Vilar Schabino de Savedra (Dantinhas), filho de meu irmão mais moço, Gabriel.

NARRAÇÃO
Com entremeios teatrais, achegas poéticas e comentários filosóficos

ALBANO CERVONEGRO

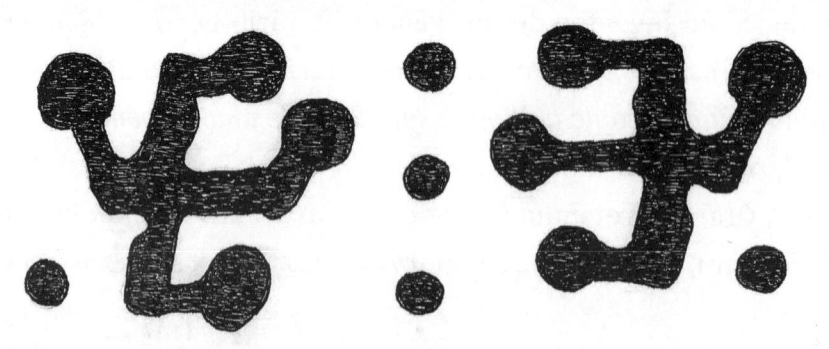

No campo-em-chamas que ora aqui se espraia, corta-se a Pedra e estrala o som do Relho. O Cão late, no Mundo ameaçado,

mas a Prata reluz e brilha o Espelho. O Trono pardo canta à luz da Lua, e fulge a Estrela sob o Sol vermelho.

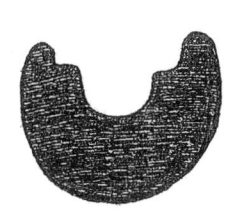

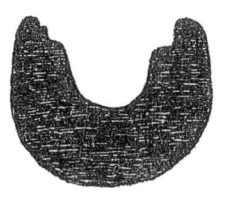

Dom Pantero

Pode-se dizer que A Ilumiara começou a pegar fogo na minha cabeça, no meu sangue e no meu coração quando li a frase atrevida de um Europeu atrevido que dissera: *"Não levo o Brasil a sério porque ele não tem nenhum Santo e nenhum grande Poeta (como Dante, por exemplo)."*

Assim que li tais palavras — e vendo logo que, por causa de meus Pecados, não poderia ser um Santo — resolvi tentar ser um Poeta, ou Poieta; um Escritor que representasse para o Brasil o que Dante era para a Itália e Cervantes para a Espanha. Sabia que o caminho seria dificílimo, áspero, duro. Mas, para nele guiar-me, tinha umas palavras, para mim sagradas, porque tinham sido proferidas por meu Pai, que afirmara um dia, em 1927, ano do meu nascimento: *"O Brasil só terá seu grande Escritor no dia em que alguém acerte a fundir numa só Obra Euclydes da Cunha, Lima Barreto (ou Machado de Assis) e Augusto dos Anjos."*

Quando me lembrei desta afirmação de meu Pai, meu Tio, Mestre e Padrinho Antero Schabino já tinha morrido, assim como meus irmãos Altino, Adriel e Auro. Nenhum deles fizera *"a grande Obra"* que nos fora proposta por Tio Antero em 1937. Entretanto, cada um deixara uma Obra menor e incompleta: Altino, ajudado por nós, fizera O Pasto Incendiado; Auro, o Romance d'A Pedra do Reino; Tio Antero, A Onça Malhada; Adriel, o Auto d'A Misericordiosa e as outras peças cômicas que compunham suas Comédias Exemplares (nome a elas atribuído por Aderbal Freire Filho); se eu conseguisse fundir tudo numa Obra só, estaria pronta A Iluminara, com uma Poesia que era uma versão pessoal e recriada minha do Eu; com outra versão em Prosa d'A Pedra do Reino (que seria o equivalente "*savédrico*" de Os Sertões); e finalmente com o riso despedaçado pelo amor ao Brasil presente no Triste Fim de Policarpo Quaresma.

Outra coisa que me ajudou em minha busca foi, já nos últimos anos, um Vídeo feito por Claudio Brito e intitulado Antero: Savedras, com depoimentos dados a meu respeito por minha irmã Afra Cantapedra, e pelos sobrinhos e filhos-adotivos que eu herdara de Adriel depois de sua morte. O Vídeo era dividido em 3 Partes, "A Terra", "O Homem" e "A Luta", as mesmas de Os Sertões; sendo que a última delas, "A Luta", aludia às Saídas e Aulas-Espetaculosas por meio das quais travava minha luta em defesa do nosso País e do nosso Povo. E, mais importante do que tudo: no Vídeo, com sua argúcia habitual, Carlos de Souza Lima mostrava que, sendo meu

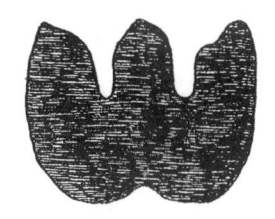

Pai um Rei destronado, todo o meu trabalho no campo da Arte tinha como objetivo principal recolocá-lo no Trono.

Dom Pancrácio Cavalcanti

Só havia um inconveniente na inclusão de tais Vídeos n'A Ilumiara: é que seus Autores (não sei se por implicância ou por qualquer outra razão) teimavam em tratar nosso Mestre não por Mariano Jaúna ou Antero Savedra, mas sim por um terceiro e estranho nome, cujo objetivo era reforçar a campanha de silêncio de que tinham resolvido obscurecer o sucesso do Antero Savedra verdadeiro.

De qualquer maneira — e fossem quais fossem as confusões e incompreensões que tal fato iria causar —, nosso Mestre terminou optando por incluir os Vídeos aqui porque somente com eles ficaria evidenciado o caráter musical, poético, dançarino, teatral e vídeo-cinematoGráfico d'A Ilumiara.

Dom Pantero

Mas o tempo passava e eu não conseguia levar o trabalho adiante. Cheio de temores e hesitações, não ousava começar a honrosa mas duríssima tarefa.

Até que começou a se aproximar o dia 8 de Março de 1997, data na qual eu completaria 70 anos. Vi que *"era agora ou nunca"*. Então pedi a Alexandre Nóbrega, Adriana Victor, Carlos Newton Júnior, Felipe Santiago, Josafá Mota, Juscelino Moura e Samarone

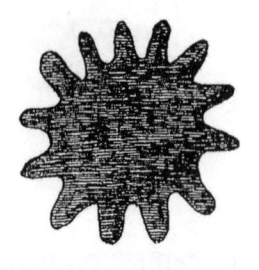

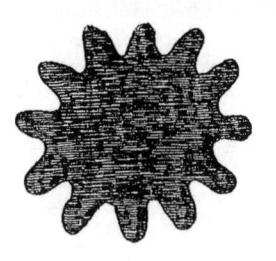

Lima que organizassem uma Saída minha para a Cidade de Patos, a maior do Sertão da Espinhara, na Paraíba.

  Naquele ano de 1997 eu já voltara a morar no Recife, para onde nos mudáramos em 1942, eu aos 15 anos de idade. Mas, para realizar *"a grande Obra"*, faltava-me encontrar o grande Personagem, o novo Profeta que, como Antônio Conselheiro em Os Sertões, unificasse e representasse tudo aquilo numa Figura que expressasse o nosso País e o nosso Povo.

  Então peguei uma Tábua, na qual gravei imagens feitas a partir de inscrições rupestres, tendo no centro os nomes das 3 Obras que me apontariam o caminho a seguir. Assim:

   Eu Os Sertões Triste Fim de Policarpo Quaresma

  E todas as manhãs dava meu bom-dia ao Mundo rezando diante da Placa para pedir a Nossa Senhora que tornasse possível a ascensão para cima e para além de mim mesmo — ascensão sem a qual não se faria A Iluminara.

  Muito tempo passei assim. Até que um dia, mal começara a rezar quando um raio de Sol feriu a Tábua deixando bem claro o título Eu, do livro de Augusto dos Anjos. Foi uma espécie de relâmpago no qual recebi a revelação: os 3 grandes Livros eram, todos, Autobiografias-literárias disfarçadas ou involuntárias de seus Autores. E, deslumbrado, vi que deveria seguir caminho parecido para finalmente colocar de pé aquela Obra cujo sonho meu Tio, Mestre e Padrinho Antero Schabino nos apontara diante da Casa recifense dos Savedras, então arruinada. Era o dia 9 de Outubro de 1937 e, noutras Cartas que enviarei depois a Vocês, falarei melhor de tudo isso, mostrando como o próprio Dom Pantero veio a se revelar como o grande Personagem que eu procurava para ser a encarnação do Povo brasileiro colocado no centro d'A Ilumiara.

Depois daí, descobri que deveria intensificar as 3 faces da Luta, para afinal enfrentar A Ilumiara. Meu irmão Adriel já tinha morrido e eu adotara sua Mulher, Eliza, e seus Filhos, Joaquim, Manuel, Alexandre, Guilherme, Maria, Isabel, Mariana e Ana Rita como se minha Mulher e meus Filhos fossem. Fortalecido pela Família que ganhara, a partir desta primeira Viagem a cada Saída Eliza pendurava em meu pescoço o Medalhão que transformava em Narraturgo, Cavaleiro, Mestre e Chefe-de-Comediantes a pessoa de Antero Savedra. E eu saía a pé até a rua, onde começava a Viagem num Carro antigo (o que fazia para desafiar e provocar os Equivocados que, no Recife, me chamavam de "*Dom Quixote arcaico*"). Quando era o caso — como me aconteceu, por exemplo, na primeira vez em que fui ao Juazeiro do Padre Cícero — o Carro me levava ao Aeroporto, onde eu pegava um Avião que, moderno como fosse, para mim era apenas uma versão feia do belo 14-BIS, de Santos Dumont.

Nossa Casa recifense estava com a restauração ainda incompleta mas inteiramente esboçada e definida. Por isso eu a considerava, já, como um Castelo, uma Fortaleza cuja Arte de vez em quando se poria *a-caminho* pela Estrada; um Circo-de-Teatro colocado a serviço do Povo brasileiro (e, por seu intermédio, da Rainha do Meio-Dia e de toda a Humanidade). Em Patos iria se realizar uma certa Jornada Nacional de Literatura; e eu resolvera jogar meus temores e hesitações para um lado, a fim de ali enfrentar o Palco de uma vez para sempre. Animava-me porque o Prefeito Miguel de Alencar e Vera Ferraz tinham permitido que me acompanhassem, na Saída, Antonio Madureira, Vladimir Carvalho, Aglaia Costa, Mauro Galvão e o pessoal técnico da TV Ilumiara; isto sem se falar nos dois responsáveis pela Sertão Filmes — meus sobrinhos Manuel Savedra Jaúna e Manuel Dantas Vilar Schabino de Savedra (Dantinhas), filho de Gabriel.

Mas, nos dias que precederam imediatamente a Viagem, ainda me restava um impedimento para levar adiante as Aulas-Espetaculosas: continuava a ter medo do Palco e precisava de uma garantia de sucesso perante o Público; especialmente, por ser um Velho, diante dos Jovens que por acaso fossem ao Teatro.

Aí fiz uma promessa a São Cipriano para que, começando pela primeira, as Saídas e as Aulas-Espetaculosas se transformassem em êxitos indiscutíveis e retumbantes. Escolhera aquele Santo porque, segundo relatos de sua Vida, ele encantava e seduzia os Jovens de seu tempo; principalmente as Moças, como consta d'O Grande e Verdadeiro Livro de São Cipriano e a Bruxa Lagardona. É como se vê a seguir:

Vida De São Cipriano
Extraída do "Flos Sanctorum"

Aderito Viseu Schabino

"Cipriano, O Feiticeiro, nasceu em Antióquia, Cidade situada entre a Síria e a Arábia e pertencente ao governo da Fenícia. Seu Pai, idólatra possuidor de copiosas riquezas, vendo que a Natureza dotara o Filho com inigualável talento para conseguir a admiração e a estima dos Homens, destinou-o para o serviço das falsas Divindades, fazendo-o instruir-se na ciência dos Sacrifícios que se ofereciam aos Ídolos; de modo que ninguém tinha, como ele, tão profundo conhecimento dos Mistérios perigosos e profanos dos bárbaros Gentios.

"Na idade de 30 anos, fez ele uma Viagem ao país da Babilônia para aprender a Astrologia Judiciária e os outros Mistérios recônditos dos supersticiosos Caldeus. Assim, além da grave culpa de empregar em tais estudos pecaminosos o tempo que lhe era concedido para conhecer e seguir a Verdade, acrescentou Cipriano terrível malícia à sua iniquidade quando se entregou ao Demônio, fazendo um Pacto com ele e praticando ao mesmo tempo vida impura e escandalosa: desencaminhava todas as Donzelas que se deixavam encantar por ele, que empregava o hipnotismo e todos os outros meios mais eficazes de sua Arte diabólica para seduzi-las."

Dom Pantero

Era exatamente isso o que eu pretendia fazer nas Aulas — encantar e seduzir o Público. E para me sobrepor ainda mais a meus temores, lembrava-me de que o meu segundo nome, Mariano, tinha 4 vantagens.

Em primeiro lugar, lembrava o de um obscuro Santo egípcio, que, como meu Pai, fora "um ex-Governador assassinado" — no caso dele, porém, não a tiros, e sim "afogado no Mar", como informa o Padre João Batista Lehmann, em Súa Luz Perpétua. Em segundo lugar, rimando com Cipriano, aludia ao fato de que A Ilumiara é uma versão nova d'A Grande e Famosa Peleja de São Cipriano e o Diabo; depois, sendo eu um devoto da Santa Mãe de Deus, com ele se mostrava logo a condição de grande Auto Mariano que A Ilumiara também deveria revelar desde o começo. Finalmente, tendo eu nascido em 8 de Março de 1927, 8 de Março é a data em que o Santo egípcio é celebrado pela Igreja (como também se pode ler no livro do Padre Lehmann).

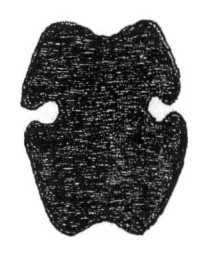

Foi assim, então, que, no dia memorável de minha primeira Saída, cheguei a Patos, onde, em 3 turnos, ministrei a primeira Grande Aula-Espetaculosa destinada a deflagrar A Ilumiara.

No turno matutino apresentei a Aula Espetaculosa filmada para a TV Ilumiara por Vladimir Carvalho. Antes de começar a Viagem, ele me filmara na Casa recifense dos Savedras e este início da Saída foi mostrado como Introdução à Aula-Espetaculosa propriamente dita, na qual, como Velho, Mateus-Bastião ou Pierrô-Arlequim (e exercitando quase exclusivamente meu hemisfério Palhaço), eu, por antecipação, esperava compensar o Público do tédio e do hermetismo da Vida-Nova Brasileira. Recitei o Romance d'A Bela Infanta, o d'A Donzela que foi à guerra e, cantada, a Cantiga de Dom Sebastião. E mostrei Fotografias de duas grandes amigas minhas — Maureen Bisilliat e Anna Mariani —, assim como uma reprodução do Candelabro da Verdade, de cenas do Teatro indígena etc.

Como se tratava apenas de uma experiência inicial, vesti-me de roupa clara, e não de preto-e-vermelho. Pedi a Aglaia Costa que levasse uma Rabeca, como a do Cego Aderaldo; Antonio Madureira deveria tocar um Violão, como Ricardo Coração dos Outros — o Sancho destinado a fazer companhia a Policarpo Quaresma, aquele Dom Quixote brasileiro, genialmente esboçado por Lima Barreto.

Foi assim que Aglaia, Madureira, Isaar França, Oliveira de Panelas e Edinaldo Cosmo de Santana apresentaram o Romance de Minervina, o d'A Bela Infanta e a Cantiga de Dom Sebastião. E pedi a Vladimir Carvalho que, além da Itaquatiara do Ingá, no Vídeo aparecesse a Ilumiara Zumbi, com Mestre Salustiano colocando-me aos ombros a Gola que eu herdara de meu Tio, Mestre e Padrinho Antero Schabino, e recebendo eu, logo aí, o título de Guerreiro e Rei-de-Honra do Maracatu-Rural Piaba de Ouro, que Tio Antero também me legara.

O Público riu muito e bateu palmas entusiásticas, o que me mostrou que a proteção d'O Santo Pecaminoso finalmente começara a transformar o bisonho Professor que eu era num Ator de sucesso.

No turno vespertino, juntamente com uma Foto da Fazenda Acauhan (para mim sagrada, por ter sido "*a de meu Pai*"), mostrei ao Público as imagens ligadas a duas Oficinas que Manuel Jaúna realizara em Taperoá e na Matureia, tendo como assunto a Pintura rupestre do Cariri paraibano — Pintura fundamental no que se refere à parte gráfica d'A Ilumiara. As imagens foram mostradas ao som de músicas compostas por um dos compositores mais velhos do Movimento Armorial — Capiba.

Finalmente, no turno da noite, recitei os Sonetos da Vida-Nova Brasileira. Mas com medo, como sempre, de que a Poesia entediasse o Público, resolvera exibir também Imagens e muitas Músicas que animassem a recitação. As imagens tinham sido criadas por Manuel Savedra Jaúna, e a música por Antonio Madureira. Eu pedira a Manuel e a Dantinhas que, antes mesmo de começar a recitação, eles fizessem ouvir o Romance de Minervina, que já

Manuel Dantas Vilar | Acervo pessoal

tinham tocado no turno da manhã, pois queria que a raiz popular da nossa Cultura também ali aparecesse por meio daquela música delicada, bela e aristocrática que Madureira recriara de modo admirável.

E tudo terminou como eu planejara, porque, no fim, a Música foi delirantemente aplaudida e o Público, esquecido dos tropeços e da obscuridade da Poesia, fixou-se apenas no entusiasmo da Obra musical e pictórica que encerrou a Aula de modo caloroso e triunfal.

Tudo isso me deixou animado (se bem que, de outra parte, muito preocupado, porque não sabia se a proteção do Santo egípcio, meu Padroeiro, era suficiente para compensar os riscos da promessa que, como Antero Savedra, fizera ao pactário São Cipriano, "*O Mágico Prodigioso*"). Fiquei, mesmo, um pouco assombrado por causa de um incidente que me abalou ao término da Aula e que foi tão inverossímil que somente me animo a contá-lo, primeiro porque ele aconteceu, mesmo; e depois porque bem mostrava que a promessa feita antes da Saída tivera quase o caráter daquele Pacto perigoso e temerário a que me referi.

Vocês devem estar lembrados: n'A Vida de São Cipriano, contava-se que ele costumava seduzir todas as Moças que cruzavam seu caminho. Pois bem: eu estava, já, indo embora do Teatro, quando de repente, de entre as outras pessoas que saíam também, apareceram uma Mulher e duas Filhas jovens suas. Uma destas, ruiva, ao avistar-me, correu para mim e, ajoelhando-se a meus pés, falou:

"*Estou aqui, prostrada a seus pés, porque, em sua Aula, Você disse que é um Velho, o que não é verdade. Você é o jovem mais jovem que eu já conheci; e quando, lá no Auditório, recitou o Soneto que fala numa 'Dália ruiva', de seus olhos saiu uma chama que me possuiu toda. Estou aqui inteiramente possuída, em todo o meu corpo, da cabeça aos pés; e tenho certeza de que sua chama nunca mais deixará de queimar meu corpo e minha alma!*"

O Soneto ao qual ela se referira era o seguinte:

O Amor e o Desejo
Com tema de Augusto dos Anjos

ALBANO CERVONEGRO

Eis afinal a Rosa, a encruzilhada onde moras, oh Ruiva, oh meu desejo! Emerges a meu Sangue malfazejo, onça do Sonho, Fronte coroada.

Ao garço olhar, à vista entrecerrada, um sorriso esboçado, mas sem pejo. Teu pescoço é um Cisne sertanejo, teus Peitos são Estrelas desplumadas.

Embaixo, a Dália ruiva, aberta ao Dardo. O manto, a rosa, a púrpura, a Coroa. E brilha, ao fogo dessa Chama-parda, a Coroa-de-Frade, a Rosa-Cardo, abandonada às Onças, às Leoas, "e ao cio escuso das Panteras magras".

DOM PANTERO

A Mãe e a irmã aproximaram-se, levantaram-na do chão, pediram-me desculpas, embaraçadas, e perderam-se de novo com ela no meio das outras espantadas pessoas do Público.

Quanto a mim, não acreditava no que ouvira, e lamento que meu sobrinho e filho-adotivo Alexandre — que hoje me acompanha em minhas Saídas — não estivesse ainda fazendo seu Livro-de-Fotografias O Decifrador, pois, neste caso, teríamos uma prova de que o incrível acontecimento realmente sucedeu.

A Menina mal saíra da adolescência, e eu, além de feio como sempre fora, estava com 70 anos. Restavam-me ainda alguns cabelos, mas já inteiramente brancos. Aquilo fora uma loucura que se apossara dela numa extrema confusão de sentimentos. E se eu tomasse qualquer iniciativa para levar adiante o que acontecera, o fato mergulharia nós dois e as pessoas que nos eram próximas no mais extraviado de todos os infortúnios.

    Mas, assim que ela começara a falar, a imagem de minha amada e nunca esquecida Liza Reis me aparecera, luminosa e pura, para me lembrar que eu, ao conhecê-la, me tornara seu Vassalo de uma vez para sempre — um Vassalo que a nenhuma outra Mulher jamais prestaria culto. A Moça ignorava que os verdadeiros autores do texto em prosa e dos Sonetos eram Altino, Auro e Adriel. Eu os recitara falando na primeira pessoa e transformando tudo num Espetáculo aplaudido, de modo que ela fora tocada pelo forte apelo sexual dos Sonhos dementes de Altino (principalmente porque a "Amada secreta" dele era ruiva, como com ela própria acontecia).

E fui recompensado na minha decisão de encerrar ali o episódio, porque, momentos depois, era como se nada tivesse acontecido (ou pelo menos assim pensei na primeira hora).

❂

No outro dia, antes de começar a Viagem de volta, corri ansioso a comprar os Jornais da cidade, para ver se saíra publicada alguma notícia, algum comentário sobre a Aula do dia anterior. E deslumbrado (mas ao mesmo tempo preocupado pelo "*hipnotismo cipriânico*") vi o seguinte, logo na primeira página do Diário da Manhã:

SAVEDRA HIPNOTIZA PÚBLICO DA JORNADA
O Arlequim-Pierrô erudito que veio do Sertão

"Antero Savedra, que se considera apenas 'um contador-de--histórias brincalhão', deu ontem em Patos uma aula de Vida.

"*Foi a melhor apresentação da Jornada Nacional de Literatura. Alegre, descontraída, permeada de casos engraçados e de reflexões profundas, de citações de Autores clássicos, medievais,* renascentistas e barrocos, que pareciam comparecer ao Palco atendendo ao chamado daquele misto de Mateus-Arlequim e Bastião-Pierrô, que deixou em todos os que estavam no Teatro um gosto de alegria. Apesar de longa, ninguém queria que a Aula-Espetaculosa acabasse.

"Aos 70 anos, o paraibano Antero Savedra mostrou-se insuperável na arte de falar das coisas do Sertão, do Nordeste, do Brasil, do Mundo inteiro afinal; e, mais, da sua própria Obra, das pessoas que ele transforma em Personagens, da Vida e da Morte. 'Sou um grande mentiroso' — diz ele; e acrescenta: 'Todo Escritor precisa mentir para recriar magicamente as coisas, as pessoas e os acontecimentos da Vida real. No que a mim se refere não me bastam leitores e espectadores, preciso de cúmplices' — concluiu."

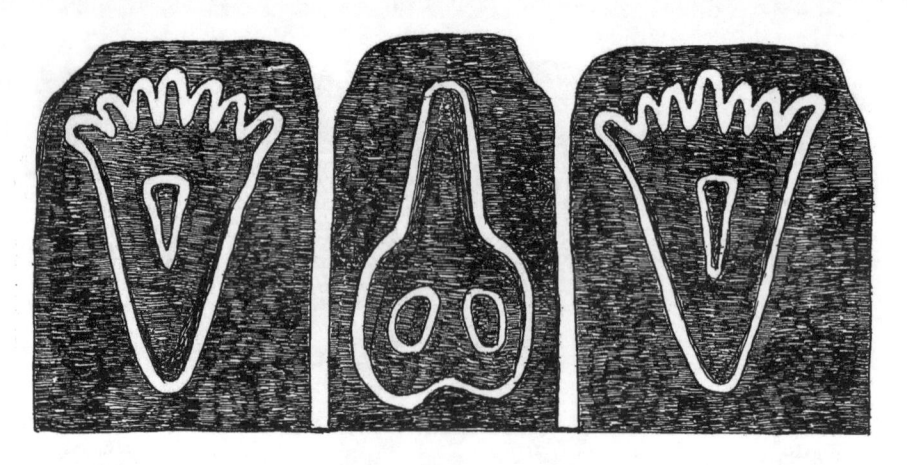

Dom Pantero

Na Folha Patoense havia um texto assinado, no qual dizia o Autor:

Carlos André Moreira

"O homem tem 70 anos; os poucos cabelos já estão brancos; é alto, magro e ossudo como um Fantoche de madeira. Se a gente prestar atenção dá para ver os cotovelos forçando o tecido do casaco. E, mesmo assim, a experiência de ouvir Antero Savedra é galvanizante, a ponto de o público se esquecer do tempo.

"Dramaturgo, poeta, romancista, historiador, intelectual de visões originais e polêmicas, Savedra protagonizou ontem em Patos uma das mais esperadas apresentações da Jornada Nacional de Literatura. A coordenação do evento tentava trazê-lo havia 10 anos, e só conseguiu isso com a intervenção de um amigo seu.

"Savedra falou abrindo parênteses e longas digressões, afirmando a certa altura: 'Não tenho medo da Morte, que, na minha terra, é uma Mulher e se chama Caetana. Aliás, é o único jeito de eu aceitar essa maldita — se ela vier sob a forma de uma Mulher linda, carinhosa, acolhedora e amante.'

"Na Aula-Espetaculosa, Antero Savedra entremeava suas palavras com músicas, poemas e casos que lhe vinham à memória privilegiada.

"O impressionante é que depois de ficar muito tempo divagando sobre outros temas, Savedra voltava sempre ao ponto em que se havia desviado. E, como disse Ricardo Barberena num jornal de Caruaru, o público ora o ouvia em 'respeitoso silêncio', ora explodia em 'sonoras gargalhadas', pontuadas por aplausos calorosos."

Dom Pantero

Quando cheguei ao Hotel (onde o pessoal já me esperava para a Viagem de volta) o Porteiro falou: "Hoje pela manhã, logo cedo, deixaram aqui esta Carta para ser entregue ao senhor."

E eu, novamente preocupado, li o seguinte:

Carta

"De começo, uso palavras de João Cabral de Melo Neto para lhe mostrar por que não o acho feio:

'É belo por que com o novo contagia. Belo porque corrompe com sangue novo a anemia. Infecciona a miséria com vida nova e sadia, com oásis o deserto, com o vento a calmaria'.

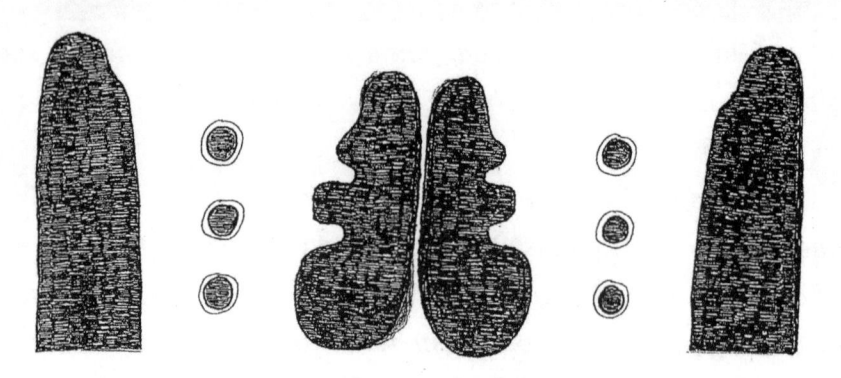

"A mim, do alto dos meus 20 anos, ainda resta uma esperança: transformar meus sonhos em realidade trocando nem que seja um deles por um instante de eternidade.

"Se eu pudesse ter de novo aquele momento mágico, que quase tivemos ontem, eu lhe mostraria todo o respeito e, paradoxalmente, toda a paixão que sinto por Você. Tocaria seu rosto com a ponta dos dedos e habilmente aproximaria meus quadris dos seus, sentiria sua respiração no meu pescoço, cheiraria suas roupas e o olharia de tão perto que meus lábios o tocariam; e Você me diria:

— 'Minha Menina que de tantos sonhos te alimentas! Vou fazer uma Canção só para ti'.

"E Você a cantaria — uma música que, de tão bela, a gente sentisse o Amor; e eu a cantaria também e o amaria, pois o Alto é Azul."

De qualquer modo, como por aí fica demonstrado, o êxito em Patos fora total. E então eu me animei, passando a levar por outros Palcos e Estradas meus Atores, Músicos, Cantores e Bailarinos, o que fez de mim, aos poucos, o Palhaço e Dono-de-Circo que sempre sonhara ser.

Foi assim que, depois daí, passou a suceder com todas as minhas Aulas-Espetaculosas: de um jeito ou de outro (e por mais estranho e diferente que fosse meu modo de falar) o Público sempre terminava "*hipnotizado ao contato de minha insânia formidável*", para lembrar de novo as palavras de Euclydes da Cunha sobre o outro Profeta, o de Canudos, e as de Aderito Viseu sobre São Cipriano (como, aliás, se viu em Patos).

Dadas essas explicações seria tempo de levar adiante a Narração; mas está acabando o espaço que me foi concedido para o Encarte em que esta Carta será publicada.

Forçado a parar, ocorre-me, porém, um fato cuja presença é indispensável aqui: não quero que estas Epístolas, planejadas por meu Tio, Mestre e Padrinho, Antero Schabino, fiquem inferiorizadas na comparação com São Paulo, que costumava terminar as suas por uma Doxologia.

Ora, Altino, Adriel, Auro e eu — influenciados por nosso Tio e Mestre — achávamos que 3 das vertentes mais importantes da Cultura brasileira eram a rupestre, a popular e a barroca, fato que venho procurando acentuar por meio das Estilogravuras que servem de Vinhetas a esta Carta: devendo-se notar que, das últimas que incluo aqui, uma é de filiação rupestre; e na outra (com meu traço canhestro, que Eliza de Andrade tentou em vão afastar de um academicismo primário), procurei fundir o barroco e o popular para, com ela, prestar mais uma homenagem à Misericordiosa.

Por menos que o consiga, em mim — talvez por não ser mais do que um Ator e Encenador — a inspiração que me ferve no sangue nasce, entre outras fontes, das perspectivas e iluminadas projeções relampeadas num Palco, pelo Prosador-barroco Antônio Vieyra, ou, numa Estrada, pelo grande Poeta-popular que foi Severino Cesário.

Recorde-se então: tudo o que se vem alinhando aqui começou naquele dia 9 de Outubro de 1930, quando, pela Estrada de Matacavalos, o Rei e Cavaleiro realizava sua derradeira caminhada pelas trilhas do Mundo; e no dia 6 de Outubro de 1970, quando o Príncipe e Rei que foi meu irmão Mauro se matou a punhaladas desferidas contra o próprio peito.

Por isso, leiam a Doxologia que remata esta Epístola ouvindo o Prelúdio em Mi-Menor, de Heitor Villa-Lobos, executado ao Violão por Antonio Madureira. E como, em nossos Espetáculos, costumávamos fazer as transições de cena usando Malabaristas, Palhaços, Dançarinos e Trapezistas, imaginem que, enquanto Vocês leem, uma Bailarina e dois Bailarinos vão dançando, de modo a transformar esta Carta num *"Circo pungente"*, como aqueles dos quais falavam Nietzsche e Chagall; pois, com isso, as palavras de Vieyra e Severino Cesário ganham um significado ainda maior, a elas comunicado pela Dança e pela Música:

Doxologia

Antônio Schabino Vieyra

"Este Mundo é um Teatro: os Homens e as Mulheres são as Figuras que nele representam e a história de seus sucessos é uma Peça escrita por Deus.

"O primor e a sutileza da Arte cênica consistem principalmente naquela suspensão do entendimento e naquele doce enleio dos sentidos com que o Enredo nos vai levando após si, encobrindo-se o fim da história sem que se possa entender onde irá parar senão quando o mesmo fim vai chegando e se revela de súbito, entre a expectação e o aplauso do Público.

"Do mesmo jeito, Deus — soberano Autor, Governador do Mundo e perfeitíssimo Exemplar de toda natureza e de toda Arte —, para maior manifestação de sua Glória e admiração de sua Sabedoria, de tal maneira nos encobre as coisas futuras (ainda quando as manda escrever pelos Profetas) que não nos deixa compreender nem alcançar os segredos de seus intentos senão quando têm chegado ou vão chegando ao fim, o que Ele faz para nos ter sempre suspensos na expectação e pendentes da sua Providência."

Dom Pantero

Mostrado assim o Mundo como um Palco-de-Teatro, pelo Prosador barroco, vejam-no agora como uma Estrada que, na visão do Poeta popular, tem sua poeira mortal molhada pelo sangue dos Reis:

Severino Savedra Cesário

"Neste Planeta terrestre, o Homem não se domina: tem que viver sob o jugo da Providência divina; foi feito do pó da Terra, no pó da Terra termina.

"Assim, eu mostro a Estrada do passado e do presente, Estrada onde morrem Reis, molhados em sangue quente: hoje, tornados em Pó, resta a Memória somente."

Dom Pantero

Ora, foi a morte sangrenta daquele Príncipe e daquele Rei que deu origem a estas Cartas; a esta Viagem; a este Espetáculo; a esta grande Tapeçaria, tecida pelas sessões-de-bordado das filhas de Adriel e pelas sessões-de-teatro do *Simpósio Quaterna*.

Albano Cervonegro

O Circo: sua Estrada e o Sol de fogo. Ferido pela Faca, na passagem, meu Coração suspira sua dor, entre os cardos e as pedras da Pastagem. O galope do Sonho, o Riso doido, e late o Cão por trás desta Viagem.

Pois é assim: meu Circo pela Estrada. Dois Emblemas lhe servem de Estandarte: no Sertão, o Arraial do Bacamarte; na Cidade, a Favela-Consagrada. Dentro do Circo, a Vida, Onça Malhada, ao luzir, no Teatro, o pelo belo, transforma-se num Sonho — Palco e Prelo. E é ao som deste Canto, na garganta, que a cortina do Circo se levanta, para mostrar meu Povo e seu Castelo.

Dom Pantero

E, com estes Versos, compostos em Martelo-Gabinete e Martelo-Agalopado — duas Estrofes criadas pelos Cantadores brasileiros —, aqui se despede de Vocês, nobres Cavaleiros e belas Damas da Pedra do Reino, este que é, ao mesmo tempo, seu Soberano e seu companheiro de cavalgadas e Cavalaria,

Dom Pantero do Espírito Santo, Imperador.

O CAVALO-COM-ASAS, NA CORNIJA, LADRANDO ENTRE AS ESFINGES E A PANTERA.

Repente

O
Antagonista
Possesso

O Antagonista Possesso
Epístola de Santo Antero Schabino, Apóstolo

Escrita por seu afilhado, sobrinho e discípulo Antero Savedra, em homenagem aos Brasileiros descendentes de Portugueses, nas pessoas de Fernanda Suassuna, Gilvan Samico, Arnaldo Barbosa, Othon Coelho Bastos Filho, Fernanda Montenegro, Socorro Raposo e Antunes Filho.

Publicada para comemorar os 500 anos da nossa Cultura, em sua vertente ibérica.

Dirigida aos nobres Cavaleiros e belas Damas da Pedra do Reino. E enviada, por seu intermédio, aos diversos povos do Mundo; especialmente aos da Rainha do Meio-Dia, aqui representada pelo Brasil.

EPÍGRAFES

"Havia muito tempo que Pushkin me incitava a empreender uma grande Obra: 'Por que razão, possuindo o talento de adivinhar o Ser-humano e de o pintar em corpo inteiro, não começa Você uma Obra importante? É um pecado de sua parte'. Citou-me como exemplo o caso de Cervantes, que, conquanto autor de algumas Novelas admiráveis, nunca teria ocupado entre os Escritores o lugar que ocupa se não tivesse escrito o *Dom Quixote*."

NICOLAU GÓGOL

"Cada um de nós explica o Mundo pelo seu Demônio."

RONALD DE CARVALHO

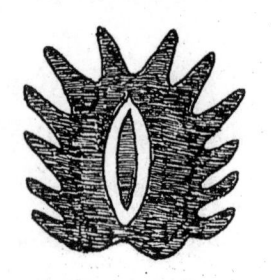

Dedicatória

Este Repente é dedicado a Joaquim de Andrade Lima Suassuna, Cláudia, João Urbano e Germana Bezerra Suassuna.

Foi composto em memória de Adeodato Villar de Araújo, Olympia Josephina Villar de Araújo, Antonio Dantas Corrêa de Goes Monteiro e Rita de Cassia Pessoa de Mello.

O Antagonista Possesso na Estrada do Descaminho

Alegro Priápico

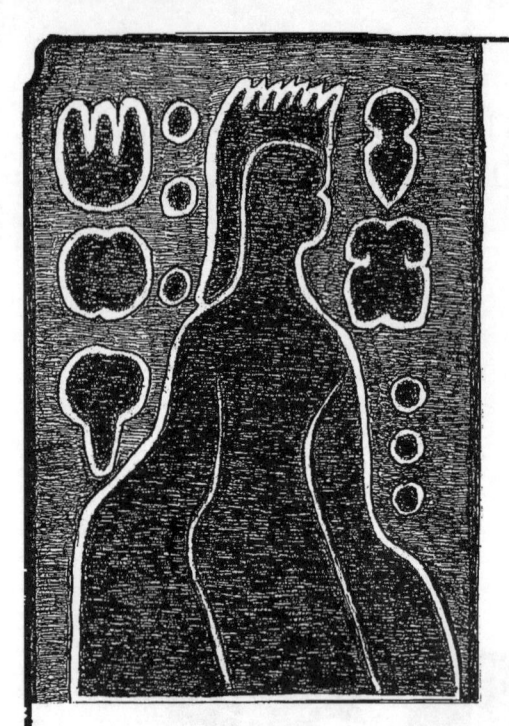

Sibila
Moda, Turismo & Lazer
Igarassu, 11 de Março de 2014
23 de Abril de 2016

Narração
Com a Cobra traiçoeira,
o Jumento estuprador
e a Potra descabaçada

Aos nobres Cavaleiros e belas Damas da Pedra do Reino.

Amigos:

Uma vez que minha primeira Carta foi composta sob forma de Prelúdio, pareceu-me conveniente escrever a de hoje como um Repente, a fim de que Vocês tomem conhecimento dos fatos que entre nós se cumpriram e da solidez de tudo o que no Simpósio Quaterna se discutiu. Não levem em conta a dimensão menor de quem escreve, mas sim a importância da Palavra da qual sou Ministro. Trata-se, aqui, de uma Missão que me foi confiada e que eu, Emissário cego, procuro cumprir como posso, sobrepondo-me a minha indignidade e a minhas limitações. Confiado na Misericordiosa, retomo a tarefa que me foi imposta e para a qual peço a benevolência que devem Súditos àquele que, mesmo sendo apenas um companheiro a mais de Cavalgadas, é também seu Imperador e Soberano.

Aqui devo confessar, nobres Senhores e belas Damas da Pedra do Reino: além da imagem de meu Pai — *"brasa e Espada de ouro"* que me impelia para o Rei pelo fogo de Deus —, sofri a partir de certa época a influência de duas Figuras que me levavam para os lados do *"Histrião obsceno"* — meu Tio, Antero Schabino, e Dom Pedro Dinis Quaderna.

Para falar com mais clareza: enquanto eu, segundo nossos equivocados adversários recifenses, sou *"um Dom Quixote arcaico"*, Quaderna era *"um Sancho turvo"*, um Sancho sem inocência, às vezes meio maligno. E quando essa malignidade se agravava eu o demitia temporariamente e colocava Chicó em seu lugar.

Mesmo com essa restrição, porém, o fato é que, sendo o nome de meu Tio Paulo Antero, e o de Quaderna Pedro Dinis, depois da minha volta para o Sertão minha vida passou a oscilar entre *"São Pedro"* e *"São Paulo"*; entre *"O Licantropo de Pernambuco"* e *"O Lobisomem da Paraíba"* (para usar, neste último caso, o título de um folheto de José Costa Leite). Sendo eu o único vivo dos herdeiros de meu Padrinho, foi isso que me transformou em Protagonista, e Quaderna em Antagonista, no curso da bela e perigosa Viagem que meu Tio me impôs em seu leito de morte e que tentarei empreender por meio deste Castelo-de-Cartas-Espetaculosas.

Explicado o quê, vamos à Narração propriamente dita:

Labirinto
Primeira Introdução ao Palco dos Pecadores

Dom Pantero

Antes de entrar pelo grande "*Episódio-de-Palco*" que foi o Simpósio Quaterna, a Narração deve apresentar alguns "*Episódios-de-Estrada*"; e para isso vou começar passando a palavra a meu Tio, Mestre e Padrinho, aqui representado pelas Máscaras dos dois pseudônimos que adotava — Aribál Saldanha e Ademar Sallinas; e faço isto com um título que pedi emprestado a Luzilá Gonçalves:

A Garça Malferida
Variação hipolídica sobre
o tema de Beldade e o Monstro

Antero Schabino

Na verdade, o episódio que tenho a contar é apenas um sonho que, quase como se fosse "*um outro comunicado das Sombras*", me assaltou durante o sono.

Com uma espingarda à mão, eu esperava meu primo e cunhado João Canuto numa escura e estranha estação de trem, da qual partiríamos, primeiro para uma Cavalhada, depois para uma caçada.

Nisto, chegava a locomotiva, puxando pesados vagões. De um deles, descia Canuto, e nós dois nos encaminhávamos para o bairro popular onde se iria realizar a Cavalhada.

Ao chegarmos ao local, informavam-nos de que ela fora transferida para um grande curral, uma espécie de arena que, situada na Ilumiara Jaúna e banhada pelas águas do Riacho do Elo, ao invés de cercas comuns, tivesse sua parede circular formada por pedras, dispostas de tal maneira por um insólito capricho da Natureza.

De repente, por uma destas transições inexplicáveis dos sonhos, eu via que estava só: João Canuto desaparecera e não se cuidava mais de Cavalhada alguma.

O chão do curral era também lajeado por grandes ladrilhos irregulares de granito. E, sem que ninguém me desse qualquer esclarecimento a tal respeito, eu recebia uma revelação: além de curral, aquele anfiteatro era uma antiquíssima necrópole cariri, que tinha, ao centro, a mesma Itaquatiara do conjunto de lajedos da Ilumiara Jaúna.

Em cima da Pedra estava sentado um velho, em atitude de extrema desolação (imagem que aparece, obsessivamente, em vários dos meus sonhos).

Aí, erguendo voo das margens do riacho, surgia, no Céu, outra imagem, esta de radiosa beleza: era uma Garça branca e pura, que a luz oblíqua do Sol poente iluminava.

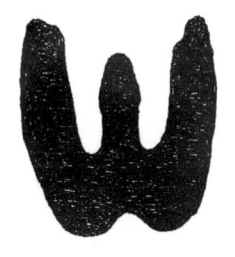

W E Ж

Sem pensar, no impulso cruel e instintivo da caça, desfechei contra ela um tiro que a feriu no peito: e, recolhendo as asas como se fossem duas mãos em prece, a Garça, triste e graciosa, caiu sobre mim, que a recebi nos braços.

Com o coração já confrangido pelo crime que cometera, comecei a notar que aquela jovem Garça não era somente o pássaro delicado e gracioso que eu ferira: era também um Livro-Sagrado, um Pergaminho que eu mesmo escrevera e se tinha extraviado há muito tempo (o que, para mim, fora um prejuízo mortal). Agora, que o recuperara, eu, como expiação do crime, teria que lê-lo em voz alta para 7 Juízes — 3 Varões e 4 Varoas — que me olhavam com ar severo; isso me deixava intimidado: o Manuscrito estava cheio de erros e a leitura seria uma mortificação em meu orgulho, uma espécie de Provação-purificatória.

Então, açodadamente, comecei a ler e reler o que escrevera, procurando corrigir o Manuscrito à vista de todos. Enquanto o fazia, um Cantador, empunhando uma Viola, cantava um Martelo-Gabinete do *Desafio de José Duda com José Galdino*:

Francisco Romano

"O meu Forte-e-Castelo é colocado entre um Morro bem alto e uma Serra. Dentro dele, eu estando entrincheirado, vencerei qualquer luta desta Guerra. Nele existe um Riacho soterrâneo, com 10 léguas de fundo sob a Terra."

ANTERO SCHABIJO
Por sua vez, um Cangaceiro falava, com voz sonolenta:

SEVERINO DO ARACAJU
"A outra pessoa eu não revelaria isto. Mas revelo a Vossa Mercê, amigo do Major Dodô, que me protegeu quando eu, Rapaz novo e inocente, tive que matar um Homem poderoso de Santa Luzia do Sabugy. É por isso que, a Vossa Mercê, eu vou mostrar uma coisa muito importante."

ANTERO SCHABIJO
E, curvando-se para o chão, que se abrira, indicou-me: ali aflorava um Tesouro, uma Mina de cristais-de-rocha, Turmalinas, Berilos e Águas-Marinhas.

Ele apanhou 3 Pedras-cristalinas — uma azul, uma vermelha e outra amarela. Colocou-as contra o Sol, para que eu visse o belo efeito que a Luz, assim, tirava de sua transparência. Um Palhaço, Gregório, então falava, lá, de um canto afastado:

GREGÓRIO MATEUS DE SOUSA
"Esta é a quintessência do Sertão, em pedra!"

ANTERO SCHABIJO
Por sua vez comentava um Beato, um Profeta, acompanhado por uma Cantadeira e um Cego, que tocava Rabeca:

Cícero Cordeiro Espada

"A Pedra-cristalina e as 3 Pedras-de-carvão! Mas embaixo da Pedra, na Cova onde nasce o Riacho com o lençol de Águas sangrentas, aí é que se lavam as 12 Pedras — o Jaspe, a Safira, a Calcedônia, a Esmeralda, a Cornalina, a Sardônica, o Crisólito, o Berilo, o Topázio, o Crisópraso, o Jacinto e a Ametista."

Inácio da Catingueira

"Dentro da terra, a mina de Topázios: reluz, na escuridão, a Cova acesa. A Mãe-da-Lua cobre a Turmalina, e o Verbo se faz Carne, Sol, Planeta! Na Taça, queimam pétalas de Rosa, e eu bebo a Lua e a prata das Estrelas."

Antero Schabino

Eu continuava a desfolhar o Manuscrito, e, em dado momento, recebia outra revelação: assim como a Garça mostrara ser, também, um Livro-Sagrado, este, na verdade, era uma Mocinha a quem eu, de modo imperdoável, ferira o peito, com meu cruel disparo. E, aumentando com isso meu remorso, ela, sem demonstrar qualquer mágoa, a fim de permitir que eu pudesse continuar a leitura e a correção do Manuscrito identificado com seu corpo, permanecia em meus braços do modo como caíra do alto: de asas fechadas, triste, graciosa, mas sem qualquer sentimento mau a lhe turvar o sofrimento.

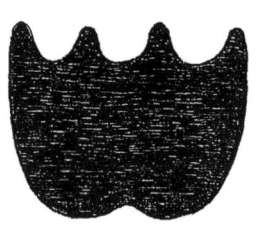

Chorando de remorso e compaixão, comecei a acariciá-la para, de algum modo, reparar o mal que lhe fizera e também consolar-me um pouco do crime que cometera ao atirar em seu peito.

Na medida em que a acariciava, as páginas do Manuscrito iam sendo corrigidas. O sofrimento diminuía de parte a parte e a sangrenta Ferida, que o tiro causara, aos poucos se fechava, se bem que algumas gotas de sangue continuassem a se misturar às águas do Riacho do Elo, contribuindo para agravar sua condição de Córrego — aquele do qual falava Nô Caboclo como sendo sua fonte de inspiração:

Nô Caboclo

"Eu me chamo Nô Caboclo, não sei como era antes. Nasci na Aldeia fulniô de Águas Belas, na Serra do Urubá. Mas não sou Índio-fulniô puro: sou Caboclo, casco-de-cuia, venta-chata, pele vermelha — gente que não presta nem pra morrer. É por isso que a Morte vai me esquecendo. Sou mais velho do que Matusalém. Mas não sei ao certo meus anos, porque nunca marquei minha idade.

"Vim pr'o Recife já grande. Mas no tempo em que morava na Fazenda, já fazia Esculturas, muita gente apreciava. Eu fazia qualquer coisa, qualquer lembrança que me vinha do Córgo. O Córgo é um Córrego: é um sentido, é uma coisa que a pessoa que não tem o dom não pode saber o que é.

"Eu sou perverso, mas tenho o Córgo, que aparece quando a pessoa fecha os olhos e depois faz o que lhe vem no sentido, pelas águas dele."

Silvino Pirauá

"Da Gruta para a terra, a Cova acesa faz correr o Riacho perigoso. Mas a Serra é a Ilha deste Reino, e o Vigia que espreita é poderoso. Na espessura do Mato inda ressoa o ladrido do Cão branco e raivoso."

Antero Schabino

Para melhor ajudar a cicatrização do ferimento, eu me postara por trás da Menina e, passando um braço por seu delicado pescoço, acariciei com a outra mão o local atingido por meu disparo.

Com isso, seu corpo se aconchegou ao meu, e, pelo talho do pequeno Timão de cambraia — que era bordado por Estrelas disseminadas entre o Sol e a Lua —, pude avistar os dois pequenos Frutos que se alteavam no busto fino.

Senti também, pelo toque, que seu corpo, embaixo e por trás, era um pouco mais desenvolvido do que seria de esperar em sua idade. E, provavelmente sem que ela soubesse o que fazia, aquela pequena mas arrebitosa parte do seu corpo estava sendo pressionada contra a frente do meu, que começou a se dilatar, projetando-se para adiante, concentrando-se e reunindo dentro de si os tumultos que já escachoavam em ondas na torrente selvagem do meu sangue.

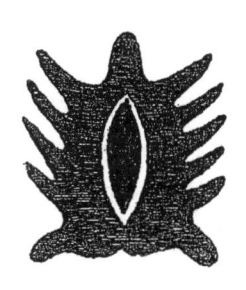

Francisco Romano

O Cavalo, excitado, solto ao Vento, e a prata-da-aliança das Moedas. A Garça malferida, pura e branca, e o lascivo Jaguar, Besta desperta, Besta insone, a correr pela Cornija e a ladrar entre as chamas e a Pantera.

Antero Schabino

Então fui assaltado pelo desejo irrefreável de tocar os dois pequenos Frutos. Mas detinha-me o temor de feri-la novamente, como fizera havia pouco, quando ela era apenas uma Garça-e--Graça pubescente e eu, de modo tão cruel, tinha vulnerado seu Peito ainda sem mácula.

Entretanto, ao mesmo tempo eu sabia: além de Garça-e--Graça adolescente, ela continuava a ser o Livro que era minha obrigação corrigir página por página, até que sua parte derradeira, a 7ª e mais secreta, fosse lida e decifrada.

E fui adiante. Com as pontas dos dedos, como se estivesse lendo, pelo tacto, o alfabeto dos Cegos, desvelei, corrigi e decifrei a primeira parte do Livro, A Juca. Depois, parágrafo por parágrafo, examinei Os Ombros, As Omoplatas e A Espinha Dorsal. E como continuava consciente de que tal Exemplar único do Livro a ela pertencia, restava-me o temor de que a Garça-e-Graça se ofendesse com a leitura progressiva, que não solicitara.

Aí, temeroso, hesitante, eu quis parar. Mas, fazendo girar o Livro, ela o colocou de frente para mim, reclinando seu topo em meu ombro e entrecerrando os olhos, enquanto lhe fremiam as narinas.

Com isso, senti-me autorizado a percorrer as 3 últimas partes do Livro, aquelas que foram assim descritas por Camões:

Luís Schabino de Camões

"Três fermosos Outeiros se mostravam, erguidos com soberba graciosa. Dois, no alto, inda pouco se elevavam; outro, fendido, a Relva tem, viçosa, onde as límpidas Águas já manavam, umedecendo a Fonte deleitosa."

Antero Schabino

Os miúdos Outeiros, quinta e sexta partes do Livro, foram cuidadosamente revistos, tocados e corrigidos pela leitura, que incluiu até as Aréolas, pequenas mas naquele momento começando a inchar e se estender pelo Sismo que as estremecia.

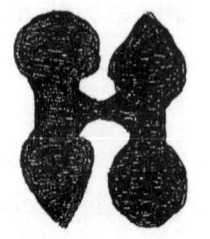

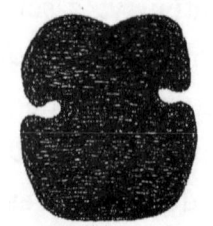

Enquanto isso, a 7ª Parte, a d'O Outeiro Fendido, parecia cada vez mais uma Fonte morna que, encimada pela nascente penugem do Pássaro ferido, agora agonizante, palpitava contra a palma da minha mão.

Só neste momento percebi: o Velho, sobre a Itaquatiara, tinha abandonado a postura desolada e cabisbaixa, porque a visão do pequeno e gracioso Pomar que eu percorria também o levara a erguer e desvelar o volume de seu próprio Livro.

Assim, no mesmo instante em que eu chegava à leitura e decifração da última Parte, era ele quem atingia o cume e o êxtase de todas as certezas. Jactos e mais jactos pareceram como que fecundar a Pedra, o que transformava a Necrópole em Altar. E daí em diante, não sei mais o que aconteceu; a sensação fora tão forte que acordei, estremunhado. Posso acrescentar apenas que, na minha opinião, só tive este Sonho porque, antes, passara por experiência parecida com uma jovem Aluna minha, nas matas de seu Engenho, perto de uma Cachoeira.

Dom Pantero

Uma vez ouvi meu Tio contar este sonho a José Dias da Silva, que era seu amigo e lhe ponderou que ele deveria ser mais discreto. Lembrou que o Papa Pio XII, opondo-se à famosa "*sinceridade gideana*", afirmara: "*Ninguém tem o direito de contar seus segredos.*" Acentuou que o Papa não se limitara a dizer "*Ninguém tem obrigação de contar seus segredos*": falara, sim, no *direito* de contá-los.

Na ocasião, estava presente um Crítico português, o Professor João de Oliveira Lopes, que discordou de José Dias, dizendo: "*Pois de minha parte, confesso que o sonho de Antero Schabino me causou forte impressão, porque nele o Sexo aparece como algo que se opõe à Morte, ali representada pela Necrópole. Além disso, lá, como no Evangelho de São João, o Livro — isto é, o Verbo — se faz carne, tornando-se assim, também, um poderoso símbolo de Vida.*"

E eu ainda comentarei depois estas palavras, porque o relato do sonho de meu Tio desempenhou um papel terrível no meu relacionamento com minha amada, bela e nunca esquecida Liza Reis.

Entretanto, para dar boa continuidade à Narração, devo passar a palavra a Quaderna para que ele adiante alguns fatos que lhe aconteceram na Estrada de Matacavalos:

A Potra Violentada
Variação hipolídica sobre o tema de Beldade e o Monstro

Albano Cervonegro
Era uma Tarde poderosa e parda, que o Solrubro, sangrento, alumiava. O Jaguaro-do-Sol, sobre o Lapardo, soltava a crina e a cauda focoflava. O Mundo se queimava em suas chamas, todo o Sertão, no Sol, se incendiava.

Dom Pedro Dinis Quaderna
E, seguindo aquele caminho que um dia me fora determinado, eu deixara a minha Casa e agora palmilhava a Estrada de Matacavalos — a Estrada que, *"por dentro"*, me levava d'As Maravilhas até a Ilumiara Jaúna.

Enquanto andava, ouvia de novo a Voz antiga que certa vez me dera a inapelável ordem ligada àquela Estrada:

A Sentença
Ameaça Frígia de um Destino Mortal

A Moça Caetana
A sentença já foi proferida: saia da Casa e siga pela Estrada, cruzando o Tabuleiro pedregoso.

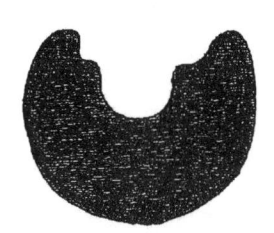

Só lhe pertence o que por Você for decifrado. Por isso, beba o fogo e as águas no cântaro-de-pedra dos Lajedos. Registre as malhas e o pelo fulvo do Jaguar, o pardo-avermelhado da Suassuarana e o Cacto com seus Frutos estrelados. Anote as Cabras e os Cavalos, o Pássaro com sua frecha de ouro e negro, e a Tocha incendiada das Macambiras cor-de-sangue.

Resgate o que vai perecer: o Efêmero sagrado, a bravura extraviada, a luta sem grandeza, o nobre Rei lancinado em segredo — tudo aquilo que, depois de salvo e assinalado, será, para sempre, exclusivamente seu.

Celebre os Homens, com sua Corçaluna, e as Mulheres, ao sol do seu Cachorro. O Anjo, com sua Espada, e a Onça Malhada do Divino, com seu Gavião de Ouro.

Entre o Sol e os cardos, entre a pedra e a Estrela, Você caminha pelo Inconcebível. Assim, tem que decifrar o enigma da Fronteira, a estranha região onde o sangue se queima aos olhos-de--fogo da Serpente e do Jaguarsagrado.

Procure cumprir tudo, mas sabendo, desde já, que a Missão é inútil: ela é cifrada e o Emissário é cego. Um dia, hão de quebrar-lhe as cordas-de-prata da Viola e o arco-de-crinas da Rabeca. A Prisão já foi preparada: puseram grossas barras e correntes ferrujosas na Cadeia; com madeira pesada levantou-se o Patíbulo e afiaram o gume do Machado.

O Estigma permanece. O silêncio já queima, no chão, o veneno das Serpentes, e, no campo do Sono ensanguentado, arde em brasa o Sonho perdido, tentando, em vão, reedificar seus dias para sempre destroçados.

Dom Pedro Dinis Quaderna

O Sol ainda estava alto e, cego como sou, ia eu tropeçando pelos seixos do caminho, apegado a uma das extremidades do meu Báculo-profético, significativamente talhado em madeira de bordão-de-velho (pois, em junho, eu completara, já, meus 73 anos).

À frente, com seu Vestido vermelho marcado por um Sol amarelo, agarrava-se à outra ponta do Cajado minha Amante-jovem, a Princesa Dona Lupiana Furiba dos Santos, mais conhecida como Lupiana Cordão-de-Ouro, por ser a Diana do Auto-de-Guerreiros em que sou Velho e Rei.

Fazia, já, muito tempo, vivia eu o sonho de uma Menina que um dia me aparecesse, como Lua em tarde velha, e que, por meio de algum sortilégio, acabasse com meu rondar de Cego em torno do inacessível Castelo da Divina Ilumiara. Por causa de seu nome e de sua idade, Lupiana, "*A Lobinha*", era quem, naquele ano, dava alento a tal sonho.

Ou seja, "*para cantar mais alto e sonoroso*":

Albano Cervonegro

"*Minha Princesa é meu Cordão-de-Ouro: vale um Tesouro numa Noite clara. Minha Diana é uma Pedra fina: é uma Menina, é uma Joia rara. Minha Princesa mandou me chamar, pois quer dançar no chão da Ilumiara.*"

Dom Pedro Dinis Quaderna

Minha cegueira, porém, é de tal natureza que uma Mulher só nunca me bastou para iluminá-la. E, naquele ano da incursão pela Estrada, eu lançava mão de duas, para guiar-me; Lupiana era a face anversa da minha sagrada Guia-bifronte; a reversa era minha Amante-literária, Dona Clarabela Noronha de Britto Moraes.

Mas, naquele dia, Clarabela não ia comigo pela Estrada: fora esperar-me na Ilumiara, para onde, levando o Circo da Onça Malhada, tínhamos aprazado encontro com 3 pessoas que eu suspeitava serem indispensáveis à sagração final do Gênio da Raça Brasileira.

Assim, guiado apenas pela mão de Lupiana, agora eu caminhava pela Vereda pedregosa que conduzia à entrada posterior da Ilumiara Jaúna. E, adiante, a meu pedido, meu irmão Malaquias amarrara à beira do caminho a jovem Égua branca, virgem, de pele rosada e crinas-cor-de-ouro que, naquele ano, juntamente com Pedra-Lispe, era meu predileto animal-de-montaria.

Explico-me. Num dado momento da minha vida, Malaquias me dera de presente uma Eguazinha parecida com aquela, e eu lhe pusera o nome de Dina (por ser este o apelido carinhoso pelo qual Camões, já velho, chamava sua jovem amante, Dinamene).

Afeiçoei-me a Dina de tal modo que, quando ela se deixou seduzir por um Cavalo vadio da rua, eu — que valorizo muito a virgindade — deixei-a de lado e comprei outra igual ao Cigano

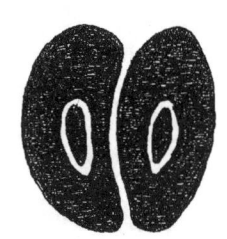

Praxedes, pondo-lhe o mesmo nome da primeira. E quando digo que dou valor à virgindade, relembro: no grupo de Dança que integra o meu Movimento Cabaçal só admito que entrem Mocinhas bem novas e que nunca tenham sido possuídas por homem safado nenhum — motivo pelo qual o grupo de Dança chama-se Balé Cabaço.

Coisa parecida passou a acontecer daí por diante, tanto a respeito do meu Cavalo-de-sela (quando morreu o primeiro Pedra-Lispe) quanto sobre as outras Poldrinhas brancas e virgens que eu ia conseguindo para substituir cada uma das desonradas. Era como se Dina e Pedra-Lispe fossem os nomes de Personagens a serem desempenhados pelos diversos Cavalos-Atores e Eguazinhas-Atrizes com características iguais às dos primeiros.

Aliás, com isso eu estava apenas imitando o grande Cangaceiro, Dom Virgolino Ferreira da Silva, Lampião: ele, para desmoralizar a Polícia e engrandecer-se perante o Povo, toda vez que lhe matavam um Cabra, colocava noutro o mesmo cognome do morto — Medalha, Passarinho, Bom-Deveras etc. De tal modo, quando a Polícia se jactava publicamente de ter matado um Cangaceiro, tinha a surpresa de vê-lo imediatamente ressuscitado — o que, na imaginação popular, fazia crescer a fama de imortalidade que o Chefe tinha e em que, numa gloriosa demonstração de poder, conseguia mergulhar até seus comandados.

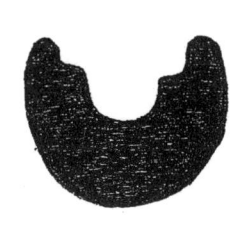

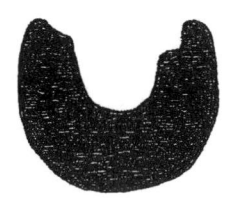

MARIANO JAÚNA

Permito-me interromper por um breve instante a narração de Quaderna para informar: coisa semelhante ocorre comigo. Mesmo como Antero Savedra, a Morte não ocupa qualquer lugar entre minhas pretensões. Mas se, um dia, por um acaso funesto, a Moça Caetana conseguir me armar uma emboscada fatal, Dom Pantero, Caroba, João Grilo, Chicó, Joaquim Simão, Dona Clarabela, Antero Schabino, o próprio Quaderna e outros viverão por mim, em sua condição de Personagens imortais que a Posteridade consagrará.

ANTERO SAVEDRA

Outra coisa que devo esclarecer logo: quando tive conhecimento da postura de Quaderna em relação a Dina e a Pedra-Lispe passei a fazer coisa parecida com Graciano, o Cavalo castanho e alado que é o Timbre dos Savedras. A partir daquele momento, todo Cavalo castanho que eu montava recebia um invisível par de asas — o que, mais uma vez, colocava o Protagonista d'A Iluminara acima de seu Antagonista:

ALBANO CERVONEGRO

Aspas do Cervo negro erguidas para o alto; asas e cascos do Cavalo castanho cujas Patas dianteiras erguem-se no ar, enquanto as traseiras firmam-se no chão, entre chamas-de-fogo que também nos impelem para o alto e para o Sol.

Dom Pedro Dinis Quaderna

Mas continuo. Como vinha dizendo, naquele dia, na Estrada de Matacavalos, Malaquias amarrara a um pé de Imburana a Eguazinha que, na época, ocupava o cargo e o nome de Dina.

Ao chegarmos ao local em que ela fora atada, montei-a, em pelo, como costumava fazer desde jovem a fim de, com isso, dar curso mais livre a todas as fantasias que me viessem à cabeça.

Quanto a Lupiana, a pé continuaria a Viagem; e passou a segurar meu Báculo com a mão esquerda, enquanto com a direita puxava a corda-de-cabresto da Potra, para assim não abandonar seu posto de Guia no resto da Incursão.

Parmênides Savedra

"Banhando agora a senda dos Mortais, revela-se o pulsar do Ser alado. Emite um som de Flauta sedutora o eixo incandescido de seu Carro. E late o Ser, o fogo do imutável, boiando sobre a Ruína um Sol sagrado."

Dom Pedro Dinis Quaderna

Foi, assim, daquele jeito — eu, montado, e Lupiana a pé —, que retomamos, pela Estrada, a Demanda da Divina Ilumiara. Gravadas em pedra e cortadas a cinzel numa linguagem estranha, íamos encontrando as imagens que, apoiados pelo Doutor Pedro Vandiwoyah e por sua mulher Ashera Acken, tínhamos encomendado a Biu Santeiro, para com elas assinalar o caminho da Ilumiara

Jaúna — o solene e doido Anfiteatro que o bisavô de Dom Pantero, Raymundo Francisco das Chagas Schabino de Savedra Jaúna, encontrara em 1791 ao se mudar de Igarassu para o Sertão da Paraíba; e que passara a ser, para ele e seus descendentes, o centro de culto da "*seita do Espírito Santo*" que herdara de Jerônimo, primeiro de seus antepassados a chegar ao Brasil, em 1535.

Naquele momento, pois, Lupiana e eu errávamos pela Caatinga (ou Caiatinga) e víamos à nossa frente o Sertão pardo.

Ora, quem diz "*o Sertãopardo*" diz "*o Leopardo*"; porque o ensolarado e insano Sertão-velho é o centro pardo e aleopardo deste velho Mundo; fato que se comprova lendo-se a placa com o nome da Praça que, na Estrada de Campina Grande para Taperoá, assinala o começo do Cariri — Praça do Meio do Mundo.

Na verdade, o Sertão é o mesmo que a Chapada queimenta e pedregosa; os desolados cafundós da Terra; o cu de Judas; a terra em que o Diabo perdeu as botas — ou, pelo menos, a sua bota esquerda.

Dom Pancrácio Cavalcanti

Lembro aquela espécie de Dístico que Altino, Auro e Adriel tinham composto, em "*alexandrinos espanhóis*", para celebrar a Batalha da Serra da Copaóba; nele (depois de se afirmar que, no Brasil, "*o Diabo perde as botas*"), com o verso "*há sangue nas Raízes, há ossos que branquejam*", alude-se a um fato estranho. Na

Serra onde se travou a Batalha, existem umas ervas que, todo ano, no dia 9 de Outubro, ficam com as raízes molhadas pelo sangue ali derramado para que (como aconteceu também nos Montes Guararapes) o Brasil não fosse nunca impelido por caminhos diferentes dos da nossa Madre escura e sagrada — A Iarandara, a Rainha do Meio-Dia (caso que, evidentemente, não era o dos Holandeses e de Maurício de Nassau no século XVII, nem é, hoje, o dos Alemães e Anglo-Americanos):

Dístico

Albano Cervonegro

A terra cor-de-vinho, e o Povo — Onça Malhada. Num Campo-de-batalha — o Mundo, o ouro do Sol — há sangue nas Raízes, há ossos que branquejam: no sol-da-terra sangra o Sol deste outro Sol.

E inda hoje esturra aqui a Onça, o Jaguapardo, mestiço e magistral, a Onça agateada. Um de seus olhos dorme, o outro, aceso, encandeia, vigiando o Sol, as Pedras, as Árvores-sagradas.

E Deus escreve certo suas áureas linhas tortas. Nesta terra, que é d'Ele, o Diabo perde as botas. "Viva o sangue de Deus limpando a luz do Mal!" — chora o clarim do Canto, ao sangue no Punhal.

Dom Pedro Dinis Quaderna

Mas voltemos à narração dos fatos que me aconteceram naquela tarde, na Estrada de Matacavalos: no momento em que ali se evocava tudo isso (e se invocava o Sertão como um desafio a qualquer outra felonia e maldade que os Brasileiros traidores venham a tramar contra nosso País e nosso grande Povo), Lupiana e eu chegávamos ao lugar em que o caminho começava a ser margeado por Pedras esculpidas e insculpidas em forma de Marco. Cada uma delas fora cortada de modo a imitar o grande Lajedo que, no Anfiteatro da Ilumiara Jaúna, parecia um Livro aberto e por isso era chamado de As Tábuas da Lei.

Então, insculpidas na Pedra e enquadradas em cada uma das páginas daqueles Livros de granito, o que se via ali eram as insculturas e imagens introdutórias d'A Divina Ilumiara.

Antônio Schabino Vieyra

"Que dizem aquelas Letras? Que cobrem aquelas Pedras? As Letras dizem Pó, as Pedras cobrem Pó, e tudo o que ali há é o Nada que havemos de ser — tudo Pó."

Dom Porfírio de Albuquerque

Seria mesmo? E a ressurreição do Cristo? Por acaso teria sido ela uma fraude cuidadosamente planejada e astutamente executada pelos Apóstolos?

Dom Paribo Sallemas

Além disso, nem que fosse apenas enquanto não chegávamos ao Pó final de que falava Vieyra, havia o sangue, o fogo, a água, a terra, o ar, o sol, as folhas balançadas pelo vento, as Cabras, os pássaros, os Cavalos, as pedras e, sobretudo, "*o Bosque sagrado*" — a Ilha deleitosa do corpo feminino, cujo centro era "*a fenda da Vulva poderosa*" e pela qual cada um de nós podia se aventurar e iluminar quando, em momentos bem-fadados, ocasião nos aparecesse.

Heráclito Schabino

"Ah centelha do Sol primordial, fulgor filho da Noite e do Insondável! Ah dança da Energia numinosa, ah fogo do negror da Claridade! Tudo aquilo que ao Pó anda e rasteja vive à guarda e ao olhar da Inominável."

Dom Pedro Dinis Quaderna

Algumas das imagens tinham sido copiadas do *Livro Negro do Cotidiano*, Diário manuscrito e ilustrado pelo Doutor João Soares Sotero Veiga Schabino de Savedra, Tio materno de Dom Pantero. Era o famoso texto apreendido pela Polícia em 1930, a mando do Prefeito Jayme Pessanha Villoa, e cuja publicação no Jornal *A Unidade* — órgão oficial da Prefeitura de Assunção — terminara causando o assassinato dos dois. Outras eram ampliações, em pedra, de gravuras-em-madeira feitas para meus Folhetos por meu irmão Taparica.

Eram elas, portanto, as primeiras daquelas Pedras que, compondo uma espécie de Gênesis Apócrifo, transformavam o conjunto de lajedos da Ilumiara Jaúna numa enorme Obra-de-Arte escultórica, arquitetônica e pictórica de caráter revelatório; assim como faziam de seu pedregoso Caminho uma Via-Sacra; um Labirinto; um Roteiro-de-Peregrinação; um Evangelho-de-Pedra, do qual o Velho Testamento era aquele que, em Monte Santo, anunciava o sagrado Arraial de Canudos (este, por sua vez, precedido pelo da Pedra do Reino).

Dom Pancrácio Cavalcanti

Mas, ainda a respeito da apreensão do Diário (escrito por aquele a quem Carlos Dias Fernandes chamava "*o advogado Sotero Veiga*"): sobre isso é melhor passarmos a palavra ao escritor Adhemar Vital, que, pertencendo ao grupo das "*Viúvas*" — como são chamados, na Paraíba, os admiradores incondicionais do Doutor Jayme Villoa —, dá, involuntariamente, um testemunho indiscutível sobre a infâmia que seu amado Chefe político cometeu contra a família Savedra em geral e contra o Doutor João Sotero em particular:

Adhemar Vital

"Naquele ano de 1930, eu estava no exercício do cargo de Delegado do Município. Eram constantes as denúncias de que na residência do Doutor João Sotero Veiga existia um depósito de

munições. Constantes também eram as suas ameaças de que haveria de desfeitear em público o Prefeito Jayme Villoa, momento em que o mataria, em caso de reação.

"Lá um dia, achando-se João Sotero no Recife, a Casa na qual temporariamente ele morava em Assunção apareceu com sinais que evidenciavam violação. Mandei o policial Manuel Moraes verificar o que havia. Realmente dera-se a visita de desconhecidos à Casa, onde a Polícia encontrou vários Rifles, munição e, espalhados, livros, papéis e documentos importantes, que demonstravam a ignóbil posição ocupada nos acontecimentos pelo sinistro rebento da família Schabino de Savedra.

"Alguns foram publicados. Os do *Livro Negro do Cotidiano*, porém, jamais poderão ser revelados de público porque encerram as tendências mais vis de um lúbrico e doente mental."

A UNIDADE — 22/26 DE JULHO DE 1930

"No Cofre encontrado no quarto do Bacharel João Sotero, a Polícia encontrou documentos que revelam a alma tortuosa dos conspiradores contra a ordem e a dignidade da nossa terra. O Governo autorizou-nos a estampar alguns dos documentos encontrados e é o que vamos fazer.

"Acharam-se também algumas notas redigidas pelo próprio punho do Espião, com a narrativa de atos amorais. Tais notas não *podem ser publicadas porque ofendem ao decoro comum. Mas quem quiser vê-las, pode fazê-lo na Polícia."*

Dom Pantero

Em 13 de Dezembro de 1917, Carlos de Laet publicara algumas palavras que pareciam adivinhar, para denunciá-la, a infâmia praticada pelo governo do Doutor Jayme Villoa, e, com autorização expressa dele, publicada pelo órgão oficial da Prefeitura de Assunção:

Carlos de Laet

"Arrombar um Cofre, para dele tirar quaisquer objetos preciosos, é, certamente, coisa bem feia, e assegura a quem o pratica uma tremenda qualificação. Mas violar uma Carta — ou, sem permissão de quem a escreveu, publicar o que nela se contém — é ainda mais ignóbil, porquanto o dano, produzido pela divulgação criminosa de um segredo, moralmente supera o prejuízo causado pela subtração de roupas, adereços ou joias."

Dom Pantero

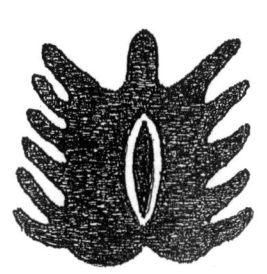

Note-se que, pesando, por um lado, o arrombamento de um Cofre, por um ladrão, para roubar joias, e, por outro, a violação de uma Carta, Carlos de Laet, conhecido por sua inquebrantável probidade, achou que esta última era a infâmia mais grave e mais ignóbil.

    O que não diria ele, então, do crime praticado pelo governo do Doutor Jayme Villoa quando, com sua concordância, primeiro se invadiu a Casa de um adversário (mais sagrada ainda porque ele estava ausente, sem poder defendê-la), e depois se arrombou um Cofre, violando-se e publicando-se as Cartas que nele se guardavam?

Dom Pedro Dinis Quaderna

    Entretanto, é melhor deixar essa história de lado e voltar à narração dos fatos que me aconteceram naquela tarde, na Estrada de Matacavalos:

Albano Cervonegro

É que, hoje, o Jumento Jararaca ao sangue me soprou, durante o sono: "Solto, assim, pela Estrada perigosa, a Vida, para ti, é chama e sonho. Mas a Trompa, punhal de termo e prazo, marca, aos poucos, a data-de-abandono."

Dom Pedro Dinis Quaderna

Eu tinha, já, avançado uma boa parte do caminho quando, em certo instante, ao mesmo tempo que, sobre nós, aparecia no Céu, entre nuvens, um enorme Gavião, ouvimos um tropel de cascos estralejando na Caatinga. Eu já começava a me perguntar o que seria aquilo quando vi surgir de dentro do mato um grande Jumento escuro, um mestiço de Andaluz que corria em nossa direção, visivelmente atraído por Dina.

Ora, quando eu era menino, espalhara-se na rua, entre os ociosos de Taperoá, a história de um incidente que teria acontecido a um "*Homem-bom*" da nossa sociedade: numa manhã de domingo, vinha ele de sua pequena propriedade para a Vila, onde ia assistir à missa; estava montado numa Jumenta e os taperoaenses desocupados juravam que, a meio caminho, um Jumento a cobrira, sem dar ao dono da Fêmea tempo para desmontar. Diziam que, no momento crucial, as patas dianteiras do Macho, ao se erguerem e abaixarem para o nó a ser dado na Jumenta, tinham entrado, uma em cada lado, nos bolsos inferiores do paletó do Homem. Ao mesmo tempo, a caceta do Jumento, premida em suas costas, despejava-lhe nas espáduas toda a carga que ingurgitava seus colhões, de modo que ele terminara chegando à rua ileso, mas indignado e pegajoso, com a roupa em petição de miséria.

Por mais inverossímil que fosse, a história não deixava de ser desmoralizante, e não custava nada tomar cuidado. Por isso, assim que avistei o Jumento e notei com que indecorosas intenções ele vinha, tratei de desmontar e afastar-me, o que fiz com grande rapidez, abandonando Dina à sua sorte.

(Na véspera, eu tivera um pesadelo, durante o qual sentia as artérias da minha fronte pulsarem num ritmo remoto. Uma voz antiga salmodiava, anunciando a morte de alguém, e eu sonhava, entorpecido, "*ao lucilar da estranha madrugada*":)

Albano Cervonegro

Alguém morreu na estranha Madrugada: morreu sem lamentar--se inutilmente. A Noite escureceu sobre a sua alma, cravaram-se as Estrelas em seu corpo.

Alguém morreu na estranha madrugada. Uma Mulher, insone, chorou sangue, e colunas de Pedras-tumulares pesaram sobre a Terra adormecida.

Foi um Profeta? Um Rei? Um Cavaleiro? A Vida debateu-se no silêncio, e foi por fim tragada pelas Águas, pelo Fogo que queima a Ventania.

E as colunas de Pedras-tumulares quebraram-se, na aurora, contra os Muros. Não houve pranto inútil nem lamentos: alguém morreu na estranha Madrugada.

Dom Pedro Dinis Quaderna

(Na sequência do sonho, aparecia um Jumento que parecia sair da Sombra. Um Velho era quem o conduzia, "*o nascido da Terra e do meu fogo*". Sem que ninguém me falasse sobre isto, eu sabia que seu nome era Mussurano, o macho da Cobra Mussurana. O nome talvez se devesse ao fato de, n'As Maravilhas, ter havido um Jumento chamado Mussulmano. Os meninos da Fazenda, porém, porque ele era brabo, só o chamavam de Jararaca. E eu via o Velho: pernas cambaias; no cinturão, de grosso couro cru, o Facão rabo-de-galo — o ferrão do Lacrau, a presa da Serpente e da peçonha.)

Na Estrada, meu sangue começou a cantar, como no Sonho, enquanto os olhos verdes de Lupiana fosforesciam como os de uma Gata no cio:

RITORNELO

CASSANDRA SCHABINO RIOS

"Teus olhos são verdes, verdes! Por que são verdes assim? São verdes, são muito verdes; mais verdes que o próprio Verde, que dizem eles a mim?

"Não deviam ser tão verdes, pois tão verdes são, enfim, que, verdes como são verdes, é com eles que me perdes, e neles vejo meu fim — esses teus olhos, tão verdes, que outros nunca eu vi assim."

DOM PEDRO DINIS QUADERNA

Brilhavam, ao Sol, as partes que nos cabem da Coroa, "*uma de Pedra verde e outra tão esprandecente que bem se podia homem ver nela como em Espelho, de maneira que todo o Ar em redor de si virava verde; e a outra, de uma Pedra amarela cor-de-ouro, que alumiava por si e por refletir o Sol*". E era a verde que cantava:

HERÁCLITO SCHABUJO
"Sem o Escuro, jamais eu poderia conceber a Candeia e o sol do Todo. O Jumento prefere a Palha à Prata, mas o Fogo é que é Deus — e Deus é Fogo. A quem, agora, Cego, profetizas? A quem diriges teu Cantar fogoso?"

DOM PEDRO DINIS QUADERNA
(E o Velho perigoso espancava o Jumento com o enorme Facão rabo-de-galo, a bainha de couro velho e fosco batendo-lhe na coxa e no joelho.)

Embaixo de uma das paredes de pedra que ali margeavam a Estrada havia uma espécie de meia-muralha formada por pedrouços: pareciam ter rolado, nos começos do Mundo, da parte de cima dos Lajedos para o chão. Aos coices, aos rinchos e às dentadas, o Jumento, bruto e enfurecido pelo desejo, procurava encurralar a Eguazinha contra aquele arremedo de muralha-baixa, a fim de que, aprisionada num recanto, ela não mais pudesse frustrar o seu assalto.

(A calça arregaçada até o meio das canelas e o chapéu de palha sujo, de cor amarelada pelo Tempo.)

A Fêmea, muito nova, mal caíra no primeiro Estro, ou Cio, de modo que este ainda não atingira intensidade suficiente para vencer, nela, o medo do Macho. Assim, com as poucas forças de que dispunha, tentava ela impedir que o Jumento a montasse. Mas, duro, enorme, feroz, ele não abria brecha para sua escapada.

Dom Pancrácio Cavalcanti

(De que treva teria ele surgido para o canto do sono e da paixão? Era o filho do Chão, da tarde cega, ou, ao contrário, pai do Soldefogo que envolve em chuva-de-ouro o Sonho que é possível neste Mundo?)

Dom Pedro Dinis Quaderna

A primeira cena de sexo que, na puberdade, eu vira entre Animais de grande porte fora a posse de uma Égua por um Jumento, cena que me arrebatara do meu mais profundo Eu-interior para fora e para além de mim mesmo. Ao ver o Asno-selvagem penetrar a Fêmea, tivera a impressão de que me identificava com o Animal a ponto de nele me transfigurar. Era como dizia Apuleio:

Lúcio Apuleio Schabino de Savedra

"Meu Fálus cresceu e engrossou, pulsando e erguendo-sse, monstruoso, por ssy mesmo. E, de-rrepente, ssẽm qualquer alvo concreto contra o qual sse lançasse, fez cõm que, ẽm-ssyncronia cõm o

orgasmo d'o Jumento, ũum vulcão-ẽm-chamas ẽm mỹm entrasse ẽm erupção, lançando fogo, escuma e lava para fora e fazendo aflorar obscuramente, d'as profundezas, a ssubstãnçia d'o propryo mistéryo d'a Vida."

Dom Pedro Dinis Quaderna

Aquilo passou a se repetir toda vez que eu me via diante de cena parecida, sempre com a metamorfose, sempre com o vulcão. E só muito tempo depois foi que uma Mulher, Maria Safira, antes de me deixar, me ensinou a moderar-me — o que eu podia fazer mastigando a corola de uma Rosa para readquirir forma humana e domínio sobre mim mesmo.

Mas, naquele dia, na Estrada, olhando para o local do céu onde plainava o Gavião, falei para Lupiana, expressando um desejo que até ali guardara comigo: *"Queria eu voar tão atrevidamente quanto o Gavião por todo o extenso arco do Céu, para assim me tornar um Enviado da soberana Divindade, um Emissário apto a refletir pelo Espelho o poder do seu Reino e o lume sagrado do seu Sol."*

Isto falei olhando o Céu e repetindo um voto que certa vez ouvira ao Padre Manuel: mas, por dentro, sabia que, por causa de meus pecados e da mudez do meu Espelho, era difícil me colocar à altura daquela Missão.

Como consequência de tal falha (e porque, na minha idade, o Vinho da Pedra do Reino me mantinha assim), ali no Chão o que passou de novo a acontecer foi aquela estranha identificação entre mim e o Jumento. Por fora, as modificações não eram tão visíveis. Mas, por dentro, na raiz do sangue, "*meus pelos começaram a sse tornar crinas, minha pele, couro, meus peés e minhas maãos a sse transformar ẽm cascos. Minha boca ia ficando enorme, as narinas fremiam e rresfolegavam ẽm chamas. As orelhas eretizavam-sse, pontiagudas, e meu Fálus assumia o tamanho e a grossura brutal d'o ssexo d'os Cavalos*" (como costumava dizer o Profeta Ezequiel). A metamorfose era real e poderosa, e comecei a me identificar obscuramente com o sangue do Macho, naquele rudimento de êxtase--selvagem em que a tentativa de violação estava a mergulhá-lo.

Sim: porque o tamanho e a brutalidade do Jumento contrastavam de tal modo com a delicadeza da Fêmea que aquilo era quase uma violação.

(A força bruta. O presságio do sangue e o ferro-em-brasa dos instintos. Na madrugada estranha, passava aquele Velho pela Estrada — Cego sinistro, Cego sem roteiro. Onde a Madre? Onde a Casa assegurosa? Único e só, nefasto em meio ao Sono, está ele, encostado ao Paredão — este Padrão de pedra escurecida, marcado contra o céu da Madrugada.)

HERÁCLITO SCHABINO

"Não profetizo o Ser. Eu canto o Fogo, e morrerei dançando, ébrio do Canto. De noite, o Sono escuro apaga a Lua que mora e que reluz no olhar humano. Eu acendi a chama desta Dança pra fazer do meu luto um Sol-de-pranto."

DOM PEDRO DINIS QUADERNA

Por que, então, naquela Estrada, a imagem do Mar ausente, servindo de suporte à da Madre-Oracular que naquela tarde eu apenas entrevia? (No sonho, para alguém que não ficava claro quem era, eu fazia, também pela primeira vez em minha vida, a confissão de que desejava entrar pelas chapadas e carrascais da Morte como quem possuísse uma Mulher, acolhedora, carinhosa e amante.)

ALBANO CERVONEGRO

Às vezes, ao sonhar, acaricio as coxas de Mulheres prazerosas. Vejo imagens sombrias da Fronteira, mas também as de luz da estranha Rosa. Eu vou, dançando, ao limiar da Morte, nas malhas de uma Estrela piedosa.

DOM PEDRO DINIS QUADERNA

(No entanto, ali estava o Velho, com sua barba embranquecida, feia e intonsa, manchada de amarelo pelo fumo — o Velho que, porém, talvez apenas procurasse no Sexo um esconjuro contra a Morte.) E, brutalmente acossada, a Fêmea, a despeito de si mesma, aproximava-se cada vez mais da Mureta para a qual o Jumento a impelia.

Albano Cervonegro

Que som de Trompaverde e que Fagotescuro e verdelodo é este que aqui soa? Quem é? Quem bate? Quem anuncia a Morte? Que Cachorro nos late que "as Letras dizem Pó"?

Dom Pedro Dinis Quaderna

Devo explicar, porém, que assim como Estro é a divindade que em certos momentos assalta as Fêmeas fazendo-as caírem no cio, no meu sonho Ridaimônio era o Cavalo que ali, agora, se apossava do corpo do Macho; e era, já, no Jumento, uma Entidade-embriagada de tal modo poderosa que, antes mesmo de chegarem à Muralha, de vez em quando ele tentava montar a Fêmea, com todos os músculos ressaltados e trêmulo-pulsantes, magnetizada a medula de seus ossos pelo impulso de todos os desejos. (De onde vem o Mandado? De onde a Intimação? Quem decretou a Solitude e o Lodo? *"E que maravilha é esta, que nunca a nossa vida, com tanta beleza e viço, foi mais aprazível do que a deste Bruto — vida*

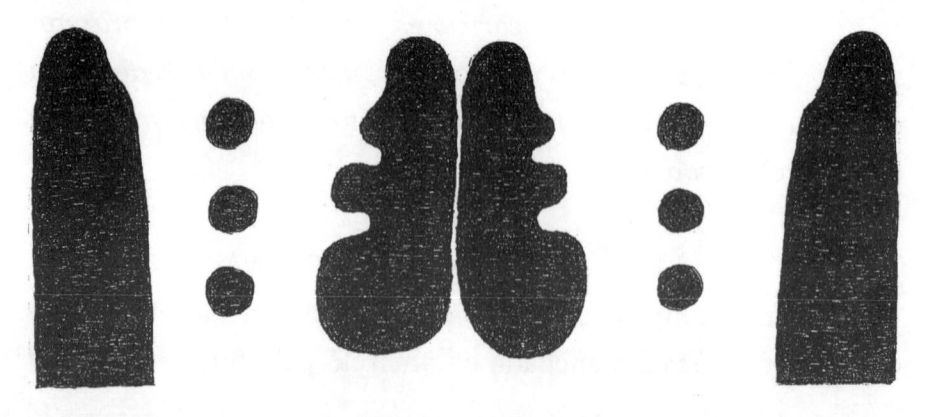

que, parecendo aspra, e vil, e feia de perfia e maldade, também é, em tal ocasião, alumiada pela chama da Candeia de Deus?")

Albano Cervonegro

Adentrar-nos, sonhosos, pela Morte, como quem possuísse uma Mulher. Beijar Peitos de bicos empinados e a Fonte — sol--secreto, Rosa e mel. Pois o gozo é Cavalo e pulsa, bárbaro: com ele, arde quem quer e quem não quer.

Dom Pedro Dinis Quaderna

Revelava-se agora, ainda mais, a enorme desproporção que havia, não só entre a Fêmea nova e o Macho adulto, mas entre as próprias linhas e medidas dele, todas alteradas e afeadas pelo desejo. As patas dianteiras, em certos instantes erguidas no ar, pareciam então extremamente curtas e davam-lhe, por isso, as aparências de uma Besta apocalíptica ou pré-histórica. Empastado de suor, um tufo-de-crina, emaranhado e sujo, projetava-se para adiante, por entre as grandes orelhas murchadas para trás; e pregava-se à testa, que, em tais momentos, também se mostrava desagradavelmente fugidia e baixa, desprovida de qualquer sinal de inteligência. Era a hirsuta cabeleira de um Bruto cego, ou Atleta desconforme, como se ele, ao invés do belo Asno-selvagem dos dias normais, tivesse passado a ser outro Animal, abortado e desarmonioso: um Cavalo feio e mal-conformado, a quem, por engano, fosse permitido participar de uma competição cujo prêmio não estava à sua altura.

Homero Grego Savedra

"De todas estas Dádivas, só quero a bela Taça trabalhada a fogo. Facilmente, em teu Reino de chão fértil, nascem trigais de espigas ondulantes. Minha terra, porém, não possui Campos: é selvagem, sagrada e pedregosa. Tudo, ali, são pastagens e rebanhos de Jumentos, de Ovelhas e de Cabras: não quero chegar lá de mãos vazias."

Dom Pedro Dinis Quaderna

Na verdade, o prêmio, Dina, era uma aristocrática e valiosa Taça de prata, delicadamente cinzelada, e cuja beleza o Macho era incapaz de apreciar: não conhecendo seu valor, fatalmente a espedaçaria, *"porque os nossos Paços, resprandecentes como o Ouro, e os nossos bens, que sobrepujam todo siso, parecem mais feios que o Esterco a quem escança e contempra a fermosura das moradas do Céu"*.

Aqui, devo explicar que aprendi alguns textos do Português antigo com o Monsenhor Pedro Anísio Dantas, no Seminário da

Paraíba (este que acabo de repetir, por exemplo, é do século XII). A princípio não ligava para eles; mas depois do nosso encontro, Dom Pantero me deu ideia de sua importância acadêmica, e passei a usá-los de vez em quando, por motivos de polimento e elegância do estilo.

Voltemos, porém, à cena da Estrada. No momento em que, ali, eu repetia para mim mesmo o texto do século XII, os olhos do Macho, embaçosos e quebrado-febris, contrastavam mais ainda com o Fálus desarmonioso e desproporcionado, que já se lançava pra fora da Bainha, grosso, negro, longo e endurecido, túrgido pelo desejo e pulsando ao ritmo do sangue espesso que o dilatava — "*Escatol e lança turvoescura, rrombo Dardo ssombrio a percutir a parte inferior d'o ventre, distendido cõmo ũum Tambor a'o estremeço-e-tensão d'as ancas e d'as pernas traseiras, duramente prantadas n'o chaão*". Pareciam, também, estranhamente curtas, decepadas que estavam, na altura dos jarretes, pela sombra de uma Pedra que as encobria pela metade.

Albano Cervonegro

E o Chão sagrado canta-lhe no sangue: lá na Estrada, a Mocinha ouve a Canção. Seu Vestido vermelho — Sol marcado pela Estrela amarela — varre o chão. E o Cabeleira-em-fogo corre o Céu, assoprando a corneta do Verão.

Dom Pedro Dinis Quaderna

Aí, voltando os olhos para os Animais, vi que, perto da Fêmea, se postara uma figuração ou forma de Mulher, nua, de frente, ajoelhada e sem qualquer sinal de Umbigo em seu Ventre. Junto do Macho, de pé, uma outra figura, esta de Homem. Ambas pareciam ter brotado das Pedras-insculpidas, sendo que a macha conduzia nas mãos um Vaso-de-oferendas.

Então, clamaram do Céu altas vozes, que diziam: *"Esta é a Assemelhadora e este é o Assemelhador. Os dois são Ancestrais de toda a Raça humana."*

O Assemelhador

Albano Cervonegro

Já soa, zombeteira, a voz-de-alerta: "Toma cuidado, que este Vento é macho." Quanto a ti, o que vela é a Tempestade, o cheiro de suor e o Rio amargo. Sobre a Estrada, se apossa, já, do Negro, o Macho cego, o sangue do Cavalo.

Dom Pedro Dinis Quaderna

Lupiana, tensa, aproximara-se de mim, e, sem perceber claramente o que fazia, agarrara com força o meu braço, olhando-me de vez em quando de viés, com seus belos olhos verdegateados.

De repente, tocou-me com o cotovelo e, com um movimento de cabeça que lhe projetou o queixo para frente, indicou os Animais: como se tivesse adquirido vida própria, sem que houvesse, no fato, qualquer participação da vontade da Fêmea, sua Vulva — Rosa e Romã-fendida, raiada pelo traço cor-de-sangue de seu corte-de-abertura e agora inchada de sexualidade — contraíra-se e distendera-se depois, ante mais um assalto do Jumento.

Albano Cervonegro

Pulsa o Cavalo El-Rei, descabrestado, e o Fogo sopra a chama atrás do Vento. Será que a Morte é, mesmo, Mulher-fêmea, ou foi falso o Profeta ao predizê-lo? A Trompa verde te conduz e marca tua Estrela no anel fatal do Tempo.

Dom Pedro Dinis Quaderna

Pressentindo, num relâmpago, o que acontecera, o Macho, rinchando bestialmente e com o Fálus retesado para cima a pulsar de encontro ao ventre em contraponto ao estremeço de seus rinchos, cravou os dentes na parte mais alta do pescoço da Fêmea, perto da nuca; e uma leve espuma umedeceu as bordas da Rosácea, orvalhando sua Corola.

Então Lupiana, que, instruída por mim, andava sempre preparada para tais ocasiões, abriu um Aió, tirou dele duas Rosas, comeu a corola de uma e me deu a outra, cujas pétalas também comi.

Isto era indispensável porque, ainda no Seminário, eu encontrara um velho exemplar d'O Asno de Ouro, que fora adquirido por descuido ou ignorância do Padre que o comprara, e ali estava, esquecido, entre os Livros devotos, também escritos em Latim.

Com minha curiosidade despertada pelo título, comecei a folheá-lo, lendo aqui e ali um ou outro pedaço que meu precário conhecimento da Língua me permitia compreender.

Mesmo, porém, apenas com tais rudimentos (e com auxílio do velho Dicionário escrito por Nicolau Firmino), dava para eu saber que *papilla* significava bico-do-peito; e, na cena em que o Narrador, Lúcio, metamorfoseado em Jumento, possuía uma bela Mulher, meu parco Latim era suficiente para entender que a frase *"Tunc ipsa cuncto prorsus spoliata tegmine, tænio quoque, qua*

devinxerat papillas" significava *"Então a Mulher se desnudou inteiramente, tirando até a faixa que lhe cingia os bicos-dos-peitos".* Dificultosamente, eu conseguira decifrar também o trecho que se seguia ao desnudamento, quando o Asno selvagem em que Lúcio Apuleio se transformara, *"mesmo ao cavalgar aquele corpo de leite e mel e ao apertá-lo com as Patas terminadas por duros Cascos"*, ainda temia despedaçar a Rosa *"de tão delicada Mulher"* com seu Sexo enorme, brutal e grosso: *"Novissime, quo pacto quamquam ex unguiculis perpruriscens, mulier tam vastum genitale susciperet."*

E que me seja perdoada, como a Antônio Conselheiro, *"a ousadia extrema das citações latinas"*: por causa de tais leituras é que agora estou conseguindo narrar em termos menos brutais aquele fato que aconteceu na Estrada (incluindo-se aí até mesmo aquela involuntária crispação da Vulva que sucedera à jovem Dina).

De fato, fora a brutalidade do Macho que finalmente quebrara a resistência da Fêmea graciosa e fina, e, mesmo, num clarão, a seduzira: como se diz no livro do Levítico, *"todo aquele que tocar a carne da Vítima será sagrado; e se o sangue salpicar as vestes do Sacerdote, a mancha será lavada também num lugar sagrado".*

Aí, houve um momento em que, como aconteceu a Tamar ao ser violada por Amnon, tudo passou a suceder como se, de repente, o Macho se tivesse desdobrado em dois. Ambos tinham chifres semelhantes aos que crescem ao Cervo-negro no tempo do cio das Veadas-fêmeas; e ambos se ajudavam um ao outro na empreitada cruel de violar aquela pequena Fêmea indefesa.

O risco que ela corria aumentara; porque agora sua delicada espinha-dorsal poderia se partir ao peso do Jumento, que finalmente conseguira montá-la ante o relâmpago de submissão que a fragilizara: a contração-e-distensão da Vulva acontecera só por um momento, e fora um raio de oleoespuma viscoestrosa; suficiente, porém, para que o enfurecido Dardonegro — agressor, licencioso e lascivo — a penetrasse, num assomo de fremente estupidez. Uma, duas, três, dez vezes, as ancas do Macho se afastaram e uniram-se de novo ao corpo da Fêmea, para que o Fálus quase-saísse e reentrasse depois, de Vulva adentro.

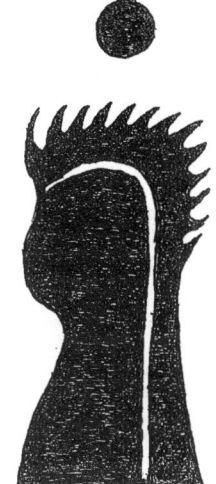

Ela, cabisbaixa, com os belos olhos machucados, remoía porém os queixos, como se, apesar da dor, experimentasse também uma dilacerada forma de prazer.

Coro
Que via ela, ao chão e ao Sol de fogo?

Isaías Ezequiel Schabijo de Savedra
"Olhava, e via, e eis que se aproximava dela uma Ventania, e uma grande Nuvem, e um Fogo chamejante; e em torno da Nuvem havia um grande resprandor; e, em volta do Fogo, via-se alguma

coisa que parecia Âmbar amarelo ou uma liga de Ouro e Prata. E, no meio da grande claridade, via ela 4 Animais — 4 Caribus — cada um com 4 rostos e 4 Asas. No meio deles via-se algo que parecia um amontoado de Brasas ardentes, Lâmparas ou Tochas das quais saíam raios.

"Via, também, um belo e selvagem Anfiteatro, que tinha no centro um Santuário com um Altar alumiado. Via o Anjo-Abrasador, que era Macho e tinha 6 Asas: com duas cobria o rosto, com duas o Sexo, e com as outras duas voava. Ela ouvia o arruído daquelas Asas, semelhante ao fragor de uma grande Mó-de-moinho em movimento, ou ao som das águas de uma Cachoeira nas quais houvesse, entre enormes Pedras, grandes Lâmparas e Tochas-de-fogo.

"A forma do Anjo era de Homem, mas suas pernas eram retas e os pés como cascos de Cavalo. Ele saltava como um Garanhão relinchando para uma Égua. Os gonzos da porta do Santuário oscilavam, e o recinto se enchia dos clarões do Fogo e dos negrores da Fumaça, odorante porque os Braseiros de que se desprendera tinham sido ateados com galhos e resinas de Árvores aromáticas.

"O Anjo ia e vinha, à semelhança do Raio ou do Relâmpago. Entre o Vestíbulo e o Altar postavam-se 25 Homens com as costas voltadas para o Santuário e os rostos para o Nascente. E o Anjo, voando para perto da Fêmea, achegou-se a ela e abrasou-lhe a Vulva com uma Brasa-ardente que tirara do Altar. E um Raio pareceu atingi-la, fendendo ainda mais o centro de seu corpo e de sua alma ferida. E, num relumbre, mergulhando nas fronteiras de luz que confundiam a Vida e a Morte, ela se prostrou ante o Sol-de-Deus, que a possuía e arrebatava para seus confins."

Albano Cervonegro

No chão do Macho, dança a Lua fêmea, e quem puder que sangre o seu Cavalo. Quem não puder, procure manter lúcida a loucura do Sol, sob seus cascos: ela estilhaça os ossos da Cerviz, e o Chão se embebe ao sangue do Riacho.

Dom Pedro Dinis Quaderna

A Potra, no entanto, suportava a violação como podia, e nem sequer tinha mais força para tentar qualquer resistência. Seria inútil, aliás: *"No Chão, o Sono escuro apaga a Lua que mora e que reluz no olhar humano."*

Além disso, o Jumento, ao mesmo tempo que a penetrava por trás, imobilizava-lhe o corpo na frente, algemando seus flancos com as patas dianteiras. Cravara de novo os dentes em sua nuca e continuava os movimentos, que pareciam não acabar mais.

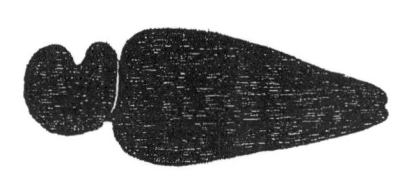

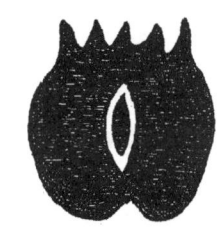

TÆOS

Mas, de repente, ele se inteiriçou numa contração que primeiro se refletiu, e depois se renovou ainda algumas vezes por todo o corpo da Fêmea.

Coro
Que via ele, ao chão e ao Sol de fogo?

Isaías Ezequiel Schabijo de Savedra

"Via uma Tempestade com Ventania, uma grande Nuvem e uma espécie de Sol chamejante. Cercando a Nuvem, havia uma grande claridade, e, no centro, alguma coisa que parecia Crisólito ou Electro no meio do Fogo. O Fogo era brilhante e dele saíam relâmpagos, reluzindo sobre uma Abóbada em forma de Redoma de cristal.

"Por cima da Abóbada havia um Trono com aparência de Safira, e sobre ele, bem no alto, via-se a Anja-Abrasadora, fêmea com jeito de Mulher. Também tinha 6 Asas e, como o Anjo macho, com duas cobria o Sexo, com duas o rosto e com as outras duas voava. Junto dela, fervia uma espécie de Mar-de-Chamas.

"Dos lombos para baixo, a Anja era de fogo. Dos lombos para cima, tinha um brilho semelhante ao do Crisólito. Ela estendeu o que parecia ser a forma de duas mãos. Com uma, segurava o Asno-selvagem pelo tufo de crinas de sua testa. E, colocando a outra embaixo, aproveitava os momentos em que o Dardo surgia quase todo da Vulva, apertava-o e arregaçava-o ainda mais, deslizando-a *ao longo da forma rija que pulsava, quente, e que, não resistindo àquilo, explodiu em lava e espuma.*

"Então, entre Candelabros — dos quais se desprendiam, relampejando, chamas iluminosas —, o espírito lhe foi arrebatado por entre o Céu e a Terra. E, numa visão, foi ele levado à entrada do Pátio interior que, no Santuário, dava para o Norte — lá onde, mesmo na turvação profunda que dele se apossara, dava para ver que estava plantado o Ídolo do Ciúme."

Dom Pedro Divis Quaderna

Foi assim que os dois atingiram o cume da forma que lhes era possível de êxtase-insciente e união com a Divindade. O dardo do Macho retesou-se ao máximo para o derradeiro espasmo, fazendo jorrar, de para além do mais profundo de si mesmo, jactos e mais jactos de gala-sagratória — da gala jubilosa! — em quantidade tal que alguma trasbordou de Vulva afora.

Mais um instante, e o Jumento, distendendo e afrouxando seu grande corpo, deixou que ele caísse e se apoiasse sobre o da Fêmea.

Não resistindo ao peso — e ensonada, do mesmo jeito, pelo toque da Divindade cuja centelha orgástica a fulminara — ela caiu ao chão, enquanto ele, embriagado pelo Sol que também por um instante o fulminara, saía de cima da Potra (agora transformada em Égua), ele com o grande Fálus pesado e feio pendendo para baixo, como um Alfange vencido que logo se recolhia à Bainha.

Então, exatamente nesse instante, surgiu na Vereda, vinda do Mato pela nossa direita, uma Onça-Tigre negra e fêmea, seguida por um Jaguar enorme e malhado. Sem dúvida ela também estava no Cio; pois mal apareceu a nossas vistas, estirou-se no chão, de costas, alargando as patas e abrindo-se para o Macho, que, deitando-se sobre ela, a cobriu, penetrando-a.

O orgasmo foi rápido. Logo depois do estremeço os dois se levantaram e perderam-se de novo dentro do Mato pela nossa esquerda, com o Macho sempre a seguir a Fêmea: via-se que, logo mais, haveria outra cena parecida, já longe das nossas vistas.

Albano Cervonegro

Gata-negra, Pantera-extraviada, abres ao Sol tua Romã felina. Ao Dardo em fogo queima-se a Colina, e há cascos e tropéis por essa Estrada.

Dom Pedro Dinis Quaderna

Aí, olhei para o lugar em que, antes, estavam os dois Assemelhadores, e notei que ambos tinham desaparecido. Mas o Gavião continuava a plainar no alto Céu iluminado; e agora estava, inclusive, acompanhado por sua Fêmea, de modo que, com eles, boiava, só, ao vento, aquele bafo doido da Beleza que em tais momentos se acende, queima e faz dançar o Mundo.

Não havia mais nada a revelar-se ali: arrimado de novo a meu bastão de Cego e guiado pela mão de Lupiana, adentrei-me ainda mais, a vagar por aquela "*Senda perigosa*", na Caatinga poenta e acobreada, que, um dia, me coubera como herança na partilha do Mundo.

A Serpente e a Tentação
(Entremeio Afrodítico)
Variação sobre o tema de Beldade e o Monstro

Dom Pedro Dinis Quaderna

Entretanto, antes de chegarmos a nosso destino, eu e Lupiana iríamos sofrer ainda uma outra provação.

Ocorre que, em sua parte exterior, A Ilumiara Jaúna se dividia em 3 áreas concêntricas: eram as primeiras das 7 que integravam o Labirinto de seu inextricável Castelo.

Na medida em que, de fora, eu conseguia decifrar, de um em um, os Sinais, gradativamente mais difíceis, insculpidos ou pintados nas pedras, ia obtendo o direito de dar nome a tais áreas e nelas penetrar, assim como o de chegar mais perto e mais dentro do núcleo especular e subterrâneo do Castelo: a decifração era o preço que se tinha de pagar para, a cada Incursão, aprofundar a Demanda, resolvendo-se, pedra a pedra, o enigma-menor das letras, figuras e sinais que ao mesmo tempo indicavam e defendiam o segredo-maior do Anfiteatro e de seu terrível jogo de Espelhos.

A primeira área, Ulam, situava-se entre a cerca de pedras (que limitava, por fora, o Cercado) e o cinturão de serras onde se achava o conjunto de lajedos propriamente chamado de A Ilumiara Jaúna. De todas, era essa a área cuja decifração era a menos perigosa e menos cheia de obstáculos. Por isso, e por ser ela a que circundava as outras, ali era "*o lugar das Assembleias*"; inclusive as do Circo da Onça Malhada, com "*o som das Trombetas*" anunciando o começo dos Espetáculos.

Quanto à segunda área, Hekal, a do meio, estava colocada entre a cerca de pedras e a parede natural de Lajedos que cercava o Anfiteatro: era "*o local da Lei perpétua e das oferendas queimadas*".

A terceira, Debir, era o próprio Anfiteatro, com sua Itaquatiara, uma Pedra parecida com a do Ingá mas muito mais complexa e misteriosa do que ela. Era um Monólito-central insculpido que, por trás, abrigava a Gruta das Vulvas, o todo significando "*o lugar do Segredo e das águas permanentes*" (mesmo quando o Riacho do Elo estava seco).

Entretanto, por uma revelação recebida em sonho, eu ficara sabendo: a Gruta, por mais povoada que fosse de significados, era apenas a porta de entrada para a parte final do Castelo, a mais importante, por ser composta pelas 4 derradeiras Moradas.

Fazia, já, muito tempo que eu rondava as paredes da Gruta, palpando-as vulva a vulva e tentando, letra a letra, todas as combinações possíveis de Sinais e Figuras. Achava que, assim, talvez um dia a Pedra se abrisse e eu pudesse afinal ter acesso às Moradas centrais do Castelo. Principalmente à sétima, a mais interior e difícil de todas. Ali — quem sabe? — numa espécie de fulminada ensonação, talvez eu viesse a me unir "*ao Sol final do panóptico Deus-Desconhecido*", para usar uma expressão ligada àquele falso e maligno Profeta que foi o Pseudo-Jeremias.

De qualquer modo, uma incursão à Ilumiara, mesmo empreendida às 3 Moradas mais exteriores e menos inóspitas do Castelo, tinha que se desdobrar em 3 Etapas, ou Vias-Probatórias, a terceira das quais precedida por uma "Noite-Escura".

Na Estrada por onde eu caminhava naquela tarde, as Etapas recebiam nomes adequados, alusivos à sua natureza. A primeira, era a Via Espinescente, dos iniciados. A segunda, a Purificatória, dos errantes. A terceira era a Convulsiva, dos implicados totais e irrecuperáveis.

A provação-iniciática do Jumento marcara a primeira Via. Concluída ela (e novamente a pé, pois Dina fora forçada, por seu sedutor, a continuar à mercê dele, no lugar da violação), Lupiana e eu escalávamos agora a subida real da Serra. Caminhávamos, já, portanto, pela Via-dos-Errantes. E, absorto como eu ia pela recordação da cena que víramos, descuidei-me de vigiar como de costume o acidentado e perigoso chão que nossos pés pisavam.

Lupiana, por sua vez, andava descuidosa: real Amante, ia como uma inês-de-castro adolescente, "*posta em sossego, naquele engano d'alma ledo e cego, que a Fortuna não deixa durar muito*"; turvação que, em tais momentos, costuma toldar o juízo "*das Damiselas de sua idade e condição*".

Mas, tendo comido as Rosas, tínhamos mantido até ali uma contenção razoável. Eu, ainda perturbado, apenas delirava um pouco, murmurando palavras que, por antigas, eram veneráveis:

Heráclito Schabino

"Quem pode se furtar à luz terrível deste Haver conquistado em sangue e ouro? Por aí é que a Rosa azul da Morte verte sombra na Vida e ao Chão dá fogo: o Fogo é o verdadeiro ser das coisas, e o Danado é resgate do Tesouro."

Dom Pedro Dinis Quaderna

Para bem se entender a cena que logo ali daria início à Noite-Escura é preciso que se revele: Lupiana era filha-adulterina de um dos integrantes do meu Circo, Francisco Furiba dos Santos Filho, mais conhecido como Chicó Chico Furiba ou, simplesmente, Chicó. A mãe de Lupiana, Dona Margarida, por alcunha A Padeira Insaciável, casara-se, jovem e pobre, com um Homem rico, mais velho do que ela e sabidamente estéril, Eurico de Anacrão Careto.

Um dia, vendo Chicó passar, Margarida ouviu uma de suas Criadas comentar para outra: *"Ele ée ũum d'os Homens libertinos d'aquy. Sseu ssexo ée como o d'os Jumentos e ssua lasçívia ée como a lasçívia e a lubriçidade d'os Cavalos."*

Sófocles Ezequiel Schabino de Savedra

"E, fascinada, Margarida mandou chamar Chicó, e lhe alargou as pernas, e lhe abriu as coixas, e sse entregou côm ele a tôda-las

fornicações. E emprenhou. E como sseu Marido era estéril, não sse lhe podia creditar a prenhez d'a Mulher.

"Assỹm, teve Margarida que absconder o fruyto de ssua fornicação. E ela pariu Lupiana longe, dando despois a Filha a outras pessoas para que a criassem. E era ũuma Menina tão bonyta que lhe vieram a colocar a alcunha de Beldade.

"E, de casa ẽm casa, ela acabou por chegar àas maãos de Quaderna, que adotou Lupiana como Filha a fỹm de que, n'os dois, sse cumprisse o destino d'a Estrada de Colono. E quando ela cresçeu Moçinha e sse transformou n'a jovem Beldade que lhe valeu a alcunha, avultaram-lhe os piquenos Peytos e brotou-lhe o pelo.

"Entonçe, n'o Castelo d'o Monstro, ũum dia, pel'a primeyra vez, foram aflorados por dedos cobiçosos os piquenos bicos d'os peytos d'a Bela; e a Fera, aquele Pai estranho, cheyo de perfia e maldade, acarinhou-lhe os sseyos inoçentes: aquele que devia guardar-la esfrolava-lhe os peytos apenas alteados de ssua pubesçência. E tudo aconteçeu de tal guisa que ela, despois, ssentia falta de ssuas primeyras impudiçíçias, e ssaudade d'o tempo êm que a mão ssacrílega do Monstro lhe arrupiava o pelo malnasçido e os piquenos peytos, primíçias de ssua puberdade."

Dom Pedro Dinis Quaderna

Naquele dia, na Estrada, houve, porém, *"uma conjunção maligna de Planetas hostis"*; porque, quando já íamos na segunda Via do caminho da Ilumiara, Lupiana, de repente, *"percebeu que pisara numa espécie de rolo mole, que se achatou sob sua alpercata"*:

Albano Cervonegro

E eis que o Chão-que-rasteja exibe o dorso *"na bela malha de Losangos negros"*. Ao que se diz, é o incriado Assombro, prenúncio e desafio do Guerreiro: *"focinho tronco, fossas, ventas falsas"*, na ameaça do sono e do Desejo.

Dom Pedro Dinis Quaderna

Sim, porque imediatamente *"um açoite fragelou-lhe o pé"*; e, no arco inferior deste, lugar desprotegido pela sandália, ela sentiu uma picada de fogo, semelhante à de um Lacrau, ou Escorpião. Ao mesmo tempo, ouvíamos o chocalhar sinistro da Cobra-Cascavel;

e, olhando para a direção de onde ele vinha, avistamos uma "*Sete--Ventas*" que, a poucos passos de nós, já se enroscava para novo bote.

Albano Cervonegro
Na cabeça lucífera vigia "o olhar negro, imantado e fugidio". Inocência, fascínio e crueldade, da Lança-desdobrada ao gume-e--fio; da Língua aberta ao cascavel da Cauda, no dardo-e-flecha do Punhal sombrio.

Dom Pedro Dinis Quaderna
Com duas bastonadas, desferidas pelo Cajado-profético que me servia também de Cetro, parti a espinha e esmaguei a

cabeça da velha inimiga do nosso Rebanho; e por um momento fui dominado pela ideia insensata de agarrar a mão de Lupiana e sair correndo com ela para a Ilumiara, cujas Pedras sagradas talvez pudessem curá-la.

Lembrei-me, porém, de que, para evitar a circulação mais rápida do veneno, ela deveria se abster de qualquer movimento brusco. Desisti. E, parando no meio da Estrada, comecei a acariciar a cabeça da Menina, para tranquilizá-la e refletir um pouco em busca de outra saída.

A sorte era que (assim como na vida real me acontecera com a primeira cena-de-jumento-e-égua que vira) o primeiro orgasmo-literário que eu experimentara tinha acontecido na puberdade, quando, no Seminário, lera, escondido, um Livro, proibido pelos Padres mas que circulava secretamente entre meus condiscípulos e companheiros de vocação eclesiástica: no Livro, também ocorria picada de Serpente em pé feminino, e, pelo menos naqueles instantes iniciais, eu sabia o que tinha a fazer para que ela, salva, continuasse a contribuir para a construção daquela Obra que eu sonhava há tanto tempo e era indispensável à minha Coroação, à reconstrução do Brasil e à celebração da Iarandara, da Rainha do Meio-Dia; enfim, a Obra que era a maior e mais anunciadora de todas as apocalípticas revelações do Terceiro Milênio que se aproximava e ao qual — graças a uma certa decisão que tomara aos 43 anos — eu tinha certeza de chegar.

Albano Cervonegro

A Serpente sagrada perde a pele, que morre para atar-se um novo Nó. Letal, a Cobra é quem dá luz à Vida, e a lâmpara da Morte canta o Sol. A cinza abre caminho para o Fogo, o carvão para a Brasa, ao Sangue o pó.

Dom Pedro Dinis Quaderna

Entretanto, mesmo naquele momento de Pecado (e talvez por causa da Mulher cujo nome estava gravado a fogo em meu sangue desde que eu conseguira decifrá-lo nas pedras da Ilumiara — Uopia), o que mais me vinha à memória naquele instante era a recordação de Maria Sulpícia, Madre e Estela em meu escuro: "*Eu acendi a chama desta Dança pra fazer do meu Luto um sol-de--pranto.*"

Então, comecei a tomar em favor de Lupiana as únicas providências que eram possíveis ali. Tirando o lenço do bolso da minha calça-e-camisa cáqui, rasguei-o em tiras e atei-as numa só, ligando com ela o tornozelo da Menina e apertando bem o nó, para evitar o mais que pudesse a circulação do veneno. Depois, lavei-lhe o pé, primeiro com água da Cabaça, depois com vinho do Pichel. E aí, colando os lábios no lugar da picada, comecei a sugar a Peçonha, o que, como logo pude notar, desencadeou em Lupiana um início de prazer:

Júlio Savedra Ribeiro

"Ssugando-lhe a ferida causada pel'o aguilhão d'a Sserpente, ele ia rretirando ũum Veneno mas deixando outro. Ela ssentia a ssucção morna, demorada, forte, d'os sseus lábyos ẽm-torno d'a picada, n'o arco-d'o-pée çetinoso, branco, ateé aly empoeirado mas de-novo rróseo e limpo, lavado que estaba pel'a i-Água e pel'o Vĩnho. E a ssensação estranha, deliçiosa, incomportábil, que aquela sucção produzia, multiplicava-sse, alastrava-sse. Era ũum formigamento que lhe ssubia pel'as pernas, que lhe afagava o ventre, que lhe titilava os peytos, que lhe comichava os lábyos."

Dom Pedro Dinis Quaderna

Quando vi que chegara ao ponto, interrompi a sucção e abri o Farnel de que também me munira na hora da saída.

Três dias antes de empreender aquela incursão, eu cuidara de me preparar para os rituais religiosos que, com Lupiana, iria celebrar no sagrado e terrível Anfiteatro da Ilumiara Jaúna.

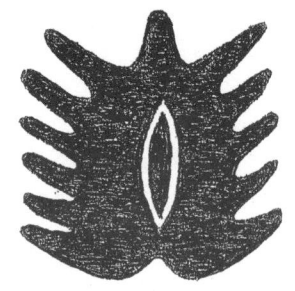

Aqueles dias de Outubro eram especiais: preocupado com os inumeráveis Pecados que cometera no decurso do ano (e também atento à importância do tempo que decorria entre 4, dia de São Francisco, e 12, festa de Nossa Senhora Aparecida), no dia 7 eu mandara sacrificar, como expiatório, um Bode macho, sem defeito, uma vez que se tratava de reparar as transgressões de um Chefe e Rei; e imolar, também, uma Cabrita-fêmea perfeita, por levar em consideração a inocência da Princesa.

Homero Grego Savedra

"Assim, 3 dias antes da Incursão — e enquanto, para atender a meu pedido, se traziam o Bode e a Cabrita para o local do Sacrifício —, eu, como Sacerdote e Rei que sou, espalhava pelo chão o pó da Resina sagratória. Dois dos meus Irmãos bastardos ergueram no ar as cabeças dos Animais, que foram degolados por meio de golpes de uma Faca afiada."

Virgílio Romano Schabino

"Mortas as Vítimas, ambas foram esfoladas. Cortaram-lhes as coxas e untaram-nas de gordura. Separaram-se as costelas, que foram logo salgadas e assadas com as coxas, enquanto eu, velho

Profeta consagrado, regava com Vinho-tinto todo o local e as peças do Sacrifício."

Homero Grego Savedra

"A meu lado, dois outros de meus Irmãos sustinham suas Facas de gumes afiados. Com elas, cortou-se o resto em mantas e tassalhos de carne crua e as postas foram salgadas e expostas ao Sol para a secagem. Mas, depois de secas, pilou-se e macerou-se uma parte, a fim de se fazer com ela a paçoca ritual."

Dom Pedro Dinis Quaderna

Tudo isso possibilitava agora que Lupiana e eu antecipássemos, na Estrada, a celebração antes prevista para a Ilumiara. Ela já estava mais apaziguada da perturbação que sentira no momento em que eu lhe sugara a curva inferior do pé. Por outro lado, tinha confiança neste Pai que o Destino lhe reservara, numa de suas inexplicáveis emboscadas, e não demonstrava mais nenhum medo pelo risco que correra.

Assim, como exorcismo contra a picada da Cascavel, começamos a preparar a comida e a bebida que agora eram indispensáveis à nossa resistência contra a Morte: a carne de sol com paçoca, alguns tacos do queijo de cabra Arupiara, pedaços que eu já trouxera consagrados do pão de Taperoá e, sobretudo, o verde-tinto, aromático, visageiro e espumejante Vinho da Pedra do Reino — o mesmo que lavara o pé de Lupiana.

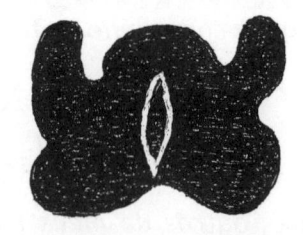

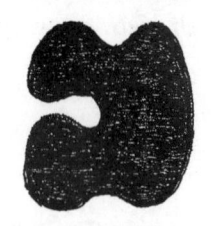

Albano Cervonegro

Já que a Frecha mortal nos atordoa, eu me embriago aos êxtases da Sorte. A Razão, no seu sono cego, espreita o sondar da Raiz no chão do Corte. O Nada, o sol do Ser, a Pulsação, o dom do Sonho e seu contrário — a Morte.

Dom Pedro Dinis Quaderna

Naquela primeira fase do ritual (e como compensação aos duros preceitos que excluem as Mulheres do exercício do Sacerdócio), generosamente permiti que Lupiana oficiasse, preparando, ela só, as viandas, enquanto eu, mero Coadjutor, me limitava a comer as iguarias que ela consagrava e servia. Saciado o Fiel, a jovem Sacerdotisa, como fazem os Padres no final dos ritos, comeu cuidadosamente os restos de pão, carne e queijo que eu deixara e bebeu as últimas gotas do Vinho que tinha sobrado no Cálice, o qual ela depois enxugou com um pano limpo e branco, também trazido nos Alforjes.

Reparada então a injustiça que se comete contra as Mulheres, podia eu, agora, retomar meu papel de Sacerdote. E, como estávamos na Via das Oferendas Queimadas, mandei que Lupiana, voltando a ser Coadjutora, juntasse alguns gravetos, escolhendo, porém, somente os de madeira cheirosa, como, entre outros, os de Cumaru, ou Umburana-de-Cheiro.

Quando ela ajuntou gravetos em quantidade suficiente, acendi um Braseiro, tirando fagulhas na pedra-de-fogo do meu

Corrimboque; e passei a queimar os nervos, tendões e gorduras de modo a que o cheiro de tais resíduos — imprestáveis para comer mas agora consagrados pelo Fogo e perfumados pela resina das madeiras — chegasse mais perto (ou menos longe) das narinas do Deus-Desconhecido.

Aí, consumada a queima e apagado o Fogo ritual, Lupiana piedosamente me lavou as mãos e religiosamente as enxugou, fazendo eu, depois, o mesmo com ela.

Enquanto assim agíamos, nós ambos, de repente, num impulso, começamos a repetir, como um outro exorcismo contra a Morte e a peçonha da Serpente, alguns passos da Dança cultuária que o Jumento e a Eguazinha tinham celebrado.

Atrás de Lupiana surgiu uma Figura feminina, e atrás de mim, outra, masculina. Pareciam com as que se tinham postado perto dos Animais mas não eram exatamente as mesmas: aparentavam culpa, e não insciência maior.

Da extremidade dos curtos braços da feminina saíam chamas. A masculina, que conduzia na mão um Vaso-de-Oferendas, cantava, obstinada: "*Eu vou, dançando, ao limiar da Morte, nas malhas de uma Estrela piedosa.*"

E eu, encandeado pelo Sol, vi, de repente, alguma coisa, que parecia a imagem de Ashera Acken, fundir-se com Lupiana. Tal fusão foi como que a senha para minha mudança de atitude em relação a ela. Primeiro, porque, com isso, a culpa, nela, também passava a toldar a inocência. Depois porque, tendo ambos comido as Rosas, eu estava seguro de que ali não seria cometida uma violência que viesse a traumatizá-la.

Júlio Savedra Ribeiro

"O que houve, entonçe, foi que todo tõm de locuela sse esvaiu antre os dois: calavam-sse, palideçiam, o timbre d'as voçes d'ambos era cada vez menos sseguro.

"A pedido d'o Hõmem-velho, a Damisela — louvor e frol de tôda-las Meninas — quitou las peças de ssua vestimenta, ssalvo a Camisa. A Cambraya disenhava o piqueno busto e as coixas delgadas, deixando transpaireçer a nasçente penuge que começava a ensombrar, ẽm-baxo, o pubre d'a Menina.

"Baxando-lhe o cabeçom e començando a ficar fora de ssy, ele sse lhe foi àa garganta e ss'achegou a'os peytos piquenos e duros que logo começarom a sse encrespar, arrepiando-sse os mamilos."

Frei Manuel Schabino de Itaparica

"Os Limões-doçes, muyto apeteçidos, estão virgíneas Tetas imitando. E, quando sse vêem crespos, mal-cresçidos, vão as mãaos curiosas inçitando."

Cassandra Rios de Savedra

"Ele levou as mãaos para a-frente, pousando-as ẽm ssuas coixas, alisando-as e ssubindo ẽm-ssequida para os piquenos peytos, que pareçiam dois Limões."

Frei Manuel Schabino de Itaparica

"E a'o Hõmem lhe pareçia o Livro que ssonhava assỹm como ũum Horto, n'o qual existiam Flores e Fructos: pel'as flores sse entendia a ssentença d'os Versos e d'a stória; e pel'os Fructos, os d'o corpo d'a Donçela, horto de Fructos ssaborosos, tendo ẽm ssy, escondida, como tambẽm o Livro, ũuma notável Ssentença rreligiosa."

Júlio Savedra Ribeiro

"Foi assỹm que, cada vez mais atrevido, ele lhe acarinhou os peytos e lh'os osculou, primeyro rrespeitoso e atée medroso, como sse cometesse ũum ssacrilégio, e logo oufano, insolente, lasçivo e bestial como ũum Ssátyro.

"Cresçendo ẽm ssua exaltaçam, ele lh'os amachucou e lh'os chupou, mordiscando sseus piquenos bicos arreytados.

— "Leixe-me, leixe-me, ca assỹm nom quero! — dizia a Donçela cõm voz quebrada, esforçando-sse por escapar-sse, mas presa, a'o mesmo tempo, de ũuma neçessidade invençível de sse dar e sse abandonar àaquele que a cometia.

"De-rrepente fraquearam-lhe as pernas, os braços lhe descaíram, ssua cabeça pendeu, graçiosa, e ela deixou de loitar, entregando-sse.

"Tanto que a viu rrendida, ele fincou os geolhos ẽm terra e, pegando-lhe a barra d'a Camisa, fege-lhe, baxo, ũum rrogo."

Eça Schabujo de Queiroz Camões

"Ela, corada, dizia: 'Nom, nom, ca ssou vergonçosa de dexar façer.' E ele fez, porque Amor ée ũum fogo que arde ssẽm se ver, ée ferida que doi e nom sse ssente."

Manuel Savedra Botelho de Oliveira

"A Rromaã rrubicunda, quando aberta, àa vista agrados ée, àa língua, oferta. Ée tesoiro d'as Fruitas, entre afagos, pois ssão Rrubys ssuaves os sseus bagos."

Dom Pedro Dinis Quaderna

Aqui, acho por bem transcrever um trecho de Literatura alheia, que bem pode dar uma ideia daquilo que se desencadeava no sangue de Lupiana: "Foi n'esse momento que sse pôde notar, ẽm todo o sseu splendor, a maravilhosa beleza d'a Menina. Completamente desafrontada de toda influẽncia terrestre, o ssangue que por instantes lhe ssubia a'o rrosto e momentaneamente lhe havia colorido as façes, rrefluía de-novo a'o coração. Os olhos, abertos ũum pouco alẽm d'o ordináryo, estabam voltados para o Çéeu. As narinas, ligeiramente dilatadas, pareçiam aspirar ũum ar mais puro. Os lábyos conservavam-sse levemente afastados. A cabeça mantinha-sse inclinada para trás, cõm ũuma graça inexprimível, quase angélica. Dir-sse-ia, a'o ver-la, que aquele olhar imóvel penetraba atée os umbrais d'o trono de Deus, n'aquele êxtase n'o qual a i-alma sse desliga d'o corpo e divaga — livre, feliz, divina — ssobrançeyra aàs misérias terrestres."

Dom Paribo Sallemas

Parece que, aí, quem canta é Santa Teresa, falando de si mesma na terceira pessoa para descrever um dos êxtases em que era levada a Deus pelo contato com o Anjo-Abrasador. Mas quem assim pensasse incorreria em erro, pois as palavras que Quaderna acaba de citar são de Alexandre Dumas sobre Andréia de Taverney, enquanto hipnotizada por José Bálsamo, Conde de Cagliostro (o que de novo nos leva ao transe hipnótico causado por Antero Savedra sobre a moça de Patos a partir de sua promessa a São Cipriano).

Eça Schabijo de Queiroz

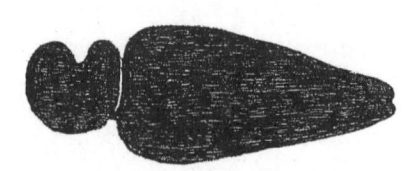

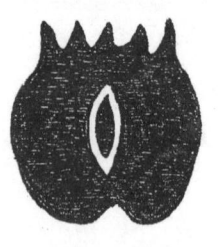

"E tanto ela sse cobrou de sseu delíryo, tapou o rrosto cõm ssas âmbalas maãos, e sse fez escarlate, e falaba, goçosa, ssuaves rrequebros e ternas rrepreensões."

Dom Pedro Dinis Quaderna

Tendo, assim, cumprido minha parte do culto, chegava agora o momento de, mais uma vez, trocarmos de função, passando eu a ser o Altar e Lupiana a jovem Sacerdotisa encarregada de sobre ele celebrar, antepondo, nós, ao Macujê (isto é, ao Maracujá-fêmea ou Maracujá-romanoso), o Caju, ou Cayu, de travo masculino e goiaboso:

Manuel Savedra Botelho de Oliveira

"O Marcujá, tambêm, gostoso e quente, ée Fruita êm qu'ũuma Rrelva arrufa ũum Pente. Tem, n'a pevide, mais gostoso agrado d'o que Açúcar-rrosado: ée o Macujê, cheiroso e apreçiado. Ée belo e cordial, e, como ée mole, qual ssuave Manjar todo sse engole; pois, ssêm fazer a'o Mel injusto agravo, n'a boca sse desfaz, qual doçe travo.

"De variada forma ée o Caju belo: ora ée mole e amarelo, ora duro e vermelho — e então ée bravo, of'reçendo à Romaã sseu duro travo. Então, mostra a Coroa dilatada, ergue o Punhal e afia a ssua Espada. Veste-sse d'escarlata, cõm majestade grata, pois, pra rreynar ssobre a Rromaã rrachada, tem a Castanha e a C'roa-consagrada."

Dom Pedro Dinis Quaderna

Mas é por meio de 3 Décimas, compostas por Cantadores e condiscípulos meus na Escola-de-Cantoria, outrora mantida na Fazenda Onça Malhada por João Melchíades Ferreira da Silva, que passo a descrever melhor o Ritual sagrado que Lupiana e eu vínhamos celebrando ali na Estrada.

A primeira de tais Décimas descreve a estranha Rosa crespa, plantada na própria fenda-central do Altar-da-Lua. Era uma Glosa feita por Lino Pedra-Verde sobre Mote do grande Poeta-popular Lourival Batista, e vai recitada aqui por Joaquim Simão:

Joaquim Simão

Eu estava láa n'a Estrada, vi a Rrosa penugenta, bela Rromaã que nos tenta, rrubra, fendida e ssagrada. Quando ela fica arreytada, deixa o Caju moribundo. Ssob o Çéeu alto e profundo, a Lua a deixa rrevendo, "e, para quêm vem nascendo, ée a porteyra d'o Mundo".

Dom Pedro Dinis Quaderna

A segunda, mostra o Obelisco-central do Altar-do-Sol, também importante na Ilumiara Jaúna. Era de Severino Putrião, chamava-se O-Bicho-Caju-da-Serra e é cantada aqui pelo Palhaço Gregório:

Gregório Mateus de Sousa

"O Bicho não ée de osso, de carne também não ée. Não tem perna, mas tem pée, não tem braço e tem pescoço. Ora ée fino, ora ée bem grosso, cheyo de astúcia e de manha. N'a fome de ssua ssanha, levanta o chapéu-de-couro, e verte ũuma Chuva d'ouro pel'o tesão d'a Castanha."

Dom Pedro Dinis Quaderna

Finalmente a terceira, de Marcolino Arapuá, junta Romã e Caju num Enigma só e alude ao próprio ritual religioso que eu e Lupiana estávamos celebrando na Estrada. Aqui, quem se encarrega de cantá-la é o Palhaço Galdino:

Galdino Bastião Soares

"O Velho c'a Rromaã ssonha, e a Menina o Caju quer, pois n'ela nasce a Mulher, e n'ele ferve a Peçonha. Eis que o Caju já sse enfronha ssobre os ovos d'o Lambu. Levanta a crista o Jacu, e assỹm, Bôda temporaã, ele macujou Rromaã, ela goiabou Caju."

Dom Pedro Dinis Quaderna

Para que os nobres Cavaleiros e belas Damas não se escandalizem com o teor e a forma de tais citações, esclareço que Dom Pantero só permitiu que elas fossem apresentadas aqui porque alguns dos versos mais atrevidos do meu relato foram compostos por Padres (como, por exemplo, Frei Manuel de Santa Maria Itaparica). E o fato é que, estimulado por esses Padres, quando dei fé, os passos de dança que Lupiana ia executando tinham me atingido no centro de mim mesmo, levando-me à beira da Morte nos estremeços epilépticos do Mal-sagrado que chegava, estralando e coriscando, do meu sangue para minha cabeça, anuviando ainda mais meus olhos cegos e reluzindo raios, relâmpagos e estralos-de-centelhas nas antecâmaras do meu "*Panóptico-interior*" — ali onde, às escuras, os degraus inferiores do primeiro Trono eram tateados pelo nume-profético do meu juízo-real desgovernado.

Samuel Apuleio Reis de Savedra

"Entretanto, no Auto, a Donzela era Brincante, e ele figurava apenas como Velho, Mestre e Rei. Ela era fermosa e muito bem-feita em todo o seu corpo, cuidava do Rei e o servia. Mas, no momento azado, os dois, juntos, mastigavam a corola de uma Rosa, de modo que o Rei nunca a conheceu nem contra ela praticou qualquer violência."

Dom Pedro Dinis Quaderna

Assim, o arrebato e a turvação foram passando. As Figuras que tinham legitimado o ritual desapareceram; urgia retomar a caminhada: na Ilumiara, além do almateico leite de Cabra, talvez nos fosse possível encontrar ervas e raízes que neutralizassem algum resto de Veneno no sangue da Princesa; o melhor, mesmo, era retomar a Incursão, naquela Chapada pedregosa na qual me fora imposta, um dia, a tarefa de decifrar o Mundo.

Foi o que fizemos, Lupiana e eu, enquanto por todo o caminho elevado, estreito e penoso que agora percorríamos (e sublinhados pela mesma Toada "*desértica e modal*" que eu sonhara naquela Madrugada) soavam, por todos os lados, os latidos da Besta-Fouva, da Besta Ladradora que, desolada, errava por ali, na dolorosa espera de sua redenção.

Albano Cervonegro

Oh Fiandeira do painel da Sorte, que nos borda o destino sobre o Pano! Hei de tecer, também, nele, a defesa do meu Rebanho infortunado e insano, a dolorosa reivindicação do atormentado Coração humano.

Já, na Terra-estrangeira, um Mar de sono meu corpo, imerso em suas águas, banha. Olhar com mais cuidado os Astros cegos: viver a Vida é, já, uma façanha; erguer a fronte, honrar o chão da Raça, e entrar, como num Sol, na Terra Estranha.

Dom Pantero

Meu irmão Auro Schabino achava que a sociedade contemporânea deifica 3 Ídolos — Falos, o deus do Sexo, Moloc, o do Terror-de-Estado, e Mamon, o do Dinheiro, exacerbado pelo Capitalismo.

A isso, opunha-se ele, dizendo:

Auro Schabino

Quaderna tinha, do sexo, uma visão distorcida, com a qual nunca me conformei. Em minha visão-do-mundo, o Sexo não é, apenas, como se costuma afirmar, "um fato normal e saudável". Muito mais do que isso, o Sexo é a situação extrema, o êxtase, a crispação

do Amor, do carinho e da ensonação amorosa, motivo pelo qual atinge a fronteira do Sagrado e da Beleza, a fronteira de Deus.

Os antigos diziam que a Morte é o toque de um Deus no Ser-humano. É como se, ao entrar em contato direto com a Divindade, nossa natureza não suportasse aquele terrível fato e sucumbisse aos estremeços orgiásticos da Morte, fêmea e amante para os Homens, macho e amante para as Mulheres, materna, paterna e terrível para todos.

Daí a ligação, sempre também ressaltada, entre o êxtase sexual da Morte, a fruição da Beleza e o êxtase quase mortal do Amor — inclusive o sexual. Não é somente a Morte: o estremeço do Amor e do Sexo, o choque violento da Beleza e da Arte (e também, naturalmente, o abalo, o êxtase terrificante, fascinador e final da Morte), tudo isso são toques de Deus no Homem; assim como a Arte e o Sexo são, em nós, expressões de revolta contra a Morte e afirmação de uma momentânea e precária, mas ainda assim vital e poderosa imortalidade.

É por isso que nunca estranhei a linguagem através da qual Santa Teresa de Ávila descreve seu êxtase religioso, por ser povoada de signos e insígnias ligadas ao Amor e ao estremeço sexual (como também acontece com a linguagem da Arte, incluindo-se aí a Literatura). Quando me insurjo contra a comercialização, a banalização e a vulgarização do Sexo, contra a massificação da Arte e contra a escamoteação da Morte, efetivadas numa sistematização cuidadosamente programada pela sociedade contemporânea, não é por puritanismo — hipocrisia que seria ainda mais inaceitável no Pecador que sou; mas sim exatamente por respeito à busca da Beleza pela Arte; do Amor pelo Sexo; da Morte como fonte da Vida, pela Ressurreição; isto é, os 3 ásperos e belos caminhos por meio dos quais o Homem mortal às vezes experimenta, ainda neste Mundo escuro, o toque da Divindade imortal.

DOM PANTERO

Quanto a mim, quando conheci Quaderna, o que me interessou nele foi sua face de Personagem circense: tendo sido aluno de um velho Cantador — João Melchíades Ferreira da Silva —, ele sabia tocar Viola; de maneira que, como Antagonista, podia exercer junto a mim papel parecido com aquele que Ricardo Coração dos Outros desempenhava em relação a Policarpo Quaresma.

E foi realmente o que aconteceu, primeiro com o próprio Quaderna, em seguida com dois Músicos que passaram a representá-lo: uma vez que os equivocados do Recife me chamavam de *"Dom Quixote arcaico"*, Wagner Campos passou a ser meu *"Sancho Pança"*; e Antonio Madureira o *"Ricardo Coração dos Outros"* daquele *"novo Policarpo Quaresma"* (que, na opinião dos nossos inimigos, *"Dom Pantero também representava"*).

Mas novamente aqui acaba o espaço destinado a esta Carta e é tempo de despedir-me, o que faço, como na primeira, por meio de um Prosador barroco e de um Poeta popular:

DOXOLOGIA

MATHIAS AIRES DE SAVEDRA

"Que são os Homens, mais do que aparências de Teatro? A vaidade e a Fortuna governam a Farsa desta Vida; todos se põem no Palco com a pompa ou a miséria com que a Sorte os põe. Cada um recebe o seu papel: ninguém escolhe o que lhe dão. Aquele que sai sem fausto nem Cortejo e que, logo no rosto, indica que é sujeito à dor, à aflição e ao sofrimento, este é que desempenha o papel de Homem.

"A Morte, que está de sentinela, numa das mãos carrega o relógio do Tempo, na outra, a Foice fatal; com esta, de repente, desfere o golpe certeiro e inevitável, dá fim à Tragédia, fecha a Cortina e desaparece."

LUIZ SCHABINO DE LIRA

"Este Mundo é um Teatro de nobre e dura beleza. Seu pobre grupo de Atores sofre dor, fome e tristeza, mas aumenta as projeções do Cine-da-Natureza.

"São tais Atores, no Palco, Personagens valorosos, criadores de Comédias e Dramas misteriosos. Aqui o Rei vive o sonho de seus Autos perigosos.

"Sabe o Rei que é só um Sonho, pois aqui de nada é dono; que, neste Palco-de-sombras, a Vida acaba num Sono. Mas, se a Morte é nosso Emblema, o meu Teatro é meu Trono."

Albano Cervonegro

O Circo: sua Estrada e o Sol de fogo. Ferido pela Faca, na passagem, meu Coração suspira sua dor, entre os cardos e as pedras da Pastagem. O galope do Sonho, o Riso doido, e late o Cão por trás desta Viagem.

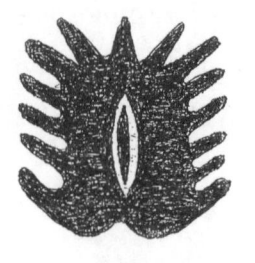

Pois é assim: meu Circo pela Estrada. Dois Emblemas lhe servem de Estandarte: no Sertão, o Arraial do Bacamarte; na Cidade, a Favela-Consagrada. Dentro do Circo, a Vida, Onça Malhada, ao luzir, no Teatro, o pelo belo, transforma-se num Sonho — Palco e Prelo. E é ao som deste Canto, na garganta, que a cortina do Circo se levanta, para mostrar meu Povo e seu Castelo.

Dom Pantero

E, com estes Versos, compostos em Martelo-Gabinete e Martelo-Agalopado — duas Estrofes criadas pelos Cantadores brasileiros —, aqui se despede de Vocês, nobres Cavaleiros e belas Damas da Pedra do Reino, este que é, ao mesmo tempo, seu Soberano e seu companheiro de cavalgadas e Cavalaria,

Dom Pantero do Espírito Santo, Imperador

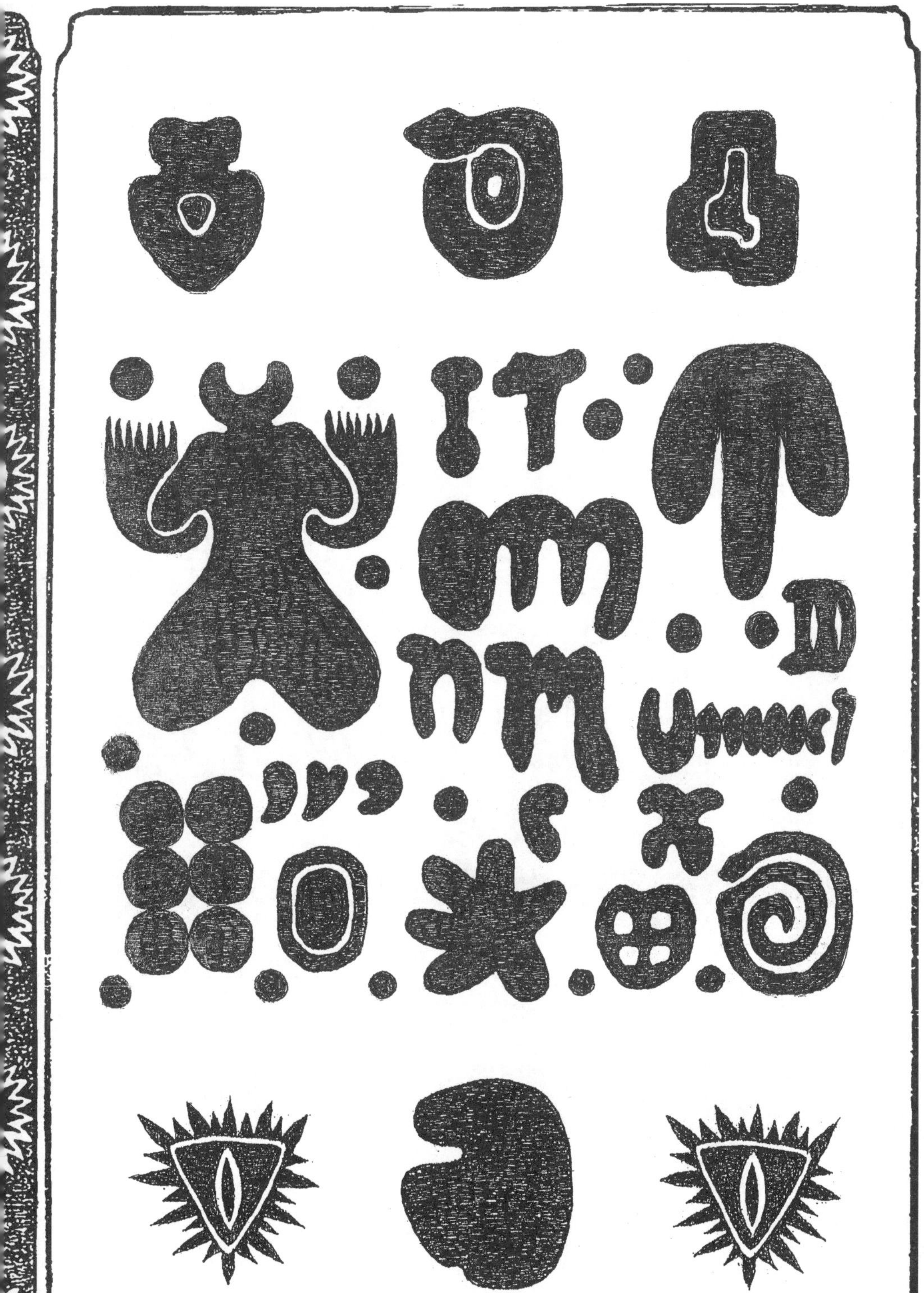

 209

O CHARINO

Chamada

O Chabino Desamado

O Chabino Desamado
Epístola de Santo Antero Schabino, Apóstolo

Escrita por seu afilhado, sobrinho e discípulo Antero Savedra, em homenagem aos Brasileiros descendentes de Negros, nas pessoas de Henrique Dias, Luiz Gama, José do Patrocínio, André Rebouças, Lima Barreto, Cruz e Souza, Adelaide Lima, Josafá Mota, Daiane dos Santos, Bria, Camila Pitanga, Sassá, Domício Proença Filho, Joel Rufino dos Santos, Mônica Oliveira e Marilene Felinto.

Publicada para comemorar os 500 anos da nossa Cultura, em sua vertente africana.

Dirigida aos nobres Cavaleiros e belas Damas da Pedra do Reino. E enviada, por seu intermédio, aos diversos povos do Mundo; especialmente aos da Rainha do Meio-Dia, aqui representada por Cabo Verde.

EPÍGRAFES

"Não quero mal à Ficção. Amo-a, acredito nela, acho-a preferível à Realidade; nem por isso deixo de filosofar sobre o destino das coisas tangíveis em comparação com as imaginárias."

MACHADO DE ASSIS

"Já consultou seus Livros — grandes tratados que prometem uma resposta a todas as indagações. Recolhe informações dos parentes mais velhos, junta-as com suas próprias recordações, mas o que daí resulta é uma espécie de Jogo, com uma Lei inteiramente diversa da lei dos outros. É um desfiar contínuo de Imagens da sua vida e de Palavras de poetas de todos os Continentes. Não se detém em sua louca busca; mas o Mistério não se deixa vencer por meras enunciações."

GERMANA SUASSUNA

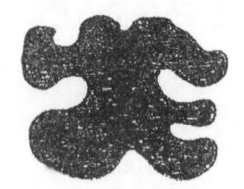

Dedicatória

Esta Chamada é dedicada a Maria Suassuna, Alexandre Nóbrega, Joana e Ariano Suassuna da Nóbrega Veras.

Foi composta em memória de Alexandrino Felício Suassuna, Joana Francisca Pessoa de Vasconcellos, Gabriel Villar de Araújo e Afra Dantas Villar.

O Chabino Desamado nas Trilhas da Besta Fouva

Largo Fantástico — Adágio Lídico

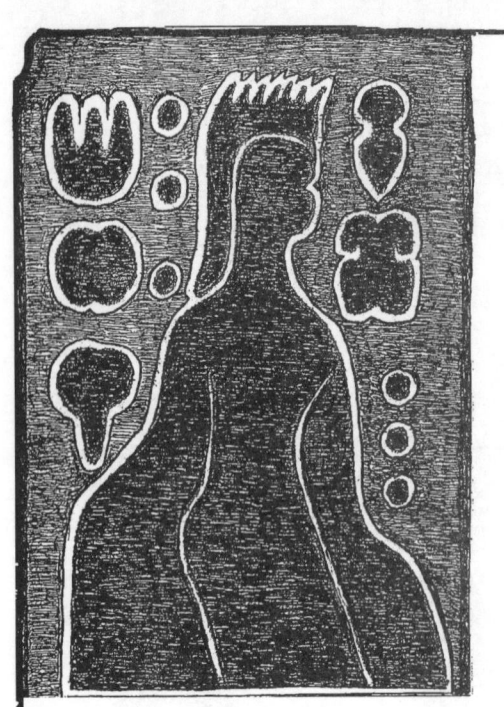

SIBILA
Moda, Turismo & Lazer
Igarassu, 14 de Março de 2014
23 de Abril de 2016

Aos nobres Cavaleiros e belas
Damas da Pedra do Reino.

Amigos:

Eu escolhera 7 dias do ano para empreender minhas incursões à Ilumiara Jaúna e minhas Saídas para dar as Aulas-Espetaculosas. Eram eles: 26 de Abril, por ser a data da morte de minha Mãe; 15 de Agosto, dia em que mataram Euclydes da Cunha; 5 de Outubro, porque foi a 5 de Outubro de 1897 que as tropas capitalistas, urbanas e positivistas da nossa primeira República arrasaram e incendiaram o Arraial messiânico e pré-socialista de Canudos, desenterrando o corpo de seu Profeta, Santo Antônio Conselheiro, e cortando-lhe a cabeça, levada para a Cidade como troféu e objeto de estudos; 6 de Outubro (data do suicídio de meu irmão Mauro), porque foi em 6 de Outubro de 1930 que nosso Tio materno João Soares Sotero Veiga Schabino de Savedra foi degolado na Casa de Detenção do Recife, onde estava preso por ter assassinado o Prefeito de Assunção, Doutor Jayme Pessanha Villoa; 7 de Outubro, por causa da Batalha de Lepanto e porque, a 7 de Outubro de 1945, na pequena Revista do nosso Colégio, foi publicado meu Poema *Noturno* — falhado mas importante para mim por ser ligado a Liza Reis, frustrado e único amor de minha vida; 9 de Outubro, por causa dos fatos discriminados abaixo; e finalmente, 12 de Outubro, por ser o dia da Aparecida, da Nossa Senhora Negra, da Misericordiosa, da Coroada — enfim, da Padroeira do nosso País, destas Cartas, das minhas *Saídas* e do *Simpósio Quaterna*, que àquelas deu origem.

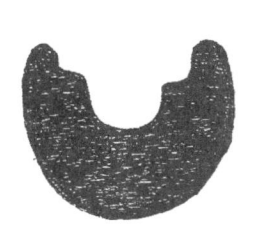

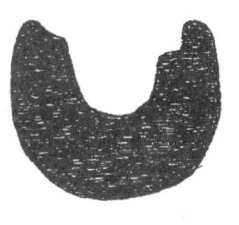

Quanto ao dia 9, três fatos o marcaram indelevelmente para nós: o nascimento da Besta Fouva, em 9 de Outubro de 1230; a morte de Dom Sebastião Barretto, o Rei da Serra da Copaóba, ocorrida em 9 de Outubro de 1590; e o assassinato do Cavaleiro, João Canuto Schabino de Savedra Jaúna, acontecido em 9 de Outubro de 1930. E como o nascimento da Besta é o mais antigo, por ele começo, valendo-me das palavras de Roberto Boron e Joanot Martorell — este o primeiro a ligar, em meu sangue, o Segredo do corpo feminino ao enigma do Castelo e à beleza do Mundo.

A Besta Fouva
Variação sobre o tema de Beldade e o Monstro

Roberto Schabino Boron

"Na era da Graça de 1230 anos, reinava na Galícia, ao norte de Portugal, um Rei chamado Hipômenes. Este Rei tinha uma Filha tão fermosa que em todo o Reino não havia outra que a igualasse.

Joanot Martorell Savedra

"A Natureza dera-lhe o máximo de si. Seus cabelos brilhavam como se fosse ouro. As sobrancelhas pareciam feitas a pincel. Os olhos eram duas Estrelas redondas. O nariz era estreito e afilado. O rosto tinha a cor das Rosas, mesclada com a brancura dos Lírios. Os lábios eram vermelhos como o Coral. As mãos eram branquíssimas, com dedos longos e afilados. As unhas, bem curvadas e róseas. E, pelo que vivia descoberto, bem se podia imaginar o que as vestes cobriam: os peitos (que eram dois Frutos pequenos, rijos, brancos e lisos) e as coxas, entre as quais estava seu Segredo.

Roberto Schabino Boron

"A Donzela tinha um irmão, que era tão belo, tão sério e de tão boa graça que não havia ninguém que o conhecesse e não se maravilhasse.

"Quando ela chegou à idade de 20 anos, era leda, louçã e bela, mas amava as coisas do Mundo mais do que devia. E quando seu corpo se dispôs aos desejos, apaixonou-se pelo Donzel, seu irmão, por causa da beleza que nele via. Tanto o desejou que não se pôde impedir de lh'o dizer. O irmão, porém, teve grande pesar e desgosto do que ouvia e disse à irmã:

Donzel

— "Afasta-te de mim, Donzela mal-aventurada, e nunca mais me fales nisso, pois do contrário te farei queimar!

Roberto Schabino Boron

"Ela teve vergonha de sua repulsa e pavor da sua ameaça, e calou-se, toda tolhida. No entanto, não diminuiu seu desejo, que até cresceu ainda mais. Por todos os meios a seu alcance tentava conseguir o que queria, mas nada conseguiu.

"Entonce pegou um Cutelo afiado que tinha em sua Arca e afastou-se de suas Damas e Pucelas, encaminhando-se para uma Horta que pertencia àquele Castelo-davídico que era o Paço de seu Pai: tinha resolvido matar-se junto a uma Fonte que ali havia, para assim se libertar de seu sofrimento.

"No momento em que ia desferir o golpe em sua própria garganta, apareceu-lhe um Homem, tão fermoso e bem-feito que ela ficou maravilhada. E o Homem dixe:

Homem
— "Ay, Donçela, nom vos mateis! Esperai atée que eu fale convosco! Detende o golpe!

Donzela
— "Detenho o golpe, mas ssó para preguntar quêm ssois!

Homem
— "Ssou ũum Home que vos amo mũyto e vos prezo ssobre tôdalas Donçelas que já vi. E ssofro por ssaber que nom pudestes ter aquilo que êm-ssegredo desejais.

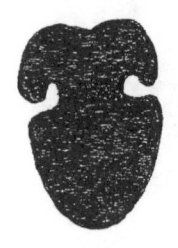

Donzela

— "E como ssabeis o que desejo e que nom posso ter?

Homem

— "Eu bẽm ssei o que desejais. Vós desejais tanto vosso irmão que estais a ponto de vos matar por causa d'ele. Mas eu vim aquy para dizer-vos: sse quiserdes façer o que eu mandar, farei cõm que tenhais vosso irmão a vosso gosto e vontade.

Donzela

— "Bẽm vejo que ssois mais astuto d'o que qualquer pessoa poderia cuidar, pois ssabeis o que nenhũum homem nẽm mulher poderia ssaber, fóra eu e meu irmão, pois nom lo dixe a ninguêm mais. Estou pronta a fazer o que quiserdes.

Homem

— "O que vos peço ée que, ẽm-troca d'o que tanto desejais, entregueis vosso amor e vosso corpo a mỹm!

Donzela

— "Ay, como poderia fazer isso, sse amo tanto meu irmão que morro por ele?

Homem

— "Nom pode sser de outra forma. Ou fareis o que vos digo ou jamais tereis vosso irmaão!

Joanot Martorell Savedra

"Achegando-se entom a ela, beijou-lhe tres veçes a boca. Afroixando-lhe os cordões d'o vestido, beijou-lhe os peytos, enquanto a mão nom permanecia oçiosa, acariçiando-lhe os mamilos e tudo mais que alcançou.

"O rrostro d'a Donçela estaba já vermelho como as rrosas de Mayo. Pareçia que ela tinha estado assoprando fogo, e sseus peytos, duros, nom parabam de tremer.

"Ávido, ele a tomou n'os braços e continuou a beijar-lhe os olhos, a boca e os peytos, metendo-lhe as maãos por lugares êm que antes ninguẽm tocara. Esticou a perna antre ssuas coixas, tocando-lhe assỹm o lugar proibido.

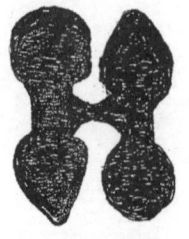

"Ela quis protestar, mas àaquela altura ele acabara por despir-la e levou-a n'os braços, deitando-la n'o chaão, perto d'a Fonte.

"Cõm pouco, estaba nu e trabalhaba cõm a Artilharia para entrar n'o Castelo.

"D'ahy a algũuns momentos, gemia a Donçela, cujas coixas pareçiam brilhar:

DONZELA

— "Ay, meu ssenhor! Estais de tal maneyra presente ẽm mỹm que nom há parte algũuma d'o meu corpo que vos nom ssinta! Nom me mateis de-todo, que, sse tiverdes compaixom de mỹm, eu vos dou pleno poder para me usardes como Mulher, e nom vos terei por Cavaleyro sse declarardes paz antes que o Castelo tenha ssido tomado e ssangre tenha corrido!

ROBERTO SCHABINO BORON

"Assim aquela Moça, que era cheia de pecado e malaventura, concordou em entregar sua pucelage ao Homem. E sentiu um prazer tão grande que passou a odiar e desprezar mortalmente o amor de seu irmão. E tanto com o outro folgava que dele ficou prenhada.

"Um dia, estava ela com seu Amigo, perto daquela mesma Fonte em que desejara matar-se. Estava pensativa, e ele falou:

Homem

— *"Por que estás assim? Pensas, por acaso, em como poderias matar teu irmão?*

Donzela

— *"Por Deus, é isso mesmo! Vejo que, na verdade, és o homem mais astucioso do Mundo! Pelo amor que me tens, peço-te que me ensines como devo agir, porque hoje não há coisa que me causasse tanto prazer como matá-lo!*

Homem

— *"Vou te ensinar um meio. Manda pedir a teu irmão que venha falar contigo em tua câmara. Quando ele estiver no quarto, fecha a porta e pede-lhe que faça aquilo mesmo que já uma vez te negou. Ele recusará. Então, agarra-o. Ele te repelirá com violência. Aí, deves gritar com grandes vozes. Os Cavaleiros acorrerão e tu dirás que ele te forçou e violentou (como fez Amnon à sua irmã Tamar). El-Rei fa-lo-á prender e justiçar, e assim serás vingada de seu desprezo, ao mesmo tempo que justificada de tua prenhez quando chegar o dia de parires.*

Roberto Schabino Boron

"Bem assim como disse o Homem, assim o fez a Donzela, que mandou chamar o irmão. Mas, quando lhe falou de seu desejo, deu-lhe o Donzel tal bofetada que seu rosto e seu peito se cobriram de sangue.

"*Então, ela começou a gritar:*

Donzela
— "*Valei-me! Valei-me todos, desgraçada e infeliz que sou!*

Roberto Schabino Boron
"*Todas as pessoas que estavam no Paço acorreram ali, e El-Rei as acompanhou. Derrubaram a porta, que a Donzela trancara. E quando o Rei viu o estado em que se achava sua filha, grande foi seu pesar. E perguntou:*

Rei
— "*Quem te fez isso? Quem te deixou em tal estado?*

Donzela
— "*Senhor, foi meu irmão, que me forçou, escarneceu e violou! Eu estava aqui, em meu quarto, quando ele entrou e disse que comigo se queria deitar. E, como eu o repelisse, deu-me tal bofetada que caí ao chão, onde, coberta de sangue, fui por ele desonrada!*

Roberto Schabino Boron
"*El-Rei mandou prender o filho e metê-lo numa Torre, por felonia, traição e deslealdade da irmã. E o Donzel se defendia das acusações o melhor que podia. Mas isso de nada lhe valeu, porque*

seu Pai e todos os demais cuidavam que acontecera como sua irmã dizia. E o pesar de El-Rei era tão grande que ele chamou os Cavaleiros e homens de confiança de sua Câmera e mandou que julgassem seu filho.

"Eles decidiram que, por direito e justiça, o Donzel havia de morrer. E El-Rei perguntou à sua filha:

Rei
— "De qual morte queres que teu irmão morra?

Donzela
— "Quero que o deitem a Cães ferozes, para que o devorem. Os Cães devem ser mantidos em jejum por 7 dias, para só então vosso filho ser entregue a eles!

Roberto Schabino Boron
"Quando o Donzel viu que o condenavam à morte, e a ela não podia escapar, disse à irmã, diante de seu Pai e dos Cavaleiros:

Donzel
— "Minha irmã, tu sabes que me fazes morrer injustamente e que não mereço morrer despedaçado pelos dentes de Cães ferozes, como aqueles a que me destinaste. Não me pesa tanto a dor, mas sim a infâmia da morte a que me entregas. Tu me fazes sofrer vergonha que não mereço. Mas eu serei vingado por Aquele que pune

e castiga as grandes infâmias e deslealdades do Mundo. O Homem a quem entregaste tua virgindade é um Demônio. E, ao nascer o filho de que estás prenhada, ficará provado que não o gerei, pois nunca de Homem e Mulher saiu coisa tão espantosa quanto aquela que de teu ventre sairá — a Besta mais desassemelhada que nunca homem viu. E porque a dentes de Cão me fazes despedaçar, aquele Animal terrível que sairá de tuas entranhas terá dentro de si Cães ferozes que sempre ladrarão em relembrança dos Cães a que me entregas.

Roberto Schabino Boron

"Assim falou o Donzel à sua irmã. E então deitaram-no aos Cães, que logo o despedaçaram e devoraram.

"El-Rei cuidou de sua filha até o tempo de lhe nascer o fruto doloroso nela gerado pelo Demônio, o que aconteceu aos 9 dias do mês de Outubro da era da Graça de 1230 anos. E quando ele veio, muitas das Donas que o tinham pegado caíram mortas, porque nascera daquela Beldade o Monstro mais horroroso, a Besta mais dessemelhada, a Fera mais malaventurosa de que jamais se ouvira falar. E aquele Cão, aquela Besta que da Donzela nascera, saiu logo *correndo de Paço afora e soltando os mais pavorosos ladridos que o Mundo já ouvira.*

"*Quando El-Rei soube disso, logo entendeu que era verdade o que seu filho dissera na hora de sua morte. Entendeu também em qual guisa injusta e desatinada a Donzela o impelira a matá-lo.*

"*Então mandou prender a filha, e ela foi condenada a uma morte ainda mais cruel do que aquela à qual levara o irmão.*

"*Foi assim que começou a correr pelo Mundo a Besta Fouva, a Besta Ladradora, por conta de quem houve tantas malaventuras e foram assassinados tantos e tão bons Cavaleiros em cima desta Terra.*"

Dom Pantero

Mostrado assim o nascimento da Besta Fouva — que ainda hoje corre pelo Mundo, sempre acompanhada por seu cortejo de Cães sinistros —, a rigor se impunha a mim agora o terrível dever de narrar a morte do Cavaleiro.

Confesso, porém, que não me sinto ainda em condições de fazer isso; e resolvi introduzir o assunto por meio de meus irmãos Mauro e Afra: apesar de também Filhos dele, eram mais corajosos do que eu e, com suas palavras, podem criar para mim um ambiente menos duro para o que tenho a revelar depois.

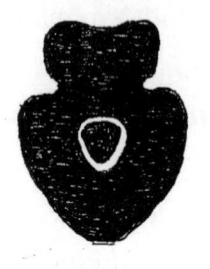

O Grito na Poeira
Entremeio Lúdico em Dó-Sustenido Menor

Albano Cervonegro

Riacho avermelhado, sangue limpo. O limiar da Morte: a Flecha e o Dardo. O medo; a verde treva da Serpente, o sofrimento mudo e o Desbarato. Nestas águas sangrentas, dorme a Cobra, e o Corvo azul persegue o Leopardo.

Mauro Jaúna

"Sim, acho que tudo veio daí, quando meu Pai foi assassinado, em 9 de Outubro de 1930. Lembro-me de que, na ocasião, minha Mãe falou em Deus, e os sábios homens do campo me deram explicações vagas: falaram em encantamentos e nas bênçãos de Nossa Senhora.

"Continuei a viver, aturdido. Li os numerosos Livros que meu Pai deixara; e então me aconteceram alguns outros infortúnios: tornei-me ateu, comecei a sofrer crises de enxaqueca, entreguei-me ao vício do fumo e fiquei sujeito a insônias, toda noite.

"Comecei a namorar a Morte, que descobrira pouco antes. Pensei em suicídio. Meu instrumento seria a Cascavel, serpente comum no Sertão. Aproximei-me de uma: ameaçadoramente ela vibrou seu chocalho. Não estendi a trêmula mão — e até hoje não sei se fiz bem ou mal.

"Por tudo isso, para mim é impossível classificar este Livro. Seu assunto é a Vida e a Morte. Haverá, nele, amor, sexo, violência; episódios trágicos e cômicos; fraudes e plágios descarados; maldade, bondade e, finalmente, um Rei e Cavaleiro que não existe mais."

Afra Cantapedra

"Na verdade, foi a 9 de Outubro de 1930 que recebemos o golpe decisivo, o golpe que há muito se anunciava: meu Pai, aprazado pela Morte, tombara, ferido pelas costas, à traição, antes que pudesse esboçar qualquer gesto de defesa e apoiando na Pedra a mão tinta de sangue.

"Eu estava no Quintal, brincando, descuidada, com umas panelinhas de barro bordadas a ponta de alfinete, quando ouvi um clamor terrível, no meio do qual se destacava um grito, estridente como o de um Pássaro (um Gavião, talvez). Corri para dentro da Casa e vi nossa Tia, Maria Francisca, com um ar de estranha exaltação no rosto, engolindo, como uma Ébria, o Vinho cor-de-sangue que lhe davam a beber, num Cálice. Fiquei assustada:

— "Que foi? — perguntei.

— "Mataram Papai! — respondeu Mauro, nosso irmão mais velho.

"No momento, fiquei meio interdita, não compreendendo muito bem o que tudo aquilo significava: em nossa Casa não se falava na Morte; os conhecidos que haviam morrido 'estavam no Céu', e eu já estava habituada às ausências de meu Pai, que viajava muito. Assim, a princípio, aquela morte tinha menos realidade do que as histórias de trancoso que eu lia.

"Depois, aos poucos, a morte dele foi tomando consistência, foi virando mesmo 'a Morte', minha velha Inimiga, aquela que rondava a Fortaleza, espreitava meus passos e assombrava meus sonhos."

Albano Cervonegro

A sagração do Sol, na dor vencida: somos filhos do Sangue derramado. Quem entrar neste Pasto sem fronteiras, há de encontrar o sangue e o Sagrado. O coração ferido e o sol do Lume: meu Sangue é minha Fonte-do-Cavalo.

Dom Pantero

Mas é melhor passar de novo a palavra àquela que, aqui, encarna todas as grandes Mulheres da nossa Família, para que ela conte como, aos poucos, se foi desdobrando, dentro de sua alma de criança, o doloroso processo de corporificação da morte do Pai:

Afra Cantapedra

"Primeiro, foi a tristeza de tingir de preto todas as nossas roupas. Depois, ninguém queria mais brincar. A Tia a errar dentro da Casa, como um espectro sem rumo. As pessoas das Fazendas próximas com medo de nos dirigir a palavra para não se comprometerem politicamente — enfim, uma subversão completa de tudo.

"Mas o pior — coisa nunca vista! — era a Mãe chorando, deitada numa rede, embalando Gabriel, o filhinho caçula, de apenas um ano de idade.

— "Não chore não, Mamãe! — pedi-lhe.

"Parecia-me que, se ela não chorasse, tudo ainda se poderia arranjar. Mas, a estas palavras, minha Mãe chorou ainda mais, as lágrimas minando de seus belos olhos escuros, como a água das Cacimbas nos Rios secos do Sertão.

"E aí eu formei um plano: Deus acabaria com aquela tristeza. Haveria de restituir-nos o Pai, como restituíra o filho à viúva de Naim, pois eu iria pedir-lhe isso com muita Fé.

"Como, porém, àquela altura, a Vida já me ensinara a ser desconfiada, resolvi antes por à prova a palavra de Deus num milagre menor. Perdera-se a chave da caixinha de prata onde nossa Mãe guardava o dinheiro da Casa. E eu me agoniava: o que iria ser de nós? Perseguidos, cercados de ódio; com a Polícia a revistar constantemente a Casa onde se abrigavam somente duas Mulheres e sete Crianças; com os Tios escondidos no Mato sem poder ajudar em nada e nem sequer dar notícias — e agora, ainda por cima, sem Dinheiro!

"Aí, sentei-me numa mala, fechei os olhos e pedi a Deus que me fizesse encontrar a chave, que já fora procurada em todo canto sem resultado.

"Acabada a oração, olhei casualmente para trás da mala e lá estava a chavezinha, que apanhei, afrontada, saindo às carreiras para entregá-la a nossa Mãe.

E o S

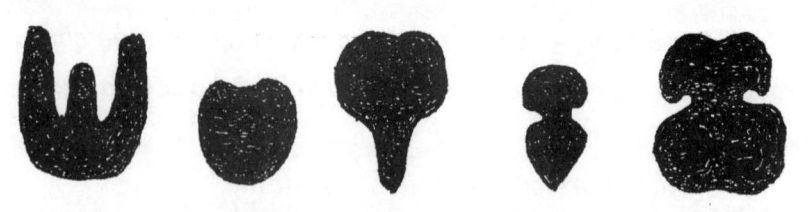

"Naquela mesma noite, cheia de esperança, comecei a pedir àquele Deus (que, como constatara, realmente nos dava as coisas que lhe pedíamos com Fé) que ressuscitasse meu Pai.

"Passados alguns dias, tive um choque: chegara uma Carta remetida por meu Pai; era a Carta que ele escrevera a sua Mulher e que conduzia no bolso para confiá-la a um Amigo quando foi assassinado.

"Cheia de alvoroço, perguntei a uma Empregada:

— "Ele escreveu lá do Céu? Como foi que essa Carta chegou aqui? Quem trouxe?

— "Sai daqui, Menina boba! — disse a Empregada, que passara a implicar comigo, pensando que meu estado de ansiosa expectativa era falta de sentimento pela morte do Pai.

"Perdoei-a: a coitada não sabia do meu maravilhoso segredo, e eu continuava a pedir e rezar sem desfalecimento.

"Passaram-se dias, meses, anos, dois anos. Sofri um desapontamento muito grande quando soube que, ao abrirem o túmulo de meu Pai para retirar seus ossos, tinham-no encontrado intacto: uma espécie de névoa cobria o corpo, mas o rosto estava perfeito, como se ele apenas tivesse estado adormecido durante todo aquele tempo.

"'Era esta a hora de Deus ordenar que ele se levantasse e andasse, e Deus não o fez!' — pensei, ressentida.

"O Amigo que se encarregara do triste trabalho era Médico, e disse que a preservação se devia às condições do terreno em que meu Pai fora sepultado. Instruiu os Coveiros a colocar Cal viva no caixão, fechando de novo o Túmulo, para que se cumprisse a obra de destruição que a Terra brasileira, certamente por ele tanto a ter amado, se recusara a fazer.

"Mas eu, teimosamente, ainda pensei que talvez tivessem sido as minhas preces que o tinham conservado assim, inteiro. Julguei, também, que Deus estivesse querendo provar ainda mais a minha Fé e, ao mesmo tempo, contra a queima de toda Cal do mundo, manifestar seu poder com um Prodígio ainda maior.

"Passaram-se mais três anos, e eu sempre rezando. Já estava até habituada a isso, as palavras me saíam quase mecanicamente dos lábios.

"Mas afinal fui obrigada a render-me; a reconhecer que fora enganada, quando Deus, apesar de sua promessa formal — e ao cabo de tanto tempo de perseverança, de sofrimento e de fé — só nos devolveu, dentro de um Caixote azul fechado a chave, um punhado de ossos.

"E agora, também convocada para este Teatro, no qual, entre outras coisas, se fundem todas as Casas de nossa Família, rememoro tudo isso e, cansada de sofrer, volto ao meu Quarto, para fechar, numa gaveta, o Manuscrito em que guardo tais lembranças. Já escureceu de todo e não consigo ler mais nada.

"Mas não quero que se acenda nenhuma luz: prefiro, mesmo, deixar-me envolver pela melancolia que, com a sombra, desce sobre a Terra.

"Entretanto, sei de cor um dos Poemas que meus irmãos compuseram diante da efígie de nosso Pai; e ele vai recitado aqui, porque, na medida em que isto é possível, suas palavras vencem, no fim, a amargura de minhas recordações:"

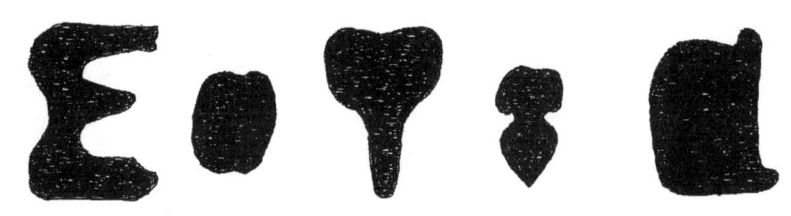

Ε Ο Υ ; α

O nome da Coroada em caracteres gregos

ODE
(Com mote de Sebastião Vilanova)
Variação sobre o Tema d'O Cavaleiro e a Morte

ALBANO CERVONEGRO

Muito cedo, eu ainda bem menino, a cega Fera, a fera Divindade, marcou de sangue e fogo meu Destino: desde então arde em mim, a todo instante, ferrando o Campo duro, em dura Dança, esse Crime sangrento, que foi duro quinhão da minha Herança.

É por isso que aqui neste Sertão pedregoso e espinhento, contra um Céu amarelo, turvo e pardo, cruel e poeirento, ergui — castanhas, pobres, reluzentes — as Torres ancestrais do meu Castelo: elas são, para mim, a Obra, o Marco, a Catedral-da-Raça, a Fortaleza que me serve de Muro e de alicerce, como Pedra-angular para a defesa.

É por isso, também, que, insano e ardente, criei um Reino mítico e sagrado, batido pelo Vento ensandecido — este "Sertão" do Pasto Incendiado. E é por isso que, em Pedestal de pedra, brilha, no Reino, a Efígie coroada, erguida para sempre, além do Tempo, eternizada, equestre e consagrada: é nosso Cavaleiro, em seu Cavalo.

MARIZ

É o Rei do nosso sonho iluminado, mantendo para sempre e sempre erguido, o estandarte do Sonho e do Sagrado. É o Campeão das lutas sem vitória, "o bravo Cavaleiro ensolarado".

Dom Pantero

Mas agora, nobres Senhores e belas Damas, devo fazer para Vocês o relato da primeira Incursão que fiz à Ilumiara Jaúna depois da nossa mudança para o Recife.

O Grande Teatro do Mundo
Entremeio Frígio (de Guerra e Morte, mas também de Esperança)

Dom Pantero

No dia 6 de Outubro de 1930, meu Tio-materno, João Sotero Veiga, foi encontrado morto, juntamente com seu cunhado Augusto, ambos degolados numa cela da Casa de Detenção do Recife, onde se encontravam presos pelo assassinato do Doutor Jayme Pessanha Villoa, Prefeito do município paraibano de Assunção — crime cometido por meu Tio, 3 meses antes de sua morte.

Três dias depois desta morte, meu Pai, o Cavaleiro João Canuto Schabino de Savedra Jaúna, acusado pela Família Villoa de ser o mandante do assassinato do Prefeito, foi, por sua vez, assassinado, às margens do Riacho do Elo, que banhava as pedras da Ilumiara, centro da Data do Jaúna, pertencente a minha Família desde 1791, quando fora ocupada por meu Bisavô, Raymundo.

Depois destes acontecimentos terríveis, nós, Mulher e filhos de meu Pai, passamos 40 anos relativamente sossegados,

Irobuké, o Veado Negro – Detalhe da Ilumiara Jaúna

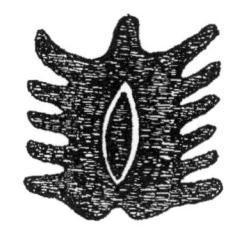

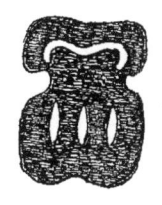

como se a Vida tivesse resolvido poupar-nos por causa deles. Mas isso durou somente até 6 de Outubro de 1970, quando meu irmão Mauro — num gesto de trágica bravura — matou-se a punhaladas desferidas contra seu próprio peito. Naquele dia, mais ou menos pelas 11 horas da manhã, ele apareceu em minha casa, com um olhar triste que eu nunca lhe vira. Disse-me: *"Vim lhe dar este Livro, porque Você é uma grande Figura."* E entregou-me um volume com as Obras Completas de Cervantes. Na primeira folha em branco do Livro estava escrito:

"Para Antero, com o amor e o carinho de seu irmão

Mauro."

Duas horas depois, foi encontrado morto: sem que eu soubesse, a visita fora o modo que encontrara para se despedir de mim.

Mauro foi sepultado a 7 de Outubro. No dia seguinte, 8, viajei para Taperoá, onde me hospedei no Hotel Pedra do Reino, pois resolvera ir, a pé, à Iluminara Jaúna, pedir a meu Pai que me desse forças para enfrentar aquela nova provação — o que, achava, devia ser feito no lugar ungido, sagrado e consagrado por seu sangue.

Na manhã seguinte, fui procurado por meu irmão Gabriel, aquele de nós que ficara no Sertão, designado por minha Mãe para continuar o trabalho do Cavaleiro em sua faina *"de governar seus Pastos e Rebanhos"*: adivinhando que eu viera para ir à Iluminara Jaúna, queria acompanhar-me.

No momento em que, na sala de estar do Hotel, eu lhe explicava que na Incursão queria estar só, ouvimos lá fora, vindo do Pátio, o som de alguns instrumentos musicais, capitaneados por uma Rabeca, uma Viola, um Pífano e um Tambor, cujos toques secos pontuavam o que os outros tocavam.

Com os outros hóspedes, também atraídos pelo som da Música, passamos à calçada da frente do Hotel e vimos, no Pátio, o grupo de 7 Atores do Grande Teatro Invenção Nacional Brasileira, que — como soubemos depois — era integrado por Avó, Caetana, Mãe, Ana, Filha, Maria Adeodata, Pai, Joaquim, e 3 Filhos-homens — Manuel, Miguel e O Capitão Zafriel.

Maria segurava um Estandarte, com um Sol ladeado por duas Estrelas e dois Crescentes. Manuel e Miguel conduziam uma espécie de Padiola, com uma Imagem esculpida em madeira: era um Negro que, montado a cavalo, encostava uma Lança ao pescoço de um Branco, que se estorcia no chão junto a uma Serpente enrolada sobre si mesma; o Homem tentava deter, com as mãos, o lançaço que lhe varava a garganta. Ambos ostentavam coroa de Rei. Uma Moça, amarrada a um tronco, parecia ser a causa da cena.

Caetana, a mulher mais velha, trazia um Vestido preto, comprido, com uma Onça amarela na saia, e tinha os ombros cobertos por um Pano vermelho. Na maior parte do tempo, pousava os braços esticados sobre um Pau, que ela sustentava cruzado contra a nuca, por trás da cabeça. E, como o Pano vermelho pendia deste Pau, os braços davam a impressão de que se tinham transformado num par de Asas vermelhas.

Já o Vestido da mulher mais moça, Ana, era quase cinzento, tão desbotado era seu Azul simbólico e tão pobre seu tecido, marcado por um Crescente amarelo que lhe decorava a saia.

A Moça, Maria Adeodata, mal saíra da adolescência. Apesar da magreza e palidez do rosto devastado pela Fome, era uma das Mocinhas mais bonitas que eu já vira. Alva, de cabelos castanho-claros, usava alpercatas velhas e pobres e um Timão que, mesmo com sua Estrela amarela, era também pobre e tocante em sua falta de graça.

Quanto aos Homens, Joaquim, Manuel e Miguel vestiam calça e camisa comuns, mantendo à cabeça chapéus de couro de abas curtas, escurecidos pelo uso e pelo Tempo. Joaquim empunhava uma Rabeca; Manuel, uma Viola; e Zafriel, um Pífano. Miguel era responsável pelo pequeno Tambor, cujos toques secos tanto nos tinham impressionado, pontuando os uivos e silvos que Zafriel e Caetana de vez em quando desferiam.

Zafriel era o mais estranho do grupo. Parecia um Anão, porque sua estatura diminuía pela corcunda: era um "*Marreco*" (como chama o Povo), com o espinhaço e o peito projetados em arco para fora, o que lhe tornava compridas as pernas, pequeno o tronco e abaulada a caixa-torácica. Usava túnica e calça meio--militares, talabarte de couro e, à cabeça, um arremedo de Elmo. No peito, pintada, uma Serpente parecida com a da Imagem.

Notando que seu público chegara, Joaquim fez um aceno para os outros, e o grupo começou a cantar uma espécie de Cantiga--de-Abertura que eu já conhecia de outros Espetáculos populares. Ali, Joaquim puxava o Canto, e os outros, em coro, respondiam:

JOAQUIM

"Oh gente, que Casa é esta? Oh gente, que Casa é esta?

CORO

"Casa de grande valor! Casa de grande valor, onde está entronizada, onde está entronizada a imagem do Senhor, a imagem do Senhor!

JOAQUIM

"Jesus santíssimo, Pai soberano, botai-me a bênção hoje, aqui, por todo o ano!

CORO

"Jesus santíssimo, Pai soberano, botai-me a bênção hoje, aqui, por todo o ano.

Joaquim

"Oh gente, que Casa é esta? Oh gente, que Casa é esta?

Coro

"Casa de grande Oração! Casa de grande Oração!

Joaquim

"Está chegando o nosso Reino, está chegando o nosso Reino de Justiça e Redenção, de Justiça e Redenção!

Coro

"Jesus santíssimo, Pai soberano, botai-me a bênção hoje, aqui, por todo o ano! Jesus santíssimo, Pai soberano, botai-me a bênção, hoje, aqui, por todo o ano!"

Dom Pantero

Terminado o Canto, Caetana uivou um silvo de Serpente, um grito de Harpia, que Zafriel acentuou e prolongou por um toque agudo do Pífano. Era um recurso-teatral poderoso e sinistro, quedaí por diante iria indicar as passagens de tempo ou as mudanças de ritmo da Narração; além disso, elevava aquele pequeno Espetáculo popular a um significado maior, como se ali estivesse abordado, através da Cena e do canhestro grupo de Artistas, o velho e nunca decifrado enigma do Mundo.

E depois, no estranho silêncio que logo se fez, calando aquele Público superficial e heterogêneo que ao acaso se reunira no Terraço, Joaquim aproximou-se de nós, estendendo-me seu velho chapéu de couro; e disse, com voz grave:

Joaquim

Apresento-me a Vossas Senhorias: sou Joaquim Vieira dos Santos, seu criado! Esta é minha Mãe, Caetana. Minha Mulher, Ana. Minha Filha, Maria Adeodata. Meus Filhos, Manuel, Miguel e Capitão Zafriel.

Agora, peço a Vossas Mercês uma Esmola para o milagroso São Canuto, para a filha dele, Santa Margarida, e para o genro, o negro Santo Elesbão, que matou o sogro.

Dom Pantero

Quando viu que Gabriel colocava algumas cédulas no chapéu estendido, recitou:

Joaquim

"O senhor já me pagou, me pagou com sua mão. Agora, o dinheiro é meu: vou fazer a partição. Dou um quinto a São Canuto, um quinto a Santo Elesbão. Dou um a São Cipriano, outro a São Sebastião. E ainda me sobra um quinto, pr'eu beber no Barracão! Mas vou ficar é com tudo, Santo não tem precisão!"

Dom Pantero

Ao dizer os dois últimos versos, realmente recolheu para o bolso as notas que apanhara do chapéu, o que fez com grande rapidez e usando a mão como se fosse uma ávida garra ou pá afiada. Foi um gesto de Ator consumado que nos encheu de admiração; e os risos e aplausos estalaram, ruidosos e contagiantes, numa entusiástica salva de palmas.

Joaquim, que permanecera impassível, esperou que o barulho amainasse e só então falou de novo:

Joaquim

Agora peço licença para que o Grande Teatro Invenção Nacional Brasileira apresente a Vossas Mercês a Cantiga do Valente Vilela:

O Valente Vilela
Cantiga de Morte e Guerra

Manuel

Deus do céu fez este Mundo: ninguém queira duvidar! Em cima, formou o Sol, embaixo, a Terra e o Mar! Tudo é no poder de Deus: maior do que Deus, não há!

MIGUEL

E hoje morre alguém aqui: morre sem se lamentar. Foi Mulher ou foi um Homem? Logo o Povo saberá! A Vida será sangrada, a Morte é quem vai cantar.

MANUEL

Alguém teve um arrepio, sentindo a Morte passar. Outro gritou, mas o Vento o grito veio apagar. Estrelas o traspassaram, mas há de ressuscitar.

MIGUEL

Hoje morre alguém aqui. Quantos morrem? Quem será? Quantos morrem, não importa; mas quem é importará! Hoje morre alguém aqui, morre sem se lamentar!

DOM PANTERO

Nesse momento soaram de novo o silvo de Caetana e o uivo de Zafriel. E, desta vez, a eles se seguiram 3 toques secos de Tambor.

Somente aí, os dois Cantadores continuaram a Narração:

MANUEL

"Meu Povo, preste atenção ao que agora eu vou cantar, de um Homem muito valente, que morava num lugar, que até o próprio Governo, tinha medo de cercar!

Joaquim

"Vilela era natural do Sertão paraibano, e ele, desde pequeno, que tinha o gênio tirano. Comete o primeiro crime com a idade de 10 anos.

Manuel

"Com 12 anos de idade, numa festa de São João, Vilela mais um seu Mano, tiveram uma altercação. Só por causa de um Cachimbo, Vilela mata o Irmão!

Joaquim

"Com 15 anos de idade, passando 3 ao depois, Vilela monta a cavalo, vai ao Campo atrás duns Bois. Encontrou 4 Rapazes: atirou num, matou dois.

Manuel

"Preparou-se pra caçar, num Domingo, bem cedim'. Carregou a Espingarda, para matar Passarim'. E, na beirada de um Poço, mata o filho do Padrim'.

Joaquim

"Casou com 18 anos. Com 6 meses de casado, 'stando, um dia, trabalhando, na derruba de um Roçado, devido à queda de um Pau, Vilela mata o Cunhado.

MANUEL

"O Agente-de-Polícia tratou de o perseguir, sempre botando Emboscada, mas Vilela sem cair: conhecia aquilo tudo, pois era Filho dali.

JOAQUIM

"O Agente-de-Polícia, vendo que não o prendia, escreveu pra Capital, ver o Chefe o que fazia, e pedindo grande tropa, de linha e Cavalaria.

MANUEL

"Nisto, o Chefe-de-Polícia mandou-lhe 30 Soldados; agraduou um Tenente, com ordens de Delegado: morreu, não escapou um, para trazer-lhe o recado!

JOAQUIM

"Ele tornou a mandar 30 Homens escolhidos. Agraduou um Tenente (este era mais destemido): morreram da mesma forma que os outros tinham morrido.

MANUEL

"Então o Chefe, zangado, mandou outro Contingente, que tinha 40 Praças, e um Cabo muito valente: só escapou o Corneta, pra se acabar de doente.

JOAQUIM

"Este, chegando no Corpo, espalhou, na Companhia, que era asneira mandar Tropa, que o Homem ninguém prendia: que a Força levava tiro, sem saber de onde saía.

MANUEL

"Fala o Alferes Negreiros ao Fiscal-do-Batalhão:

JOAQUIM

"Basta o Comandante dar-me um mandado de prisão, e eu mostro se esse Vilela visita a Cadeia ou não!

MANUEL

"Disse o Comandante a ele:

JOAQUIM

"Meu Filho, a coisa é medonha! Você, como se oferece, acho bom que se disponha: Você vai, não traz o Homem, chega aqui me faz vergonha!

MANUEL

"O Alferes respondeu:

Joaquim

"Eu sei por que me ofereço. Deixe eu escolher a escolta de Soldados que conheço: se eu não trouxer preso ou morto, nunca mais eu apareço!"

Dom Pantero

Neste momento, outro silvo-e-uivo de Zafriel e Caetana interrompeu a Narração. Pararam de cantar e Joaquim falou:

Joaquim

Chegou a hora d'o respeitável Público ajudar o Espetáculo. O distinto Cavaleiro aqui não precisa pagar, porque já deu sua parte. Mas os outros devem contribuir, se é que desejam saber como foi o encontro do corajoso Alferes Negreiros com o valente Vilela!

Dom Pantero

Tirou novamente o chapéu de couro e começou a circular entre as pessoas do Público para receber o pagamento de cada um. Enquanto durava a cobrança, Gabriel comentou para mim:

Gabriel Jaúna

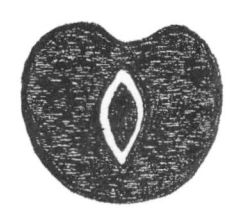

De minha parte, paguei com alegria, porque estou encantado com o Espetáculo! Quando Manuel e Miguel cantaram a Introdução, não pude me impedir de compará-la com O Grande Teatro do Mundo, de Calderón de la Barca — é verdade que este com as dimensões do Gênio. Aqui, o Mundo é representado pelo vasto Sertão seco que nos cerca; e os Seres-humanos que o habitam, pelos Atores e por este punhado de Pessoas que estão assistindo à Representação. E a Divindade também está lembrada pelo Estandarte do Sol e pelos versos que por duas vezes repetem *"Deus do céu fez este Mundo"* e *"maior do que Deus ninguém"*!

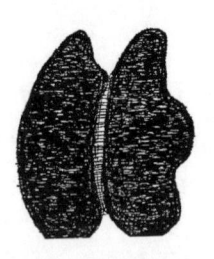

Dom Pantero

É verdade. Mas estou encantado também com a Cantiga do Valente Vilela. Em primeiro lugar, por sua oralidade-teatral: estamos diante de um pequeno Poema-épico que obviamente se destina a ser, não lido, mas sim recitado diante de um Público: — *"Meu Povo preste atenção ao que agora eu vou cantar"*. Mas outra coisa que me impressionou é que, com este Espetáculo, estamos voltando à fusão entre Poesia, Música, Dança e Teatro. Sim, porque esta Cantiga já era, em si, profundamente teatral, o que, agora no fim, foi acentuado quando, além dos Narradores, surgiram dois Personagens, o Comandante e o Alferes.

Esta é uma característica da Arte de comunidades "primitivas". Nelas, a Poesia e a Música brotavam dos impulsos subterrâneos do Homem, do ritmo e da pulsação do seu sangue e do seu coração. Nasciam unidas, por meio do Canto, de passos de Dança, de cantigas e cantares. Um Poeta-Músico, dotado também de habilidades de Ator, postava-se num Tablado, diante de Espectadores que se reuniam na Praça pública, em pátios de Mercado ou de Igreja. Aí, para suas Narrativas-cantadas, empunhava a Viola ou a Rabeca, cujos toques acentuavam o canto dos Versos; e era assim que comunicava ao Público a encantação de sua Arte. Tinha-se, então, no Poeta, a Figura que depois daria origem ao Cantador e ao Contador-de-histórias; ou então ao Troveiro épico e ao Trovador lírico.

Mas se o Cantador, ou Contador, pedia a ajuda de companheiros que figurassem os Personagens por acaso surgidos na Cantiga; se ele convocava Músicos e Dançarinos que ampliassem e aprofundassem a encantação experimentada pelo Público diante daquelas Ficções — ingênuas e terríveis como todas as da Arte —, surgiam aqueles Espetáculos que alguns chamam de "*primitivos*" mas que são, na verdade, diretos, rudes e vigorosos, como este que estamos vendo. Eram Espetáculos configurados por uma Cantiga, às vezes trágica ou dramática, às vezes cômica; de Dança ou Mímica, às vezes obscena; de impulsos guerreiros ou religiosos; de pura diversão e disparate. Eram Espetáculos a um tempo grotescos e comoventes, com as Máscaras e as Danças permeando a representação, ou *"representação recriada"*, dos crimes, sofrimentos, amores, injustiças, fomes, atos e comportamentos cômicos, líricos ou dolorosos, que compõem a saga da Vida.

Mas não sei se Você notou: na encenação da Cantiga do Valente Vilela, aparecem *"o Brasil oficial"*, representado pelo Alferes Negreiros, e *"o Brasil real"*, encarnado por Vilela. E as diversas Tropas policiais enviadas contra este último lembram as Expedições organizadas contra o Arraial de Canudos, onde as Tropas enviadas pelo Brasil oficial terminaram cortando a cabeça do Brasil real, ali encarnado por seu Profeta, Santo Antônio Conselheiro.

E a metáfora precisa ser ampliada, também, ao plano universal. Quando, no passado, Roma destruiu Cartago, era um Império rico, *"branco"*, oficial e poderoso que se lançava contra uma Colônia mestiça, *"heterodoxa"* e mais pobre do que ela. Quando, hoje, os Estados Unidos, *"Roma moderna"*, se lançam contra o Irã, a Líbia ou o Iraque, estão repetindo a situação de Roma contra Cartago, ou a do Brasil oficial *"branco, rico e poderoso"* contra o Arraial mestiço e pobre de Canudos.

Quando, nos Estados Unidos, a sociedade branca e rica marginaliza Negros e Hispânicos-pobres, é o País *oficial* que está esmagando e perseguindo os Canudenses de lá. Quando, na União Soviética, Russos brancos e poderosos massacram Mongóis mestiços e pobres, é o País *oficial* que está esmagando populações *"inferiores"* do País *real*.

Quando, na Casa de qualquer um de nós, Brasileiros "brancos" e privilegiados, um casal rico oprime e explora uma empregada doméstica negra e pobre, é o Brasil *oficial* que está ali, submetendo e humilhando o Povo pobre do Brasil *real*. Quando, na Cidade, a Polícia invade e derruba uma Favela, é outro dos inumeráveis "*Arraiais de Canudos*" integrantes do Brasil *real* que está sendo assolado e destruído pelo Brasil *oficial*. E quando, no interior, uma Milícia de poderosos — governamental ou não — assassina um Pobre "*invasor*" ou "*posseiro*", é o Brasil dos que arrasaram o Arraial de Canudos que está ali, novamente assassinando o Povo pobre do Brasil *real*.

Mas a cobrança terminara e Joaquim se dirigiu ao Público:

Joaquim

Quero esclarecer a todos que, aqui, minha Mãe representa A Morte Caetana. Eu, São Joaquim. Minha Mulher, Sant'Ana. Minha Filha, Adeodata, A Virgem Maria. Meu Filho, Manuel, Jesus Cristo. Miguel, São Miguel. Meu outro Filho, Capitão Zafriel, O Encourado.

O distinto Público deve estar lembrado: Vilela venceu 3 volantes da Polícia, duas de 30 Soldados e outra de 40. Quando o centésimo Soldado, o Corneta, único vivo, chega ao Quartel e dá conta do que viu, o Alferes Negreiros procura o Comandante e diz que, se lhe derem os Soldados que pedir, ele traz Vilela preso ou morto. Diz que, se não cumprir a promessa, nunca mais aparece no Quartel. E a história continua assim:

Manuel

"Tendo o mandado-de-ordem, os Soldados se arrumaram. Na manhã do outro dia, se despediro' e marcharam. Foram com muito cuidado, com 15 dias chegaram.

Joaquim

"Sai o Alferes vagando pelos campos do Sertão. Adiante, encontra um Rapaz e lhe dá voz de prisão: — Você me mostra o Vilela, quer Você queira, quer não!

Manuel

"O Rapaz disse, chorando: — O que é que eu hei de fazer? Vou lhe mostrar o Vilela, mas na certeza de que Tropa que cerca o Vilela, o resultado é morrer!

JOAQUIM

— "Siga, siga, Rapaizim! Quando avistar a Fazenda, chegue pra perto de mim, fale baixo que eu entenda, que é pr'eu botá-lo num canto, onde Bala não lhe ofenda.

MANUEL

"Pelas 10 horas da noite, diz de repente o Rapaz: — A casa do Home' é aquela, pegada àqueles Currais, junto daquele Cercado, e acostada por detrás!

JOAQUIM

"Aí, o Rapaz foi solto e a toda pressa voltou, correndo de Serra abaixo, sem medo de tombador: parece que criou pena, bateu as asa' e voou.

MANUEL

"Saiu de ponta de pé, tudo quanto era Soldado. E Vilela, experiente, na sua rede deitado, acorda e diz à Mulher: — Minha Velha, eu 'stou cercado!

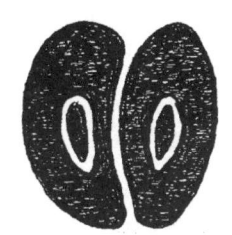

JOAQUIM

"Fala o Alferes na porta: — Vilela, tem paciência! Vilela, me entregue as Armas, que eu não quero violência! Trate de arrumar a Casa pr'eu fazer a Diligência!

MANUEL VILELA

"Do tamãe' que é a Cozinha, também pode ser a Sala! Da grossura do Revólver, também deve ser a Bala! Olho e não vejo ninguém: quem diabo é quem me fala?

JOAQUIM ALFERES NEGREIROS

"Sou o Alferes Negreiros, e vim atrás do teu nome! És a Onça desta terra, Vilela, mas não me come! Devido à coragem, não: Vilela, eu também sou Home'!

Manuel Vilela

"Seu Alferes-Delegado, vá procurar seu camim'! Vá criar sua Família, deixe eu criar meus Filhim'! Porque, se eu sair lá fora, sei que te encontro sozim'!

Joaquim Alferes Negreiros

"Mesmo eu ficando sozinho, não te deixo escapulir! Eu hoje tiro-te a moda de matar pra estruir! Diga se me abre a porta, ou se quer que eu vá abrir!

Manuel Vilela

"Eu tenho o corpo fechado, e saiba que não lhe engano: se botar-me a porta abaixo, de dentro espirra Tutano! Se eu bater mão do meu Rifle, chove Bala 20 anos!

Joaquim Alferes Negreiros

"Vilela, eu tenho comido Toicinho com mais cabelo! Mas o Diabo é quem queria estar hoje no teu pelo! Salte pr'o Campo-da--honra! Deixe ao meno' eu conhecê-lo!

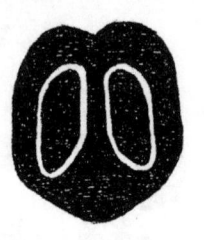

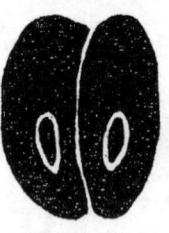

Manuel Vilela

"Seu Alferes-Delegado, eu não engano ninguém; muito lhe agradecerei não me enganando também. Queira dizer, Seu Alferes, quantos Praças é que vêm!

Joaquim Alferes Negreiros

"Vilela, eu não te engano: trago 180 Praças. Negro nascido em barulho, criado em mei' de desgraça. Pra te mandar pr'o outro Mundo, nenhum deles se embaraça!

Manuel Vilela

"Com 180 Praças, brigo em pé, brigo de coc'a! As Balas batendo em mim, é Milho abrindo em Pipoca! Dou o meu pescoço à forca, se me achar uma barróca!

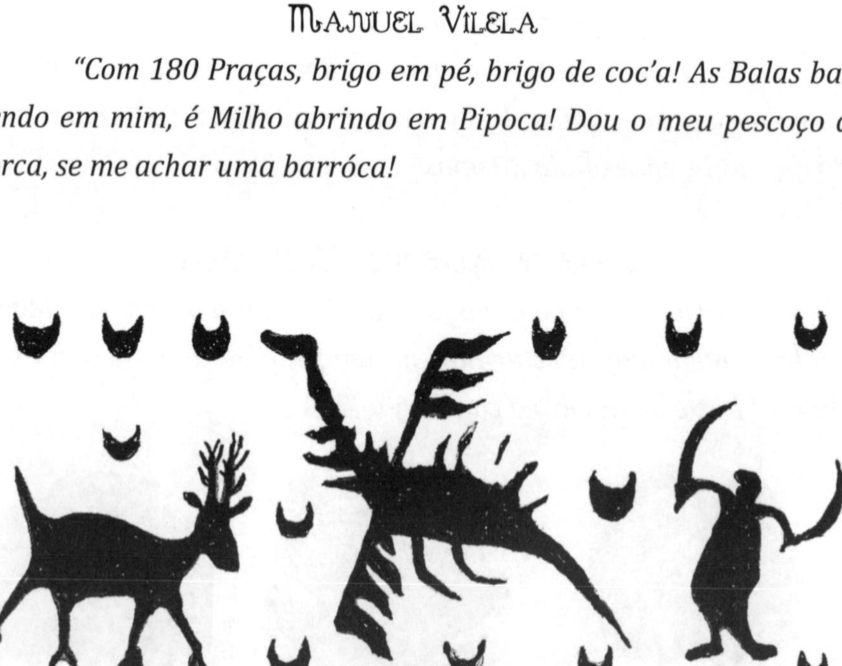

Joaquim Alferes Negreiros

"Vilela, tome cuidado! Vigie que lhe falo sério! Desta feita, Você segue — isto é quero porque quero — ou na corda, pra Cadeia, ou na rede, pro Cemitério!

Manuel Vilela

"Seu Delegado, eu carrego, comigo, uma opinião: Boi solto, se lambe todo, eu não me entrego à Prisão! Quero mesmo é que se diga: — Morto sim, mas preso não!

Joaquim Alferes Negreiros

"Vilela, não seja besta: Você não me faz terror! Eu trago é Tropa-de-linha, do Monarca-Imperador! Vim te buscar preso ou morto: sem Você, eu lá não vou!

Manuel Vilela

"Seu Alferes-Delegado, esta razão me agradou! Você diz que é muito Homem: se é por Home' eu também sou! Previna o Destacamento: se preparem que eu lá vou!"

Dom Pantero

Aqui soaram novamente o silvo de Caetana e o uivo de Zafriel, o que os outros Atores tiveram o cuidado de acentuar com o Tambor, o Pífano, a Viola e a Rabeca.

E a Narração continuou:

Joaquim

"Quando o Alferes ouviu bulir lá dentro nuns trens, preveniu à Soldadesca: 'Se preparem que lá vem!' Rodou a Casa sozinho, não encontrou mais ninguém!

Manuel Vilela

"Seu Alferes-Delegado, os seus Praças já corrêro'! E o melhor que Você faz é ganhar o Marmeleiro! Pois aqui só tem um Galo, que sou eu, neste Terreiro!

Joaquim

"Aí, o Alferes olhando, notou que a porta rangiu. Mas o escuro era tanto, que ele olhou, porém não viu! Quando Vilela pulou, bala de Rifle cobriu!

"O Alferes pegou do Rifle, ficou o Mundo tinindo! Era o dedo amolegando e o fumaceiro cobrindo, Bala batendo em Vilela, voltando pra trás, zunindo!

Manuel Vilela

"Seu Alferes-Delegado, bote fora o Clavinote! Você pensa que me ofende? Rifle pra mim é Bodoque! Hoje, nem Jesus te livra da ponta do meu Estoque!

Joaquim

"Largaro' as armas-de-fogo, cada qual o mais ligeiro: pegaram-se aqueles Homens em luta pelo Terreiro! Os Punhais davam faíscas que só Forja-de-ferreiro!

"Com duas horas de luta, o Alferes não pressentiu: entropicou de repente, e num Buraco caiu. Vilela saltou em cima e, de malvado, se riu:

MANUEL VILELA

"Logo no primeiro passo perdeste o pé da chinela! O que é de Você agora com a minha mão na goela, com meu joelho nos peitos e meu Punhal nas costelas?

JOAQUIM ALFERES NEGREIROS

"Vilela, não é vantagem matar um Home' à traição! Você me pegou agora devido a um entropicão: vai me matar como Homem, porém por covarde, não!

MANUEL VILELA

"Seu Alferes-Delegado, eu cansei de lhe dizer! Eu 'stava aqui, descansado, vieram me aborrecer! Agora, nem Deus lhe acode: prepare-se pra morrer!

Joaquim

"Disse o Alferes consigo: — Oh meu Deus, tão poderoso! Tende compaixão de mim, que sou Pai e sou Esposo! Livrai-me, oh Deus, de engolir este bocado amargoso!

"Que quando Vilela estava, co'o outro bem entretido, pensando daí a pouco tivesse o Alferes morrido, saiu-lhe uma voz, de parte: — Não mate o Homem, Marido!

Manuel Vilela

"Eu, quando ouvi as pisadas, conheci que era Você! Com certeza lá em casa, não tem mais o que fazer! Olhe: em briga de dois Homens, Mulher não tem o que ver!

Ana Vilela

"Marido, não mate o Homem, que é casado e tem Famí'a! Você, matando o Alferes, os Inocentes, quem cria? Veja que somos casados: pode precisar-se, um dia!

Manuel Vilela

"Não sei o que tem Mulher, que todas são cavilosas! Pra discutir com os Maridos, são danadas de teimosas! Quando é pra fazer pedido, tu ficas toda dengosa!

Ana Vilela

"Marido, eu nem nunca vi um gênio como esse teu! Como é que queres matar um Homem que já perdeu? Eu lhe peço pela Virgem, pela santa Mãe de Deus!

Manuel Vilela

"Pois então diga ao Alferes que corra pelas Estradas! Senão, ele sai daqui vendendo Azeite às canadas! Diga que Nossa Senhora foi a sua Advogada!

Joaquim

"Sai o Alferes dali, tristonho e muito humilhado, porque, por seu Inimigo, tinha sido perdoado. E, da vergonha que teve, morreu no Mato, enforcado!

"Acaba o Vilela a briga, também muito arrependido; saiu de casa por trás, de todo mundo escondido, e nem mesmo a Mulher dele soube mais de seu Marido.

Manuel Vilela

"Mulher, fiz tua vontade: não matei aquele Homem. Mas me vou de Mato-adentro, me acabar de sede e fome, comendo das Frutas brabas, daquelas que os Bichos comem!

Joaquim

"Saiu Vilela de casa, no Mato escolheu um canto, e ninguém nunca pensou que ele vivesse tanto: e ao cabo de 30 anos, morreu Vilela e foi Santo.

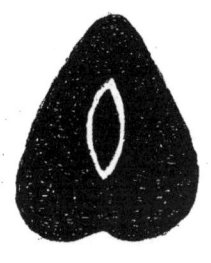

Manuel

"Alvíssaras, meus Senhores! A nossa história acabou-se! O Alferes foi valente, como valente, enforcou-se! Mais valente foi Vilela: morreu, foi Santo e salvou-se!"

Dom Pantero

Assim que Manuel cantou a última Estrofe, Adeodata se aproximou de mim e, colocando uma Fita azul e vermelha em meu ombro, estendeu-me um Folheto que continha o *Romance* que acabáramos de ver, teatralizado.

Como sempre me acontece nestas horas, fiquei um momento indeciso, sem saber quanto pagar. Felizmente notei que na contracapa estava determinado um preço: era um ponto de partida, e entreguei à Menina uma quantia que era o triplo da indicada.

Sem fazer qualquer comentário, ela recitou com ar tímido e tom *"decorado"*:

Adeodata

"Só recebo este Dinheiro por ser da mão de quem vem! É lembrança de quem pode, carinho de Homem de bem. O senhor faça por ter, guardados, 7 Vinténs, que é pra comer do que é bom e chegar pra mim também!"

Dom Pantero

Aí, passou para outros, sem, entretanto, recitar para mais ninguém. Seu Pai e seus irmãos foi que entraram novamente em cena, cantando as Loas finais, de agradecimento:

Joaquim

"A Rabeca está contente, e o Coração obrigado! No Reino de Deus se veja meu Patrão abençoado!

"Me leve pr'onde quiser, pra fazer qualquer Mandado; pra mode brocar de Foice, pra derrubar de Machado. Pra dar água a seu Castanho, pra dar milho a seu Melado: tiro a sela e os arreios, guardo tudo bem guardado!

Manuel

"Me mande pro Piauí, me venda a troco de Gado! Só lhe peço, meu Patrão, que não me venda fiado, pois fiado lhe dá pena, a pena lhe dá cuidado, e seu cuidado nos mata, porque somos seus Criados.

Joaquim

"Agradecido, Seu Moço, muito obrigado, Patrão! Dinheiro pra nós é Vinho, e é o sagrado Pão! É os joelhos dobrados, pra se fazer Oração. Mas é também importante, por ser Carne e ser Feijão, por alimentar o Peito, morada do Coração.

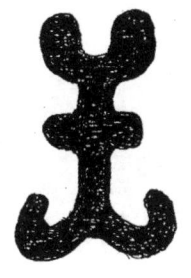

MANUEL

"Patrão, lhe rogo uma Praga, e ela vai ter que pegar: Chuva de prata e de ouro, sua Casa alagará; Cobra de prata lhe morda, que é pr'o que é seu aumentar, pr'o senhor ter com fartura, eu pedir e o senhor dar! Só não posso é lhe dizer quando torno a vir por cá. Mas, quando as Pedras se encontram, quanto mais nós, num lugar! As Pedras se encontra' aqui, as pessoas acolá: nunca houve quem soubesse as voltas que o Mundo dá!"

DOM PANTERO

Todos os instrumentos tocaram, em uníssono, um Acorde triunfal, e os aplausos prorromperam de novo, calorosos.

Mas, vendo que o Espetáculo terminara, eu me aproximei de Joaquim, pois queria saber de onde ele vinha e em que condições preparara a Peça que tínhamos visto.

Comecei por indagar se ele era de Taperoá. Tirando o chapéu de couro da cabeça, ele falou:

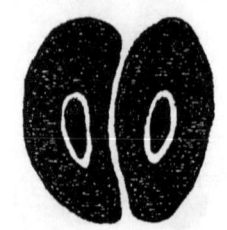

Joaquim
Não, nós somos d'As Maravilhas, perto da Serra da Batalha, já nas terras de Assunção, desde os tempos do finado meu Avô, que Deus tenha.

Dom Pantero
Como foi que Vocês vieram pra cá?

Joaquim
A pé.

Gabriel Jaúna
A pé? Esta distância toda?

Joaquim
Ah, meu Patrão, a gente vê bem que o senhor nunca passou dificuldade na vida! A situação está tão braba, a Seca está tão

danada que a gente resolveu se mudar pra Campina, pra ver se, por lá, arranja um cabo de Foice ou de Enxada pra se pegar.

Dom Pantero
E como foi que Vocês começaram a fazer Teatro?

Joaquim
Meu Pai já brincava isso desde o tempo do finado meu Avô, que foi quem ensinou a ele. Meu Pai me ensinou o Teatro e a Música, e agora eu já estou passando pr'os Filhos. O senhor não viu como é? No Teatro, eles me ajudam a pedir dinheiro pra São Canuto, Santa Margarida e Santo Elesbão. Peço, me dão, e os Santos passam pra nós, que estamos necessitados.

Mas existe outra coisa, em nossa Viagem pela Estrada: minha Mãe acha que está chegando cada vez mais perto de Caetana.

Dom Pantero
Caetana? Caetana não é o nome dela?

THEOS

Joaquim

Caetana é a Morte, Patrão! O nome de minha Mãe é Amara. Mas como, no Teatro, ela brinca como A Morte, hoje é mais conhecida como Caetana, muito mais do que como Amara.

Pois bem; de um certo tempo pra cá, minha Mãe vem com uma opinião, um "*propósito*": não quer ser enterrada no chão liso de jeito nenhum! Diz ela que vai mais descansada se for num caixão de madeira. Não precisa ser coisa de luxo não, ela se conforma com qualquer um.

Mas acontece que, mesmo de madeira de segunda, lá na Vila da Batalha um caixão, hoje em dia, está pela hora da morte! Aí apareceu, lá, a notícia de que, em Campina, uma casa funerária está fazendo um benefício muito grande aos Pobres. É uma coisa moderna, um tal de "*consórcio*": a gente vai pagando aos poucos a prestação, e todo mês se sorteia alguém para ganhar o caixão. Quem ganha leva o seu pra casa e guarda. Quando a pessoa morre, a família não tem mais despesa grande nenhuma, e a casa funerária ainda manda uma coroa de flores, como num enterro de rico!

Dom Pantero

Eu estava arrasado por essas espantosas revelações. Meu coração, confrangido pela morte de Mauro, juntava agora ao sofrimento individual o remorso que já vinha sentindo desde a véspera, quando avistara, sob a Ponte, a primeira família de Retirantes.

Aí, deixando Manuel um pouco de lado, resolvi me dirigir a sua Mãe, Amara (ou Caetana). Pouco antes eu admirara sua coragem estoica: ela sorrira para mim, timidamente, quando seu Filho se referira à eventualidade de sua morte e à esperançosa possibilidade de realizar seu sonho tão humilde de não ser enterrada no chão duro; aproximando-me dela, apontei-lhe a imagem de madeira que seus netos conduziam, indagando se aqueles Santos *"eram, mesmo, São Canuto, Santo Elesbão e Santa Margarida"*.

Amara

"São eles, sim! São Canuto era um Rei branco, e Santa Margarida, filha dele, casou-se com Santo Elesbão, um Prinspe

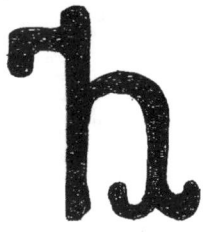

negro. Lá em São José da Batalha, as Moças se casam com 2, 3 meses de gravidez, e aí, no dia do casamento, vão e colocam umas grinaldas de flores na cabeça de Santa Margarida. Acho que fazem isso porque, quando Santa Margarida casou-se com Santo Elesbão, estava grávida, não sei se dele ou do Pai dela.

"O Povo diz também que São Canuto perseguia muito os Pobres, mas Santo Elesbão protegia. Dizem que, no tempo deles, Jesus Cristo, um dia, encontrou o Diabo, numa Estrada. O Diabo disse a Jesus Cristo: 'Eu vou encher o Mundo de Ouro, Dinheiro e Poder!' Jesus Cristo respondeu: 'Pois eu vou mandar a Seca e a Carestia, e elas vão acabar com o Ouro, o Poder e o Dinheiro'. E não é o que está acontecendo mesmo, meu senhor?"

Dom Pantero

Eu estava impressionado com aquelas palavras. Na pequena Fábula que fora contada por Amara, admirava-me ver aquela Mulher tão pobre afirmar implicitamente o caráter diabólico do Dinheiro e do Poder. Pelo modo como falara, via-se que ela os considerava como criações do Demônio. Tanto era assim que, em seu Conto, o Cristo procurava enfrentá-los pela Seca e pela Carestia, que, se não os destruíssem, pelo menos diminuiriam sua eficácia diabólica.

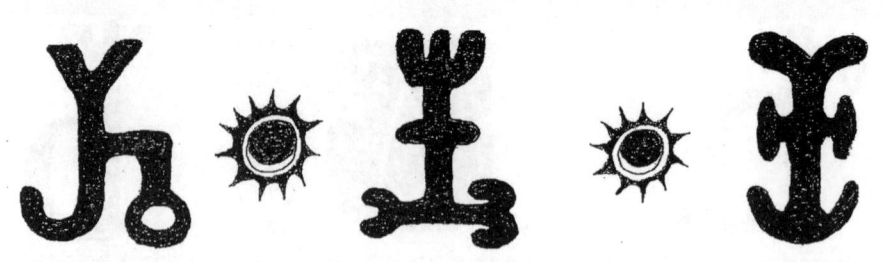

De outra parte, não deixava de ficar preocupado: a Fábula expressava um estado de espírito que contribuía para manter um perigoso conformismo para os Povos famintos e miseráveis do Mundo. Aquela ideia segundo a qual nos Países ricos e nas classes ricas triunfa o Demônio, e, nas pobres, Deus, oferecia uma justificação capitalista para a sorte injusta e terrível "*dos Miseráveis*", dos fracos e Pobres, sorte justificada pela "*sobrevivência dos mais aptos*", que dominaria a "*evolução da espécie humana*". Contrariamente à impostura da "*Social-democracia*" ou do "*Neoliberalismo Capitalista*", nosso sonho era procurar um Socialismo justo e libertário que, ainda aqui, nos aproximasse do Reino de Deus que o Cristo anunciara: e isso sem cometer qualquer crime, brutalidade ou violação contra a Liberdade e a Justiça.

Comentei o fato com Gabriel que, nisso, era menos "*utópico*" do que eu (como de vez em quando me dizia). E, voltando-se para Caetana, ele indagou:

Gabriel Jaúna
Pelo que entendi, Dona Amara, Santo Elesbão está aí matando o Sogro. Aconteceu isso, mesmo? Ele matou São Canuto?

AMARA

Matou. Já disse aqui a este Moço: São Canuto perseguia muito os Pobres. Um dia, Santo Elesbão fez uma Viagem a cavalo pra fora de casa. Quando ele voltou, os Pobres, cansados de tanto sofrimento, de tanta tirania, estavam cercando o Palácio, pra matar o Rei. Aí, a cavalo mesmo como ainda estava, Santo Elesbão tomou a frente do Povo, e entraram todos no Palácio. Lá, o Santo descobriu que, enquanto estava fora, o Rei tinha deflorado a Filha, a Princesa Margarida, e estava vivendo amigado com ela.

Santo Elesbão foi, chamou o Povo e, junto com ele, matou o Rei. Casou-se com a Princesa e agora estão os três aí na Imagem, porque diz o Povo que todos 3 são Santos. Santa Margarida e Santo Elesbão, vá lá! Mas São Canuto? Eu não acredito que um Velho safado como esse tenha virado Santo de jeito nenhum!

GABRIEL JAÚNA

É, Antero, parece que Você ainda vai ter que esperar muito para ver "*O reino de Deus*" aqui na Terra, com as pessoas humanas transformadas, abrindo mão do Dinheiro, do Pecado, do crime, da injustiça, do Poder, da luxúria e da brutalidade; tudo vai continuar com ricos e poderosos de um lado, e com Revolucionários obsedados e cruéis do outro, como aconteceu na França de 1789 e na Rússia de 1917. Ou então com a "Democracia" capitalista dos Empresários, essa Plutocracia ignóbil do lucro e da corrupção.

Mas vamos despedir-nos do pessoal do Teatro porque o Sol está subindo e Você tem muito o que caminhar até a Ilumiara Jaúna. Está mesmo decidido a ir a pé e sozinho? Tendo em vista o que aconteceu com Mauro, estou com medo disso!

Dom Pantero

Pode ficar tranquilo! Não me matei ao vê-lo com o peito apunhalado, agora não há mais perigo! Amanhã, antes de voltar para o Recife, vou à Carnaúba dar-lhe um abraço.

Despedimo-nos do pessoal do Teatro, Gabriel partiu em seu Carro, e eu segui a pé pela Estrada-Real em direção ao Panati, cujo Cercado teria que percorrer em meu áspero Caminho para a Ilumiara Jaúna.

Albano Cervonegro

Um Cavalo, em seu Carro, me arrebata; 3 Mulheres apontam-me o Caminho. Uma, ousada, tirara da cabeça, o Véu marcado por um Sol-de-Espinhos! São elas Emissárias destinadas, ou são Visões, e o Carro está sozinho?

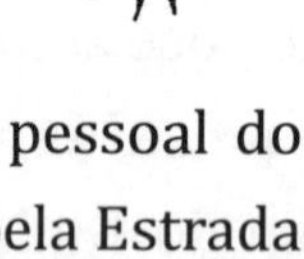

Dom Pantero

Eram 7 as Etapas em que se desdobrava a Estrada: do Panati ao Riacho-do-Fogo; deste, à Lagoa da Onça, naquele tempo certamente seca; dela, ao Pau-Branco; daí ao Abismo; desse lugar de nome estranho ao Rajado; do Rajado ao Serrote do Saco; e deste até o Anfiteatro d'A Ilumiara, que eu buscava.

Então era na Porteira do Panati que a Incursão realmente iria começar; e eu sentia que, depois do primeiro passo, não poderia mais voltar, fosse o que fosse aquilo que teria de enfrentar no topo da Serra onde se encontrava aquele terrível conjunto de Lajedos.

Enquanto seguia pela Estrada-Real em direção ao Panati, ainda ia encontrando uma ou outra pessoa que caminhava em sentido contrário ao meu — Mulheres vestidas de farrapos de Chita ou Homens envolvidos em pano grosseiro e gastos pedaços de Couro. Pareciam todos meio irreais dentro de manchas de Sol — esboços envelhecidos e mal-terminados do Ser-humano, como se fossem desbotadas Aquarelas anotadas de passagem para um Quadro que nunca seria feito. Pareciam formar um pequeno Rebanho mal-arrumado, cujas Reses — poucas, dispersas e desgarradas — errassem por ali, tangidas em direção ao Caos pela ventania seca da Morte.

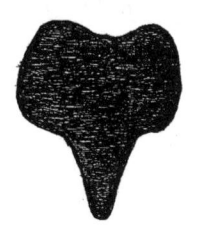

No Sertão, sempre me assustava a luz ofuscadora e amarela do Sol terrível. E foi nesse estado de espírito que, descendo a elevação da Estrada, cheguei à Porteira. Cruzei-a e logo cheguei a um lugar do qual me recordava, um duro e pedregoso chão de barro a que um dia Gabriel me levara, dizendo-me:

Gabriel Jaúna

"Trouxe Você aqui para que veja, mesmo, como é a terra que é a nossa; porque o Sertão do Cariri é, mesmo, uma terra braba. Num ano de Seca, com o Sol queimando tudo, a gente pode notar que aqui o esqueleto do Mundo, feito de ossos e vértebras de pedra, não é, como em outros lugares mais amenos, recoberto por uma camada de terra fértil. Seu chão pedregoso e os ossos desnudados exibem ao Sol as vértebras sinistras do Espinhaço e os arcos sinistros das Costelas. Acredite: aqui, a cara óssea, a caveira esfuracada do Mundo, é tão estarrecedora que, ao meio-dia, com o Sol a pino tremendo na vista, ninguém se espanta quando se topa com a própria imagem do Cão, tal a semelhança que existe entre a cara maltratada da Terra e a cara mal tratosa do Diabo.

"Mas parece que é, também, Terra-profética; Terra que, se acarreta e invoca a presença do Demônio, é, por outro lado, um duro pedaço de chão escolhido por Deus para seus experimentos enigmáticos, cujo sentido e cujos objetivos até hoje ninguém foi capaz de decifrar.

"É por isso que, lá, bem escondido dentro de mim, tenho um enorme orgulho de viver aqui, sem arredar um passo, enfrentando este pedaço do chão do Mundo: apesar de todas as dificuldades, eu não o trocaria por nenhum outro, menos hostil mas também menos honroso; porque aqui é que se encontra o núcleo de sangue e ossos de pedra do Brasil real."

Dom Pantero

Então, persignando-me, murmurei um Pai-Nosso e uma Ave-Maria e olhei em frente: adiante, estendiam-se 3 léguas de terra árida. O Sol já queimava os Tabuleiros e tive aguda consciência de que, desde a morte de Mauro, eu estava vivendo como quem imita a si mesmo, porque alguma coisa de vital se rompera em mim.

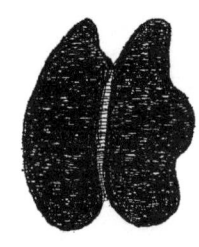

De repente, como se originado dos remotos confins do Matagal, eu (talvez inconscientemente ainda impressionado pelos uivos de Caetana e Zafriel) ouvi um Silvo aterrador: era como se uma Cascavel e aquela Estrada fossem uma coisa só; por ali, havia 40 anos, meu Pai, o Cavaleiro João Canuto, trilhara sua derradeira caminhada pelo Mundo (pois ele a empreendera para ir ao encontro da Morte Caetana exatamente no fatal Anfiteatro cujo nome arde em nosso sangue — Jaúna). E eu recordava, em seu especial significado, uns versos de seu amigo, o grande poeta Augusto dos Anjos; versos nos quais ele via o Mundo como uma Estrada que a Sorte colocara diante de si:

Augusto Savedra dos Anjos

"Estou sozinho. A Estrada se desdobra, como uma imensa e rutilante Cobra, de epiderme finíssima de areia. E, por essa finíssima Epiderme, eis-me passeando, como um grande Verme, que, ao Sol, em plena podridão passeia."

Dom Pantero

É verdade que ali o Chão não era de areia e sim de pedra, espinho e barro duro. De qualquer modo, nos Versos que eu evocava, o Poeta, assim como Dante em sua Epopeia, era, ao mesmo tempo, narrador e personagem de seu Poema e assim encarnava todos os Homens e Mulheres que compõem o nosso pobre Rebanho.

De fato, na Incursão que eu ia começando, era como se aquela Estrada, aquela Cobra achatada e sinuosa deitada à minha frente, fosse a enigmática Serpente-da-Terra, sobre cujas escamas o Homem, numa Viagem, caminhasse seu estranho destino.

Eu avançava tenso e preocupado, porque, sendo filho do Cavaleiro, tinha consciência da importância que a Ilumiara e sua Estrada assumiam para nós.

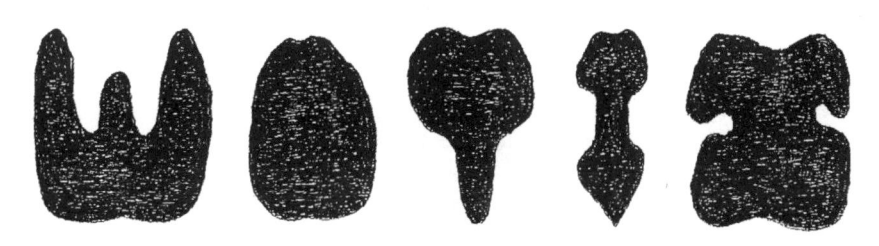

Além disso, espalhada não sei por quem, corria entre os filhos dele a versão de que, ferido de morte e pouco antes de tombar no chão, meu Pai tinha levado a mão ao ferimento; e, logo depois, tentando se amparar no Lajedo, nele imprimira a palma ensanguentada, deixando ali uma marca que nunca mais se apagaria.

Hoje, velho, sei que isso é impossível: o sangue não dura tanto assim, impresso numa Pedra; e provavelmente a versão que conhecíamos surgira porque, naqueles Lajedos, além das insculturas, existiam algumas palmas de mão em tinta vermelha, colocadas ali talvez como assinaturas dos integrantes da *"Tribo ancestral desconhecida"* que pintara e insculpira as Pedras com o objetivo de formular o Enigma e tentar sua decifração.

O caminho não era fácil, com aquela Vereda aberta por entre Cactos, Favelas e Juremas *"unha-de-gato"*. Às vezes eu chegava a atravessar pedaços de Caatinga fora da Estrada e desprovida até de qualquer trilha de Cabras que me facilitasse a passagem.

A opressão maior, porém, vinha da solidão do Mato seco, ralo e selvagem, mudo, desabitado naquele Planalto de meia-Serra ou Tabuleiro escalavrado, erodido por milhares e milhares de anos de Seca sem piedade. Não havia uma Pessoa ou Casa em todo o território desolado e cada vez mais alto que eu ia subindo.

Entre o Riacho de Fogo e a Lagoa da Onça parei um pouco e consultei minhas lembranças: achava que perto do local em que me encontrava havia um pé de Mulungu, que realmente avistei e para onde me dirigi, perturbando alguns Pombos selvagens que, no chão, mariscavam sementes secas de Erva e de Capim.

Espantados com minha chegada, os Pombos levantaram voo e pousaram sobre o Mulungu, sem folhas mas literalmente coberto de flores vermelhas que lhe faziam chamejar toda a Copa, mais estranha e bela ainda por estar no centro da Caatinga intrincada e espinhosa, para onde os Pombos retomaram voo, perdendo-se de vista.

Andei mais, muito mais, e já no lugar conhecido como Pau Branco, encontrei outra lembrança antiga — um pedaço de Chão árido, cheio de Pedras arenosas, algumas estilhaçadas e revelando grandes placas de Malacacheta, afloradas à superfície.

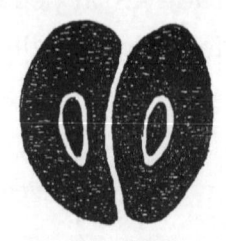

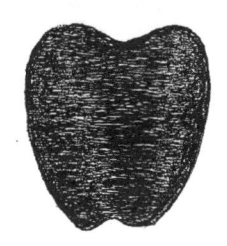

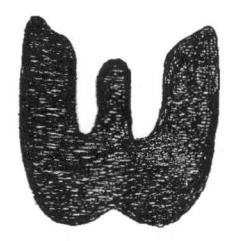

Comecei também a ouvir o canto dos Pássaros mais exclusivamente sertanejos, como o Cancão, a Seriema e a Casaca-de-Couro. Ali, porém, os cantos não venciam, nem sequer diminuíam, a solidão. Pelo contrário: depois que ressoavam — com os pios, os ásperos trinados e as gargalhadas de metal ecoando nas Pedras — aumentavam a soledade e a opressão esmagadora do lugar.

Albano Cervonegro

Era, talvez, preciso que caíssem no fogo os Frutos mal apodrecidos. Os Frutos: carne morta, por instantes, pelo Tempo — seu cheiro e seus olvidos. E a Beleza: a de Deus e a do Sombroso, com seus velhos Segredos esquecidos.

Dom Pantero

Consultei meu relógio de algibeira: eram mais de 11 horas, o ar e o Sol tornavam-se cada vez mais ardentes e pesados.

Quando cheguei ao Abismo, avistei, à margem esquerda do Caminho, um Lajeiro baixo, sobre o qual, sem se saber como, tinham brotado pés de Alastrado e uma Imburana, seca e esgalhada como o resto.

No momento em que passava ali, uma Ticaca cruzou a Vereda, deixando em torno um cheiro fétido, insuportável — e eu apressei os passos, protegendo o rosto com o Lenço.

Depois, foi um Gato-do-Mato vermelho que correu por baixo de um Umbuzeiro sem folhas, tombado há muito tempo, ao que parecia, por alguma violenta chuva de granizo como as que por ali às vezes açoitam aquele trecho alto, semidesértico e pedregoso do Mundo. O Chão, em torno, parecia, por sua vez, ter se alteado mediante algum Cataclismo de fogo-primordial que derretera as Pedras, depois endurecidas pela Água.

E, ao passar por ali, ouvi de repente um zumbido que se aproximava velozmente, como um Ridimunho. Pensei, primeiro, que fosse apenas uma Ventania mais forte fazendo curvar-se e zoar a Vegetação seca da Caatinga. Por sorte, pude notar a tempo que era um enxame de ferozes abelhas africanas: e joguei-me ao Chão de bruços, protegendo a cabeça com os braços; o enxame, porém, passou sobre mim sem atacar-me e no silêncio que se fez (e que pareceu maior depois daquela passagem de Fogo) um Gavião piou.

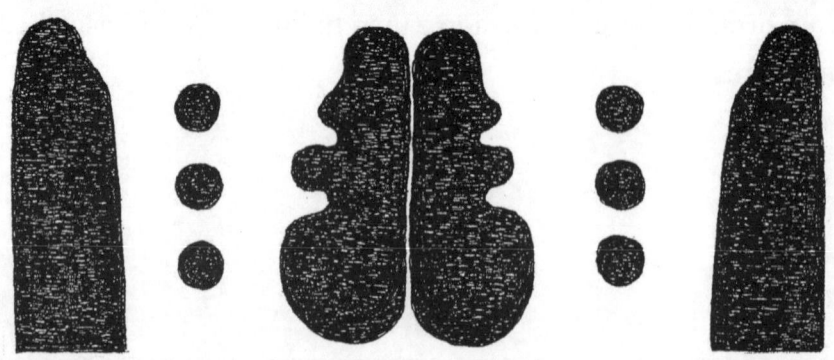

Durante muito tempo caminhei assim, sob o terrível Sol sertanejo. Em minha memória, marcada pelo terrível acontecimento que nos sangrara no Recife, errava a imagem da Corça; da Taça; da Copa; da Coroada; da Sarça, sob cujo Manto podia haver, ainda, alguma Esperança.

Albano Cervonegro

Copa: Coroa, sob o Sol de fogo. Ferido por Espinhos, na passagem, meu Coração suspira sua Dor, entre os Cardos da árida Pastagem. O Cavalo castanho uiva no Vento, e late o Cão por trás desta Viagem.

Dom Pantero

Era, agora, cerca de uma hora da Tarde, e, perturbado por uma espécie de Febre causada por minha dor e pelo abafo pesado do Sol, eu caminhava já pelo Rajado, perto do Serrote do Saco, último trecho antes da Ilumiara — o mais pesado e duro por ser o da elevação maior da Serra.

O Sol violento exacerbava ainda mais meu ânimo febril a ponto de transformá-lo quase numa Possessão.

Em pouco tempo, cheguei ao sopé do Serrote onde verdadeiramente começava a Serra, cada vez mais empinada e pedregosa. A sede agravara-se e a dor que me acomete o joelho direito sempre que caminho muito aumentava na medida em que eu o forçava pelas exigências da escalada.

Mas, de qualquer modo, estava chegando. Começavam a surgir traços da passagem humana por ali: a Ilumiara era delimitada por uma velha Cerca de pedra, meio derruída e muito velha. Fora erguida pelas mesmas pessoas que, no século XVIII, tinham construído o povoado de São José das Batalhas.

Saltei a Cerca e entrei no perigoso Anfiteatro que procurava. Sobrepairando sentimentos de mortes antigas e infortúnios recentes, estava sendo possuído também por uma estranha exaltação: é que, perto da Cerca, quase sobre ela, havia uma grande sebe de Espinheiro-ardente, do tipo conhecido como Sarça-de-Moisés. Naquele Sol, parecia um outro milagre que ela, como o Mulungu, estivesse coberta de bagas vermelhas:

Moisés da Torah Savedra

"O Anjo de Deus lhe apareceu numa Chama-de-Fogo, do meio de uma Sarça. Ele olhou e viu que a Sarça ardia no fogo mas não se consumia."

Dom Pantero

Lembrei-me imediatamente de meu Tio, Mestre e Padrinho, Antero Schabino: não sendo Poeta e enciumado diante dos Sobrinhos, tentava safar-se da impotência criadora por meio de suas famosas *"Imitações"*. E, tendo Manuel Bandeira publicado uma tradução do "Calefrio Aquerôntico", nosso Mestre compusera uma certa "Paráfrase de Liliencron", que agora me vinha à lembrança porque se aproximava do quase-delírio febril que de mim já inteiramente se apossava:

Manuel Liliencron Bandeira Schabino

"Já bica o Pica-pau os bagos vermelhos da Sarça, enquanto um Corne pressago agoura a tarde de Outubro. Não tarda que o Estio, soprando suas chamas, queime a Pastagem. Então se fará no Mato um vazio. A Ventania soprará seu hálito crestador entre os troncos desnudos, trazendo ao lugar onde estou um Carro-de-Fogo, que me arrebatará como ao Profeta, levando-me para o Outro-Lado — aquele de onde não há regresso, pois ali o Negror vigia os letais descaminhos da Cega nefasta."

Dom Pantero

De repente avistei, do lado do Cercado, uma Cabra que parecia uma Corça parda-avermelhada, arisca e selvagem. Corria, desesperada, para cá e para lá, respondendo, aflita, aos balidos de sua cria, uma Cabrita muito nova que aparentemente pulara a Cerca em lugar derruído e não estava acertando a encontrar, de volta, o lugar por onde passara.

Para não assustá-la, aproximei-me mansamente; peguei-a, e ia já passá-la para o lado de fora quando a Cabrita, num impulso carinhoso e ávido, pegou meu indicador com a boca e pôs-se a sugá-lo. Senti o contato da pequena língua morna e o da nascente serrilha dos dentes, quase insensível.

Notando, porém, que, fora, a aflição da Cabra aumentara, retirei o dedo e, passando o braço sobre as pedras da Cerca, depositei delicadamente a Filha junto da Mãe.

Vendo que recuperara a Cria, a Cabra correu para dentro do Mato, e a Cabrita, aos saltos, seguiu, lépida, atrás dela.

Dando tempo para que se afastassem, segui por uma Vereda situada entre Pedras e tufos de Mato seco, chegando então a um Lajedo enorme, estranhamente encrespado por cortes e sulcos que lhe faziam a superfície parecer um Mapa em relevo de Serras e Serrotes compridos e ondulados. Seriam tais sulcos resultantes da Erosão que se encarniçara, implacável e tenaz, sobre a Pedra, durante milhares de séculos? Ou teria sido esta, primeiro, uma Pasta-mineral incandescente, fundida por alguma erupção do Fogo primordial e depois irregularmente solidificada daquela maneira?

Para mim, era impossível responder. A grande Pedra, não muito alta, era larga, abaulada, coberta de vários tipos de Cacto — Facheiros, Alastrados, Macambiras e Coroas-de-Frade —, os quais, aproveitando as gretas, fendas e depósitos do ralo Paul retido pelos sulcos, ali tinham medrado sobre o Lajedo.

Entre todos, destacavam-se as altas flechas das Macambiras, que se erguiam retas, esguias e altivas sobre a Pedra. Se fosse no tempo da Chuva, seriam vermelhas, amarelas e violeta-esverdeadas. Mas agora, com a Seca, o Sol as crestara, transformando-as em Flechas castanhas, enegrecidas aqui e ali. Eram riscos elegantes e retilíneos, mas severos, como que recortados a buril numa gravura em metal.

Abaixando-me um pouco, procurei enquadrar a visão das Serras, longe, e a da Paisagem árida mais próxima, entre duas flechas de Macambira. Tentava, assim, aproximar a beleza real e austera do que via ao tipo de composição que de ordinário aparecia nas litogravuras ou nas gravuras em metal de minha cunhada e Mestra, Eliza de Andrade. E eu não teria, talvez, prestado atenção maior a tudo aquilo se ela não tivesse reeducado meus olhos durante anos, de acordo com a visão que lhe era imposta por sua particular visão-de-mundo.

Como se esta recordação tivesse agravado de novo a exaltação febril que me possuía, uma sede insuportável me assaltou de repente. As artérias da fronte pulsavam intumescidas, comunicando-me ideias e visões perturbadas. No ritmo das pulsações, ouvia um murmúrio apavorante que me comunicava: para recriar, na Arte, a beleza grandiosa e austera do lugar real em que me encontrava, seriam indispensáveis, além da Gravura que Eliza me ensinara, as Esculturas em granito de Arnaldo Barbosa e a Música obsedante de Antonio Madureira — Música de gume afiado (como a lucidez meio-insana e demente, que aos poucos me tornava possesso); Música *de Deserto*, composta para Rabecas, Violas e Tambores; Música-de-Câmera, acerada e modal — ensolarada e cortante como a Paisagem que eu via e a Pedra sobre a qual meus pés se firmavam.

Dali de cima dava para ver que, a partir do Lajedo em que me achava, a Vereda se bifurcava, e a Via da esquerda apontava, já, para o Anfiteatro d'A Divina Ilumiara.

Desci a Pedra, retomei o Caminho. E, depois de andar uns quinhentos passos, a Ilumiara me apareceu como realmente era — um todo austero, de terrível solidão e terríveis ameaças, um Ermo abafadiço, pedregoso e árido, de chão arenoso e todo cercado por Lajedos; um lugar cuja ferocidade me chamara a atenção desde o primeiro dia em que lá fora levado (o que talvez fosse devido ao sangue do Cavaleiro que por ali correra).

O nome da Ilumiara vinha da Data do Jaúna, Sesmaria na qual, em 1791, fixara-se Raymundo Francisco das Chagas Schabino de Savedra, meu Bisavô e primeiro antepassado nosso a deixar Igarassu para morar no Sertão da Paraíba.

Chegava-se a ela por um caminho que subia a Serra, cada vez mais pedregosa na medida em que era escalada.

O topo era um chão raso, coberto de Pedras disseminadas; e seco, muito seco, naquele áspero estio de Outubro. A atmosfera fulgurava, o Sol pegava fogo. Ensandecida, a Terra era uma Taça--Ardente, em cuja concavidade, imploradoramente aberta para o Céu, cada um de nós, acuado, abrasasse sua Paixão particular.

Ao atingir o Tabuleiro que rematava o topo da Serra, tive uma surpresa: ateado não sei por quem, um Fogaréu isolado ardia à beira do Caminho; e ao calor de suas chamas avistei, no centro do Anfiteatro, deitado e ao comprido como um Jaguar à espreita, o temeroso lajedo da Itaquatiara, que, para nós, era Beemot, A Fera Terrestre — a Esfinge-e-Ara-de-Pedra a ser decifrada sob pena de Morte.

Para lá me dirigi pelo ressecado leito do Riacho do Elo, que, no tempo da Chuva, banhava os grupos mais importantes dos lajedos da Ilumiara. Entrei por um Matagal de cactos e arbustos espinhosos, o que fiz ao som de estranhos latidos.

Ora, eu sabia que Mauro se matara ao som do ladrar de Cães. Por isso, naquele momento, era como se, ao comando da Besta Fouva, os Cães possessos de Lautréamont estivessem a meus calcanhares para devorar-me:

Isidoro Savedra Ducasse

"Os Cães, doidos, uivam contra o silêncio da Serra pedregosa. Contra os Carcarás cujo voo oblíquo lhes roça o focinho, enquanto conduzem no bico um Rato ou uma Cobra, que atacaram e mataram. Contra o Assassino que foge, depois de ter cometido o Crime (como fez aquele que, pelas costas, matou o Cavaleiro).

"Uivam contra as Serpentes. Contra seus próprios latidos, que a eles também fazem medo. Contra os Sapos, que são abocanhados *e despedaçados pelo golpe seco de suas mandíbulas ferozes. Contra as Árvores mirradas da Caatinga, cujas folhas empoeiradas são outros tantos mistérios, que eles não compreendem, mas que tentam decifrar, nelas fixando olhos obsedados."*

Dom Pantero

Vencido o Matagal, cruzei uma espécie de Pórtico bruto, formado por dois Rochedos verticais e paralelos; como Quaderna me mostraria depois, apesar de mais afastados um do outro, pareciam uma versão menor dos da Pedra do Reino.

Por entre eles, via-se o Lajedo da Lua, das Águas e do Cometa. Mais longe, o das Tábuas da Lei — aquele que era, talvez, o de significação mais poderosa, porque tanto podia ser a Vulva-primordial quanto um Livro aberto ao meio: um Livro que (constituído pelas duas Pedras mais largas unidas pelo Rochedo do centro) ora parecia, como os Cães, ameaçar o Mundo, ora insinuar a possibilidade de sua redenção. E eu pensava: se algum dia conseguisse descrever tudo aquilo num Livro, A Iluminara, suas páginas seriam enquadradas por Molduras com a forma baseada n'As Tábuas da Lei, as pares imitando a Pedra da esquerda e as ímpares a da direita.

Albano Cervonegro

A Besta Fouva e seu latido rouco, a sangrar e punir a Vastidão. De seus ladridos ergue-se, no entanto, o brado, a voz, o choro, a imploração do meu Rebanho infortunado e insano, queimado pelo arfar da Pulsação.

Dom Pantero

Mas vamos adiante. Entre a Pedra da Lua e o Lajedo das Tábuas da Lei achava-se a Fera insculpida, o Altar ou Monólito-Central da Itaquatiara, que vou detalhar mais, sob forma de Vinhetas, para que Vocês possam avaliar por que foi sempre imperiosa, em mim, a necessidade de decifrá-lo.

Na verdade, mais do que uma Esfinge, ou um Leviatã, aquilo era um Jaguapardo — o Lagarto, Jaguar e Leopardo-castanho, com malhas estreladas em sua áspera pele, entalhadas, há milhares de anos, por uma Tribo ancestral desconhecida; eram belas e terríveis marcas, cortadas em baixo-relevo, a modo de ferimentos e cicatrizes que transformavam o exterior castanho do Lajedo ali deitado num imóvel Planetário, num misterioso Planisfério-cosmogônico petrificado.

Vista de longe, a Itaquatiara parecia um torso deitado de Mulher, com o corpo marcado pelas tatuagens insculpidas em sua grossa pele. Mais de perto, semelhava um gigantesco Cachalote, um Monstro marinho e pré-histórico que, aportando ali na época em que o Sertão era um escuro fundo de Mar, encalhara e, secadas as águas pela passagem do Tempo, fora petrificado em granito. Milhares de anos depois, tivera sua áspera crosta alisada e insculpida pela mão dos homens e mulheres da Tribo, nossos antepassados Cariris (instruídos pelo Moço-Dono-do-Fogo, pela Moça-Retrato-da-Lua e principalmente pelo Filho-do-Sol).

Eu me aproximara do Lajedo-Central e agora, "*possesso da Serpente, asas de Arcanjo, olhos cegos no Sol incendiado*", achava-me prostrado, quase prosternado diante dele, com a parte mais alta e arredondada que era a cabeça do Cachalote à esquerda, e a mais baixa, a cauda, à direita. Assim era que o Monólito mostrava melhor os estranhos ferimentos, as belas malhas tatuadas pelos baixos-relevos em sua superfície, aumentando a sensação de espaço-sem-em-cima-e-sem-em-baixo, de tempo-sem-antes-e-sem-depois que aos poucos se apossava de mim, talvez por causa dos terríveis acontecimentos que me tinham levado do Recife até ali; ou talvez porque o chão de pedra que meus pés pisavam naquele instante fosse também, como a Itaquatiara, um grande

Lajedo liso, marcado por formas de Astros que o transformavam num Céu, estrelado mas terrestre, e, por isso, contraposto ao de cima.

Um sinal que logo chamava atenção na Pedra era o da Árvore-simbólica, embaixo da qual havia uma forma que, em 1791, fora copiada por nosso Bisavô, Raymundo Jaúna, para ser o ferro dos Savedras. Perto da Árvore, um Homem apresentava seu Fálus a uma Mulher, que a ele se oferecia, abrindo as pernas com as mãos.

Os mais importantes, porém, eram os 3 Candelabros, o primeiro dos quais parecia um Pássaro ou uma Menorá de 9 chamas. O segundo era como uma Espiga-de-Milho. O terceiro lembrava uma Flor-de-Mandacaru, insculpida entre os sinais que, na Ilumiara, representavam o Alfa e o Ômega dos povos Cariris.

De modo semelhante — e assim como o Jaguar, o Cervo negro, o Gavião e a Corça — os 3 Candelabros podiam estar ali como insígnias da Verdade, do Bem e da Beleza — do Pai, do Filho e do Espírito Santo.

E havia outros sinais dignos de nota: um Homem — Sacerdote ou Divindade cariri, talvez — que, com uma bola entre os pés, parecia exercitar-se num passo de jogo ou dança, conduzindo na mão um Vaso-de-Oferendas; um Homem coroado por um Cocar e prestes a matar outro: seriam Caim e Abel? Talvez, assim como o Homem-fálico e a Mulher-vulvar anteriores podiam ser Adão e Eva (ou Erae e Tidʒi, que eram seus nomes na língua dos Cariris).

Aqueles caracteres de significado obscuro sempre tinham sido assunto de conversas entre nós — Altino, Auro, Adriel e eu. Mas, tendo-nos mudado para o Recife, em 1942, eu nunca mais os vira. E agora verificava que sua ameaça era muito maior do que imaginava. Primeiro, porque, no granito, as formas eram muito mais fortes do que as canhestras Estilogravuras que, com ajuda de Eliza de Andrade, mulher de Adriel, eu conseguira fazer delas, de memória. Em segundo lugar, porque, tendo feito aquelas representações gráficas, na noite anterior eu sonhara com as Estilogravuras; e, no sono, a teia de seu Enigma era quase tão intrincada quanto aquela que agora me enredava.

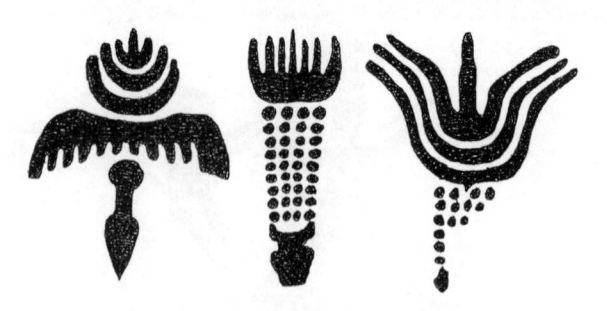

Tais sonhos me perturbavam agora diante do Lajedo, situado no centro da Caatinga que circundava a Clareira, um Matagal austero, de Arbustos contorcidos e Cactos espinhosos. Eu sonhara com aquelas insculturas terrificantes; com aqueles Lagartos, Sóis, Estrelas, Sexos, Pássaros e Serpentes — formas gravadas, não se sabia com que rudes instrumentos primitivos, no céu opaco, duro, castanho, áspero e chumboso da pele-de-fera da Pedra. Esta repousava sobre aquele chão liso e estrelado em que meus pés se plantavam; e havia vários Lajedos perto dela, alguns insculpidos, outros não.

Albano Cervonegro

Ouço latir o coro da Matilha, no Anfiteatro duro e desigual. E, efetivando o sonho do meu Sono — temeroso, sacrílego, mortal —, adentro-me, entre Pedras ferrujosas, nas veredas do seco Matagal.

Dom Pantero

No todo, a Itaquatiara teria uns 20 metros de comprimento por 2 ou 3 de altura na cabeça da Fera; e os baixos-relevos entalhados em sua superfície transformavam a Pedra numa só e grande Obra, o Altar-Central daquele Anfiteatro bruto; numa só e grande Escultura que, por meio daquelas formas, incorporara a si o próprio torso da Pedra inicial, e que fora erguida ali como homenagem e oferenda ao Deus-Desconhecido. E o conjunto das Pedras que a cercavam era como se fosse o esboço imperfeito e mal-acabado de uma vasta Obra, meio de Arquitetura, meio de Escultura, que ali se mantivera durante milhares de anos por se ter fundado no sonho inquieto dos Homens e Mulheres que a tinham construído (assim como acontecera com O Aleijadinho em Congonhas e com Euclydes da Cunha em Os Sertões).

De fato, o todo acabava por ser um Anfiteatro, e a Itaquatiara que lhe servia de centro um Altar, semelhante àquelas Aras e Tronos brutais de pedra que os Povos contemporâneos d'O Velho Testamento erguiam no meio dos Desertos; ou perto de Serras pedregosas e descalvadas como o Gólgota; ou ainda junto do Mar, das Fontes e dos Rios, como implorações de piedade ou como locais de sacrifícios oferecidos a suas Divindades implacáveis.

Por isso, tudo ali era aparentado com alguns enormes Carneiros e Gaviões de pedra do norte da África; com os Leopardos e Candelabros dos pisos de mosaico de Jerusalém; com os Bichos rupestres do Tasslit argelino; com os Jaguares e Pirâmides maias; com as Igrejas e Santuários etíopes, escavados, em forma de Cruz, em blocos de pedra inteiriços e gigantescos, enfiados de chão adentro e com os tetos apenas aflorados à superfície; com as Estupas e Estelas indianas; com as grandes Mulheres de pedra da Estepe russa; e com os enigmáticos Touros de Guisando, rombos, pétreos e maciços, enfileirados num capinzal solitário da Meseta espanhola, ninguém sabe por quem e com quais desígnios; o que, por causa do assassinato do Cavaleiro junto àquelas Pedras selvagens, sempre me recordaria, depois daí, o pranto chorado por Garcia Lorca:

Frederico Garcia de Savedra Lorca
"Seus olhos não se fecharam ao ver a Morte de perto; porém as Madres-Terríveis ergueram suas cabeças, e os touros de Guisando, quase-morte e quase-pedra, mugiram como dez séculos, fartos de pisar a Terra."

Guilherme Schabino Solha de Agitalança
"Mas seu Verão é eterno e não desmaiará, nem há de a possessão perder de suas galas. Vagando em sua sombra, o Fim não o verá, pois, neste Livro eterno, ao Tempo ele se iguala: enquanto o Homem respire e os olhos possam ver, meu Canto existirá, e o Rei há de viver."

Dom Pajtero

Entretanto, talvez por causa do Riacho do Elo que por ali passava banhando as Pedras — e com cujas águas se misturara, de uma vez para sempre, o sangue do Cavaleiro —, a impressão mais forte daquele dia eu a experimentei diante da Gruta que, por trás d'As Tábuas da Lei, tinha um grande Sol insculpido na entrada, e, em seu interior, não sei quantas Vulvas que dela faziam um escuro, sagrado, fascinante e enigmático Gineceu.

Naquela primeira Incursão cheguei a pensar que ali se encontrava a sétima morada do Castelo. Só depois é que, alertado por Quaderna, iria saber: a Ilumiara (ainda assim de modo vago) marcava apenas a primeira etapa da demanda do Sangral.

Mas agora não tinha a menor condição de refletir sobre isso, porque a sede e aquela espécie de meia-demência me perturbavam.

Olhei em torno e vi que o Riacho do Elo estava completamente seco, bebido que fora pelo Sol e pela poeira das Ventanias. A areia do leito faiscava e feria-me os olhos com o brilho de seus Cristais estilhaçados. Lembrei-me então de que, em algumas das Pedras que o cercavam, havia umas locas arredondadas que quando Meninos nós chamávamos de "*Caldeirões*". Nelas, às vezes, mesmo na Seca, ficava alguma água empoçada.

Para lá me dirigi, logo descobrindo que não me enganara: mas a água escassa da Loca que encontrei estagnava-se, infecta, coberta por um Lodo esverdeado e repugnante. Fervilhava pela presença de milhares de filhotes de Sapo e de várias formas vivas, todas nojentas: Girinos, Caçotes, seres amarelo-transparentes e verde-satúrnicos, indefinidos entre o animal e o vegetal e que eram todos (eu o sentia!) hostis às águas, às linfas e aos sais do Sangue humano.

Ao ver aquela água turva e esverdeada, pululando de Bichos, hesitei entre o risco e a repugnância, por um lado, e a sede implacável que o Sol me ressecara no sangue, por outro. Num dia comum, não beberia. Mas naquele instante, perturbado como me encontrava, instintivamente passei a língua nos lábios gretados e com isso a situação se tornou de repente insuportável. Além do mais, sem que disso tomasse consciência, eu começava também a ser possuído por um fascínio perante o Desafio que parecia me encarar a partir do Chão e das pedras insculpidas da Ilumiara. Tudo o que provinha dali apontava para algo não propriamente benfazejo, mas sem dúvida sagrado. Na Tarde árida, na Caatinga cinza-parda, ausentes todas as Entidades ligadas à Noite lunar e fêmea, era impossível esperar carinho de qualquer coisa de acolhedor, feminino e gruto-noturno. Na sede, no calor sufocante, severo, hostil e duro, restava-me uma única certeza: a de que em tal "*momento de fulminação*" eu só podia contar mesmo com o Sol masculino e ofuscador do temeroso Antro-de-pedras que me cercava; e com o sinistro Saturno-aquático que me espreitava ao fundo daquela Água esverdeada e lodosa.

E aí resolvendo-me pelo caminho do Perigo, disposto a desafiar o Sombrio saturnal do Mundo, eu, Predicador indigno do Ser, da Luz e da Beleza, abaixei-me junto à poça. Usando as mãos como remos, procurei primeiro afastar o Lodo que boiava na superfície. Meu cuidado, porém, não adiantou grande coisa, porque a ondulação causada n'água por meus movimentos trouxe à tona outros Seres ainda mais repugnantes.

Então deixei de lado qualquer hesitação. Deitando-me sobre a Pedra, e como quem se arrisca a transpor a Porta esverdeada e suja que conduz ao limiar de um Quase-Inferno, ou como quem (semelhante à Coorte extraviada das Tropas judaicas) colasse lábios sequiosos na escura e úmida Fonte da Cancachorra, mergulhei os lábios naquela Água infeccionada, que, como um Animal, comecei a beber a grandes sorvos, numa avidez insaciável.

A primeira sensação que se apossou de mim foi de gozo e êxtase, frustrado mas intenso. Era como se acabasse de escapar à Morte-pela-sede. Mas não me iludia: conhecendo as reações tempestuosas do meu ser, tive certeza, na mesma hora, de que recebera também um Sinal implacável, emitido por alguma coisa que se contraíra em minhas entranhas. Ao que tudo indicava, a carga maléfica daquela água fora enorme. Mas, mesmo que não fosse, eu já sabia de antemão o risco que corria só pelo fato de, com o estômago vazio, ter bebido água a grandes e rápidos goles, como fizera.

Não contava, porém, com a rapidez fulminante do castigo, com a crispação de fogo que acendeu mais a Febre, passando-a do Sangue para o centro-primordial do meu Cérebro-antigo, do meu *"Paleocérebro"*, como o chamava Mauro no Livro em que procurara anotar suas dolorosas indagações e apóstrofes sobre *"o segredo da Vida"*. Uma saudade terrível daquele que se matara pungiu-me o coração. Uma dor lancinante me apertou a testa e a região situada logo acima da nuca. Para onde quer que voltasse os olhos, pulsavam-me, inchadas, as artérias da Fronte, enchendo meu campo-de-visão de manchas informes, fulvo-cinzentas e cambiantes. Eram manchas de Sol e chumbo-derretido, como se o próprio Mundo se tivesse transformado, inteiro, num Jaguar-malhado queimoso, aqui e ali panterizado por uma tempestade cegadora de fagulhas e malhas de Sol-relampeado. Vozes evocadas não sei donde, mas que — eu tinha certeza! — me tinham sido reveladas por um Negro, pulsavam juntamente com a Dor e o Desafio, a drapejar como Estandartes meio soltos, na ventania seca de Mastros embandeirados. Um Jaguar-fulvo — Divindade de um culto extravioso —, pisando e machucando líquenes, escalava a Rocha soberana que ali estava. Lá em cima, outro Jaguar, o Sol sangrento, desabrochava como um Cardo-em-fogo. E o Negro cantava:

João Savedra da Cruz e Souza

"Luzia o sol do Sol, e, ao sol do Mundo, Deus acende a Coroa, a sacra Tocha. Fulvo Jaguar do estranho Pensamento, galga da Era

a soberana Rocha. No espaço, outro Jaguar, o Sol-sangrento, já como um Cardo-em-fogo, desabrocha."

Dom Pantero

A meu sangue e a meus Tímpanos, transformados de repente em Martelos e Bigornas de couro e de metal, chegavam palavras confusas cujo significado eu não sabia ou esquecera: "*O Bode e o Carneiro vão se fundir ao brotarem da Pedra — o Carneiro, Massa, para o Sacrifício, o Bode, Meriba, para o Holocausto.*" Em meus ouvidos ressoavam 3 Sílabas, ou "*Pés*", também de sentido enigmático mas que se uniam a essas palavras, martelando todas, em uníssono, "*es scha dai, es a za zel*"; ou então (era impossível discernir com precisão) seria "*ée sha dai, ée aza zel*"; e podia ser, ainda, "*é Shaddai e é Azazel*". E como, nas Pedras pelas quais acabara de passar, o mais terrível dos Sinais era o Candelabro (ou Cacto) de 9 Chamas, tudo aquilo começou a evocar o sonho que Mauro tivera na véspera de sua morte; Sonho que ele me contara momentos antes dela e que já indicava: a trágica Fábula Recifense fadada a nós, Schabinos, Savedras e Jaúnas, estava por assumir um significado mais terrificante ainda naquele Matagal, naquele Pasto-Incendiado de arbustos contorcidos e cactos espinhosos que cercava e cobria a Ilumiara.

Heráclito Parmênides Schabino

"Banhando, agora, a senda dos Mortais, revela-se o pulsar do Ser-alado. Emite um som de Flauta perigosa o eixo incandescido do seu Carro. E late o Ser, o fogo do Imutável, pairando sobre a Ruína o Sol-sagrado."

Dom Pantero

Nesse momento, apesar do estado meio insano em que me encontrava, notei um pormenor pouco frequente, mas não inédito para mim: anunciando, já, a chegada daquilo que o Povo chama "*as trevoadas de Outubro*", no Céu azul-fervente duas Nuvens-de-tempestade — chumbosas, carregadas de eletricidade e orladas de fogo pelo Sol — caminhavam, de modo lento e pesado, uma para a outra.

Augusto Savedra dos Anjos

"A passagem dos Séculos me assombra. Para onde irá, correndo, a minha Sombra nesse Cavalo-de-eletricidade? Caminho, e a mim pergunto, na vertigem: — Quem sou? Para onde vou? Qual minha origem? E parece-me um Sonho a realidade."

Dom Pantero

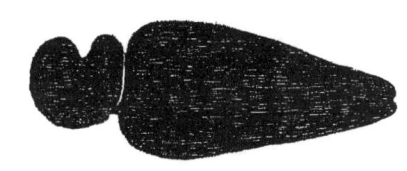

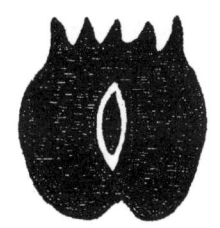

No leito seco do Riacho, o chão era arenoso; mas, dele para fora, era de um Barro castanho sobre o qual algumas Cabras, da mesma cor parda da que eu encontrara, retouçavam alguns ralos, secos e esparsos tufos de Capim-panasco, amarelecidos e queimados pelo Sol; ou então folhas, também secas, de Jurema e Mororó. E, com a dor da cabeça diminuindo, mas sempre assaltado por aquela estranha sensação de ameaça, eu me quedei por ali um momento, olhando o Rebanho, cujas Fêmeas mais novas lembravam Adeodata (porque, apesar de emagrecidas pela Seca e maltratadas pela Vida, eram as mais bonitas que já vira por ali).

Um Bode — um "Cabro", como se dizia quando eu era Menino — acompanhava as Fêmeas. Elas, sóbrias, intratáveis, tinham a pelagem da cor do chão que meus pés agora pisavam; as orelhas eram curtas e os chifres parecidos com os das Cabras selvagens; o dorso e os "*canos*" eram escuros. Mas o Bode era esbranquiçado, baio, e lembrava mais um Veado ou Carneiro deslanado (semelhança acentuada pelos Chifres, 4 e não 2, como acontece com os ovinos-machos da Raça Cocorobó).

Além disso, havia outra diferença entre as Cabras e ele. Elas pastavam de modo inquieto mas atento e tenaz, como se apenas em comer tivessem interesse. Quanto ao Bode, mal retouçava. Parecia obsedado pelas Cabras, entre as quais de vez em quando escolhia uma para importunar, seguindo-a com ar meio insano e balindo um estranho balido. Nesses momentos, sua cabeça e seu pescoço distendiam-se em linha reta para frente, e uma língua curta saía-lhe dos beiços; com ela, suplicante, procurava lamber a vulva da Fêmea. Mas as Cabras, uma a uma, quando o sentiam por trás, encolhiam-se e fugiam, manifestando-se descontentes com suas tentativas de aproximação.

Assim permaneceram durante certo tempo. Às vezes era o Macho que parava repentinamente de comer e procurava se aproximar de uma Cabra, escolhida ao acaso no meio do Rebanho. Outras vezes era uma Fêmea que, pastando, passava, descuidosa, perto dele. Então o Bode deixava imediatamente de tosar a relva seca e seguia a Fêmea, sempre com aquele ar súplice e procurando tocar, com a língua, a vulva da Cabra. Mas ela, baixando a cauda curta e dura, protegia-se contra o contato, que não desejava, e ele passava à próxima, sempre obstinado, sempre recusado.

Depois de assim solicitar em vão a maior parte das Cabras, uma delas, afinal, pareceu mostrar-se menos hostil, recebendo com desagrado menor a tentativa do Macho. Ele deixou escapar um balido mais forte — um som gemente e curto, mas ainda assim muito diferente do sopro ardente e bruto que o Macho-Cabro emite ao farejar na Vulva o cheiro agreste e selvagem da Fêmea no cio. Ao mesmo tempo em que balia, encostou o focinho à espádua da Fêmea, e uma de suas patas dianteiras esboçou um gesto de monta, projetando-se todo para frente, numa imploração. Mas a Cabra encolheu o corpo e fugiu. Desta vez, porém, não para longe, a fim de não desanimar completamente o Macho que, pelo faro, já se certificara de que ela estava no cio ou perto dele, e não mais a deixaria enquanto não consumasse o desejo, agora mais violentamente exacerbado pelo cheiro de Fêmea-viçando que farejara.

    Deixando de lado o leito arenoso do Riacho, subi a margem e encostei-me a uma Pedra para observá-los.

    Enquanto isso, a poucos passos do Macho, a Cabra parecia ter voltado à indiferença anterior. Pelo faro, tentava encontrar no chão alguma folha ou talo que lhe fosse menos desagradável ao paladar; e aparentava somente nisso ter de novo fixado seu interesse.

    O Macho baio, porém, se antes já pastava pouco, agora deixara a relva seca inteiramente de lado. Colocou-se quase a par da Cabra de modo a que os flancos dos dois não ficassem muito afastados. Dessa maneira, a posição escolhida permitia-lhe de vez em quando esfregar o focinho na espádua da Fêmea e lamber delicadamente seu pescoço com uma língua muito diferente da curta que antes lhe aparecia entre os beiços: tremulante e rápida, saía, longa, da boca entreaberta, tocava a pele da Cabra e logo se recolhia de volta, como a de uma Serpente.

O toque parecia agradar à Fêmea. Então, ela parava de pastar ou de mover-se e chegava a dar mostras de se tornar receptiva durante um momento. Curto, porém: porque, quando o Macho, com a pata dianteira, de novo esboçava aquele mesmo gesto de monta, ela a ele se negava. Encolhia-se e afastava-se, cobrindo a Vulva com a cauda, que depois erguia e agitava no ar, num sinal confirmador do Cio profundo que agora começava realmente a se apoderar dela, tornando-a possessa do Jaguar-alado.

Instintivamente, e também atendendo a uma espécie de chamado emitido por aquelas Pedras selvagens, olhei para a Itaquatiara e notei que de novo eu estava me tornando *"possesso da Serpente, asas de Arcanjo, olhos cegos no Pasto incendiado"*. Figuras antigas, imagens encantatórias, começaram a cercar-me, ofuscando-me, turvando-me cada vez mais o sangue e a cabeça à visão daquelas Pedras pesadas, imóveis e solitárias naquele duro e seco pedaço do Mundo. Do jeito que me surgiam, aquelas imagens (que ainda mais me perturbavam) só poderiam ter uma origem: brotavam da selvagem Fronteira trevosa para a qual de repente eu começava a ser arremessado, num arrebato e contra minha vontade, expondo-me, sem defesa, fora, ao sol da Morte; e, dentro, no mais profundo de mim mesmo, àquela Caatinga e Castela-interior, estrelada também de sóis chumbosos e revelações cego-coriscas, encravadas no chão do Céu negroso e pardo.

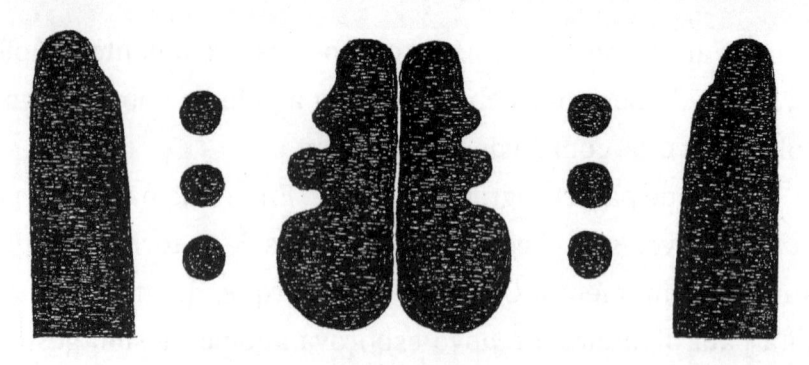

Até ali, eu tivera forças para me recusar àquelas regiões onde quem quer que entrasse ficava à deriva: tinha, agora, a obscura convicção de que, ao entrar, ficaria sem escolha e poder de decisão enquanto durasse aquele estranho Mandato, isto é, na condição de elo, intérprete, viandante e mergulhador de Abismos — eu, transformado, sem querer, no guardião de todos os segredos.

Sim, porque apesar de somente suspeitá-lo até então, o que estava começando ali era o início da minha mortal incursão pelo Reino Perigoso do Ladrido. Na verdade, tudo se iniciara com a morte de Mauro. E, crispando-se, a teia letal acabara por enredar-me nas malhas em que vinha me debatendo.

Além disso (e ainda sem que, no momento, eu o discernisse com clareza), a Incursão de novo ali se realizava em dois planos: um, de saída para a Caatinga devastada do Mundo; o outro, numa entrada cada vez mais ameaçadora, pela Castela-interior de minha própria Alma. E as duas, Caatinga e Castela, dali até o desfecho, iriam se fundir numa Trama intrincada, surgida pelo impulso de tudo o que me acontecia a partir do momento em que me fora imposto aquele terrível selo de guardião do Segredo.

Nas pedras que por perto se disseminavam, havia Pinturas diversas, em preto, branco, vermelho e amarelo, feitas por aquela mesma "*Tribo ancestral desconhecida*" que fizera as Insculturas. Algumas tinham sido anotadas, no fim do século XVI, por Alexandre Schabino, primeiro antepassado nosso a ser perseguido pela Inquisição. Outras, também arcaicas — mas que apontavam, antes, para o enigma da Fonte-do-Cavalo —, tinham sido anotadas por João Sotero, que as copiara, também, na Serra do Xiquexique e na Cachoeira do Tanque, transpondo-as depois para o Livro Negro do Cotidiano — o Diário cuja publicação seria a causa principal da morte do Prefeito, Doutor Jayme Villoa. Todas aquelas imagens, renascidas, mortais, ressurretas, provinham, pois, daquele Passado ameaçador e fatal: passado cuja carniça fermentava no sangrento mosto do Presente, assim como anunciava o vinho e o sangue-tinto do Futuro. Passado que, até ali, somente me mostrava o salto e as chamas do Veado-Negro ou do Cavalo-Castanho — o que, antes, me permitia sonhá-los no mais profundo daquela Gruta-parda; no subterrâneo mais escuro da negra-fulva Leoparda fêmea; na noite-enigma de minh'alma antera.

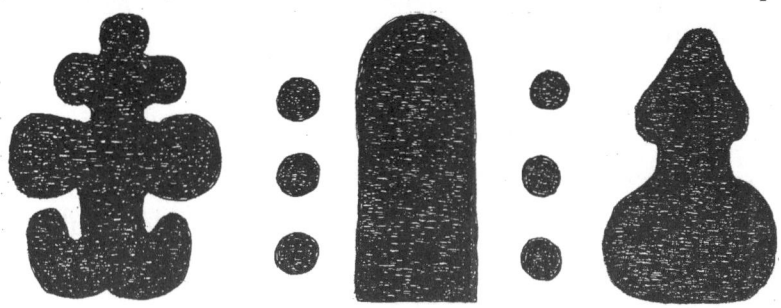

Entretanto, alheios a mim e a minhas visões, a Cabra e o estranho Bode-Baio continuavam suas negaças. De vez em quando ela parava, para que o Macho se aproximasse. Mas, quando ele vinha, ela abalava, recusando novamente a monta. Saltava de perto dele, galopava um pouco, diminuía a velocidade da carreira, trotava. Detinha-se, caminhava um pouco mais. Pastava. Erguia a cabeça para mastigar o talo que cortara ou arrancara com os dentes. E imobilizava-se de novo, olhando para longe com ar meditativo. O Bode seguia atrás dela, ora lambendo-lhe a espádua, ora metendo-lhe os beiços na Vulva, que roçava, procurando excitar a Fêmea até um ponto em que ela, desejosa, não resistisse mais e afinal lhe permitisse a posse.

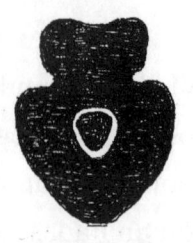

Houve um momento em que a Cabra parou de pastar, curvou-se e urinou. O Macho, rápido, caminhou para trás dela e enfiou o focinho nos últimos jactos de urina, metendo-lhe ao mesmo tempo a língua na Vulva. Depois, ergueu vitoriosamente a cabeça no ar e arregaçou os beiços, de modo a encostar o superior às ventas para sentir de maneira mais profunda o cheiro da Fêmea, *"figuração terrestre do sagrado mosto da Romã — a granada de Deus"* (como escrevia meu Tio, Padrinho e Mestre, Antero Schabino, sob o pseudônimo de Ademar Sallinas). A Cabra, no entanto, ainda uma vez se encolheu e se afastou. Mas agora não cobrira a Vulva com a cauda, que se limitou a agitar no ar, ansiosa, num sinal de que estava por ficar totalmente excitada.

Notando isso, o Baio começou a balir, mas com um gemido mais demorado, o que revelava ter seu desejo também se intensificado mais. Tentou então novamente montar a Fêmea. E seu Fálus, desdobrado, tenso, ereto, já saía da bainha quando a Cabra, com malícia e precisão, aguardou que ele, por trás dela, se colocasse a seu alcance. E então, com os dois cascos traseiros de uma vez, desferiu-lhe no peito um coice, não muito forte mas suficiente para que o Fálus, perdendo a ereção, se recolhesse novamente à bainha.

Logo, porém, o Macho novamente se animou. Mais uma vez aproximou-se da Cabra, desta vez com maior cautela. Mordeu-lhe levemente a nuca e depois, recuando, encostou o focinho à sua Vulva, para farejá-la. Mordiscou-a com seus beiços, e outra ereção se verificou. Mas somente para ser de novo frustrada pela Fêmea, com um segundo coice tão eficiente quanto o primeiro.

De qualquer modo, entre os dois, agora, já se estabelecera o Ritmo obscuro, a doida Cadência, o sono Cego, o toque do Sonho: o bater do Badalo no sino do Sangue já pulsava com violência, num compasso-dual obsessivo onde os elos-vitais ressoavam, contraditórios e complementares, sol-escuro e sombra-ardente, *"mors et Sexus, sexus et Vita, vita et Mors, mors et Vita"*.

Heráclito Schabino

"O Ser-que-pulsa é quem impele à Vida, e abarca a Noite o Sol-primordial. O Cavalo castanho, de asas negras, me leva para a Madre-Oracular. E as Aurigas-dançantes me seduzem, cantando contra a Morte, o Feio e o Mal."

Dom Pantero

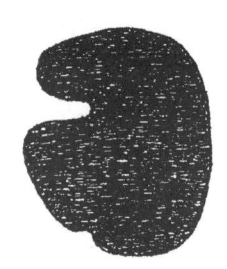

No Saco da Onça, na Acauhan e na Carnaúba, eu já vira cenas parecidas com aquela. Mas no estado de espírito em que me encontrava e com a dor que ainda martelava minhas têmporas, ela assumia o significado particular de uma afirmação da Vida diante da solidão e do sofrimento que eu vivia naquele instante.

Além disso, nos casos comuns, sabia eu que a Fêmea demorava a se entregar porque seu instinto assim determinava: se o fizesse logo, o orgasmo rápido do Macho chegaria antes que ela atingisse o seu. Protelando o jogo, quando afinal permitisse a penetração, já estaria somente à distância de uma centelha do êxtase e relâmpago-sagrado, preparada que fora pelas tentativas contínuas e tenazes do Macho: aí, quase que só o simples toque do Fálus ereto, firme e macio, faria com que, da Vulva às têmporas, das têmporas ao sangue, do sangue ao estremeço do Paleocérebro (e, deste, comunicado ao resto, principalmente à espinha-dorsal, já transformada então em fagulhante feixe de nervos incendiados), se desencadeasse nela um orgasmo tão generalizado quanto o terremoto que, com chamas e tremor de terra, abalaria o Macho, crispado em suas entranhas.

Por isso era que a Cabra, sentindo que ainda não estava pronta, dera aqueles coices no Baio: mesmo com o Cio intensificado como já estava, ela se deixaria talvez montar, mas não penetrar. Com as negaças, iria ficando paulatinamente mais excitada, não só por causa do peso do Macho em cima dela, mas também com os apertos que ele, depois de montá-la, daria em seus flancos com as patas dianteiras. Isto sem se falar nos rápidos e trêmulos contatos que a Vulva iria recebendo do Fálus, pois em tal momento ele tatearia suas bordas, umedecendo-a para o consentimento final.

Em dado momento, o Bode-Baio, mais excitado, pareceu sentir um impulso poderoso contrair seus flancos, projetando-lhe os quadris para a frente. Mas em vez de, com isto, tentar, de vez, a monta da Fêmea por trás, colocou-se na posição contrária e, num gesto de extrema confusão dos instintos, mergulhou o focinho para baixo, em direção aos peitos da Cabra. Era como se fosse, não um Macho adulto, ferozmente desejoso de Sexo, mas sim um Cabrito ainda novo, querendo saciar-se de um leite que nem sequer existia para justificar seu movimento. Chegou a babar os peitos, ao sugá-los por um curto instante. Mas a Cabra, nervosa, recusou-se logo a aceitar aquela estranha e inesperada forma de contato, e ele voltou a persegui-la como antes, lambendo-lhe a Vulva e montando-a de vez em quando, mas sempre sem conseguir a posse que buscava.

Noutra ocasião, houve uma espécie de troca de papéis: como se percebesse da parte do Baio um arrefecimento que não compreendia — pois já houvera um momento em que ela desejara entregar-se e o Macho não soubera aproveitá-lo —, a Cabra, tomando a iniciativa ao ver que o Fálus ereto do Baio estava de fora, aproximou dele o focinho e lambeu-o delicadamente, arregaçando em seguida os beiços e cheirando-os, como fazem os Machos.

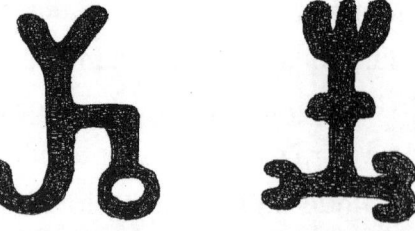

Foi somente nesse instante que avistei aquele que provavelmente era o dono do Rebanho: não o enxergara antes porque ele permanecera oculto por uma Pedra, atrás da qual se escondera, talvez por estar com suas Cabras em terra alheia.

Entretanto não pareceu preocupado demais com isso, pelo menos a partir dali. Do lugar em que se encontrava, também vinha observando o que se passava; e, aparecendo, achou que tudo chegara ao ponto conveniente que aguardava.

Caminhou, então, para um pé seco de Catingueira onde, antes da minha chegada, deixara amarrado um grande Bode, da mesma Raça parda das Cabras mas de pelagem um pouco mais escura. Tinha aspecto selvagem e enormes chifres em forma de forquilha. O Homem soltou-o da corda e o grande Macho, num salto brusco, precipitou-se para o Rebanho.

A cena que se seguiu foi rápida. O Bode-Pardo, num trote resoluto, encaminhou-se para o lugar onde estava a Cabra, que, naquele instante, o Baio, sempre naquele ritmo, inepto apesar de obsessivo, mais uma vez tentava montar. Via-se, claramente, que ele não era adversário para o Pardo, que se aproximava, e que, baixando a cabeça armada pelos grandes Chifres, aumentou o trote, culminando o ataque com uma marrada de tal modo violenta que o Baio e a Cabra rolaram pelo chão, levantando uma nuvem de poeira.

Fosse pelo conhecimento de derrotas anteriores, fosse pela violência da marrada que o derrubara, o Baio pareceu admitir imediatamente a superioridade do outro. Ergueu-se, assustado, e afastou-se, com um ar esquerdo e abatido. Havia uma certa falta de dignidade na maneira passiva com que ele aceitava a derrota. Ainda mais porque, deixando o campo ao vencedor, passou a se ocupar apenas com o pasto, que antes não merecia qualquer atenção sua. Procurava aparentar que não dava nenhuma importância à derrota que sofrera. Mas não conseguia fingir total indiferença. De vez em quando, com a cabeça baixa, olhava de viés, com expressão covarde e maldosa, na direção do local de onde acabara de ser expulso e no qual agora o Pardo reinava soberano, senhor do Pasto e da Fêmea que estivera a ponto de ser do outro.

Na Cabra, porém, a brutalidade do Macho teve efeito diferente. Talvez por ter sido solicitada tão demoradamente pelo Baio, quando ela, empoeirada e assustada, se ergueu da queda, estava submissa e desejosa, com todas as resistências quebradas. Não procurou mais pastar nem fugir. Imobilizou-se e entrecerrou os olhos, parecendo não mais repelir, e sim desejar, aquilo que até então vinha sendo buscado, sem êxito, pelo Baio.

O Pardo, alerta, pressentiu o fato. Colocou-se por trás dela e, achando logo o caminho que devia seguir após a marrada, lambeu-lhe também a Vulva. Mas não suavemente, como fazia o Baio: a língua, tesa, rápida, escura, saiu-lhe da boca, que, aberta e juntamente com as narinas resfolegantes, deixava escapar um sopro ardente, embriagador e bruto.

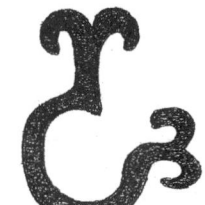

De repente, deixou de lamber; e, com a cabeça meio abaixada, apoiou com força a testa na parte traseira das coxas da Fêmea, empurrando-a para forçá-la a inclinar-se. E a Cabra, obediente, mantendo imóveis as quatro patas fincadas no chão, adiantou apenas o tronco, para alcançar a posição que o Macho queria e indicara. Assim permaneceu ela um instante, imóvel, inclinada, expectante. Dependendo agora de um fio de prumo apenas deslocado, poderia, ainda uma vez, fugir ou aceitar a posse.

Mas, pelo gesto de vassalagem que fizera ao inclinar-se, notava-se que era ela quem, agora, desejava ser invadida e assolada. Havia um violento contraste entre suas atitudes anteriores, entre sua postura elegante e selvagem de Gazela altiva e a passividade meio bestial a que o Macho a relegara, destruindo sua graciosidade, como se o desejo fosse uma outra forma de feiura.

Parmênides Savedra

"*A falsa Estrada e as águas de onde somos — as Águas sobre as quais o Ser nos guarda. A Pedra, a Cabra, o Bode e a Erva nua, o Macho e a Fêmea, estrosa e consagrada. O Fálus tenso, a desejar, fremente, e a Vulva a se abrasar, incendiada.*"

Dom Pajuero

Era claro, agora, que a Fêmea definitivamente se entregava. Diante disso, o desejo cresceu ainda mais intensamente no sangue e nos flancos do Bode-Pardo. Desta vez, porém, não se manifestou mais sob forma de marrada. Foi um ímpeto feroz que, nascido nos recessos do sangue, pareceu comunicar-se a todo o seu corpo, que também pulsava e estremecia. No impulso, ele ergueu as patas dianteiras e trepou brutalmente sobre a Fêmea, que, em contraste com ele, parecia agora uma Corça indefesa e frágil.

O Macho fez-lhe cair sobre o dorso a parte dianteira de seu próprio corpo. As pernas da frente, que se tinham erguido, abertas e recurvadas no ar para o assalto da monta, agora, numa poderosa demonstração de força, cravavam-se nos dois flancos da Cabra, apertando-lhe o ventre, os quadris, e imobilizando-lhe as ancas, de maneira a que ela não mais pudesse escapar, ainda que, eventualmente, por uma última vez o desejasse. Ao mesmo tempo, as fortes pernas traseiras, com tendões ressaltados, enfincavam-se ainda mais no chão. Estremeciam-lhe por todo o corpo os músculos contraídos, trêmulos de tensão, incitamento e desejo. O Fálus apareceu, vermelho e pulsante, e começou a tatear as proximidades sensíveis da Vulva, da qual avidamente procurava a fenda de entrada.

Havia, também aqui, um enorme contraste entre a ferocidade do Macho e a delicadeza com que seu Fálus macio, tenso e retesado buscava contato com o sexo da Fêmea. Ela, excitada ao máximo pelo peso do Macho em seu dorso, pelo rude amplexo que aprisionava seus flancos e, ainda mais, pelos toques do Fálus nas bordas da Vulva, estava já a ponto de ser atingida pelo estremeço do raio e do mosto-sagrado.

Mas começou a pressentir que a demora se prolongava: o Macho estava em dificuldade para consumar a posse final, que agora ambos desejavam. Então, distendeu-se mais ainda, inclinando o corpo bem para a frente, a fim de que a Vulva, oferecendo-se em rampa, se entreabrisse e entregasse de modo ainda mais flagrante. Com isso, no mesmo instante, o Fálus ereto do Bode-Pardo achou a Fenda que buscava e deslizou, mergulhando fundo, de Vulva umedecida adentro.

A Cabra recebeu, prazerosa, a penetração. Alongou o pescoço e, espichando a cabeça para baixo, permaneceu um instante de olhos entrecerrados, numa expressão vencida, terna, sonhadora e machucada. A cerviz mantinha-se baixa e recebia assim, sobre si, o focinho barbado e grosseiro do Macho.

Nele, havia também uma tensão prazerosa, mas diferente daquela que se mostrava na Fêmea: era dura e brutal, meio estúpida e voraz. E, por isso, a catadura embriagada, a face agressiva do Sexo pareceu de repente inchar até o Mato que cercava os dois.

Os movimentos convulsos do Macho começaram a ser sublinhados por uma espécie de gemer soturno, contínuo e selvagem: o espasmo aproximava-se. Sons estranhos e mal-articulados — talvez por serem incapazes de expressar o que significavam

— começaram a brotar das duas gargantas, os dela mais gementes, os dele mais roucos e rosnados, mas crescendo os de ambos em tensão e violência.

E o orgasmo chegou, num êxtase brusco, exaltador e cego, lançando os dois como que para o mais profundo de si mesmos, numa espécie de ascensão que era, ao mesmo tempo, uma queda-primordial e que os fazia adentrarem-se, por meio de centelhas fulgurantes, no próprio centro onde, também entre relâmpagos, se assenta Deus, em seu Trono incendiado.

Para o Macho, era como se tivesse recebido a bênção de alcançar, no alto, a posse de uma Corça delicada e graciosa, colocada muito além de sua grosseria e falta de méritos:

Cantiga de Mote e Glosa

Don Juan de Yepes Schabino

"Por um amoroso lance, e não de esperança falto, subi tão alto, tão alto, que tive da Corça alcance.

"Para que eu alcance desse àquele divino Veio, voar tanto me conveio, que de vista me perdesse. Ela permitiu que eu desse ao gozo

de Amor avance. E contudo, nesse transe, no meu amor quedei falto. Mas o Amor foi tão alto, que tive da Corça alcance.

"Quanto mais alto subia, se alumbrava a minha vista. Na poderosa conquista, o desejo que me ardia se saciou de relance. Mas, por ser de Amor o lance, dei um cego e escuro salto, e fui tão alto, tão alto, que tive da Corça alcance.

"Quanto mais perto chegava daquele Longe subido, tanto mais baixo, e rendido, e perturbado me achava. Aqui, como que cantava as estrofes do Romance. Disse: — 'Não há quem o alcance!' E abati-me, tanto e falto, que fui bem alto, bem alto, e tive da Corça alcance."

Dom Pantero

Aquilo atingiu também, no centro-pulsador do ser da Fêmea, algo de profundamente sensível e delicado, de modo que ela se contraiu toda, num estremeço de prazer fagulhante, quase insuportável: um prazer que, como o do Macho, tinha alguma coisa de mortal, mas também de relance nos Labirintos insones e rasgados por relâmpagos do Deus-Desconhecido; sendo que, ao invés da Corça, era pelo Anjo-Abrasador que ela era tocada:

Teresa Savedra de Cepeda

"O Anjo, formoso e destro, segurava um Dardo direito e rijo, que parecia me meter algumas vezes pelo Coração, de um modo que me chegava até as entranhas. Ao retirá-lo, parecia-me que as levava consigo e me deixava toda abrasada em grande amor de Deus. Era tão grande a dor, que me fazia gemer queixumes; e era tão excessiva a suavidade que me trazia aquela grandíssima dor que é impossível desejar que nos abandone, pois já não se contenta a alma com menos que Deus. É dor espiritual, ainda que o corpo não deixe, e muito, de nela participar. E é um requebro tão suave aquele que se passa entre a alma e Deus que suplico à sua bondade o dê a conhecer e saborear a quem pensar que minto:

Cantiga de Mote e Glosa

Teresa Savedra de Cepeda

"Pelas secretas entranhas, senti golpe repentino: o Brasão era divino, pois obrou grandes façanhas.

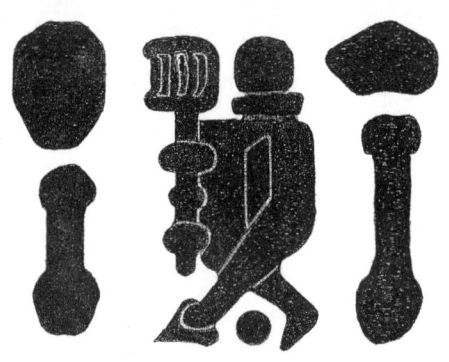

"Com tal golpe fui ferida, sendo a ferida mortal, que, sendo a dor sem igual, é morte que causa vida. Se mata, como dá vida? Se dá vida, como morre? Se fere, como socorre, e se vê com ela unida? Pois tem tão divinas manhas que, num tão acerbo transe, sai triunfante do lance, obrando grandes façanhas."

Dom Pantero

Entretanto, diferentemente do que sucede no comum, a Cabra, com o orgasmo, não saltou logo de sob o Macho, para se libertar. Os dois, ainda um momento, se demoraram parados, ela contraída e curvada, ele fincado profundamente na Fêmea, ambos estremecendo e fruindo-se um ao outro.

Somente um pouco depois foi que ela se contraiu mais bruscamente, para logo se distender num salto que a ergueu no ar — um movimento gracioso e ágil de Gazela novamente altiva, que a pousou de volta ao chão, a uns dois ou três passos do Macho. Mas seu prazer fora tão intenso que ela ainda se crispou uma vez, num resto de orgasmo que, desta vez, encolhendo-se, ela fruiu sozinha.

Só então recuperou inteiramente sua normalidade, como se, afinal, se tivesse libertado da condição de possessa a que fora submetida pelo Cio e pelo Macho; e como se o espasmo epilético e sagrado a livrasse também do jugo do Anjo-Abrasador que dela se apossara.

Por sua vez, o Bode-Pardo, erguendo um pouco uma das pernas traseiras, curvou a cabeça para trás e mergulhou o focinho no próprio ventre, mordiscando com os beiços a ponta do Fálus, que ainda despedia finos esguichos. A espuma branca, peneirada pelo ar, diluía-se numa espécie de poeira-molhada que o Sol iluminava — danaica chuva-de-ouro, sagrada e fecundante.

Também, na Cabra, a Vulva ainda se contraía, abrindo e fechando os lábios nos derradeiros movimentos de um prazer, menor agora, mas, em compensação, com algo de apaziguado e ressurreto. Era como se ela, de modo surpreendente até para si mesma, regressasse a salvo de uma arriscada incursão pelos Matagais temerosos do Sagrado, pelos êxtases insanos e ressuscitadores do Amor e da Morte, ocultos, pelo comum, no segredo da Vida.

O Homem aproximou-se lentamente de mim. Talvez por astúcia, não deu qualquer sinal de que sabia quem eu era e notava o mal que naquele momento me acometia. Limitou-se a apresentar-se:

— Muito prazer em conhecê-lo. Meu nome é Pedro Dinis Quaderna e sou sobrinho e afilhado de Dom Pedro Sebastião Garcia-Barretto, o dono da Fazenda Onça Malhada, que morreu em Agosto de 1930, o senhor deve ter ouvido falar. Estas Cabras são da terra que foi dele. Tinham fugido, e eu acabo de encontrá-las.

Mesmo no estado meio febril em que me encontrava, pude conter-me e nada falei a tal respeito. Cheguei, ainda, a mostrar curiosidade por um aspecto da cena que tinha visto. Comentei:

— Eu nunca tinha visto um Bode como este, o Baio! Um Bode com 4 Chifres, que coisa mais estranha!

— Acontece que isso aí não é um Bode não, é um Chabino!

— Chabino? — indaguei, espantado pela semelhança entre o som da palavra e o nome de nossa Família, Schabino.

Mas Quaderna também não notou isso, limitando-se a confirmar:

— Sim, Chabino. Um Chabino é um filho de Bode com Ovelha ou de Cabra com Carneiro.

— Eu nunca ouvi falar nisso! É mesmo possível nascer um híbrido assim?

— Tanto é possível que este foi parido e agora está aí. É raro, mas acontece. A vantagem do Chabino é que ele não emprenha as Cabras e por isso é muito bom para ser usado como Rufião, para descobrir e preparar, para o Bode, as Cabras que estão no Cio. As Cabras deste rebanho são muitas para um Bode só, e assim, com o Chabino, a gente evita que ele se canse muito no trabalho de cobrir as Fêmeas. Ele é filho de uma Cabra com um Carneiro da raça Cocorobó, e é por isso que tem 4 Chifres, como o Pai.

Outra coisa: não sei se o senhor notou, mas houve, aí, uma hora em que ele ficou sem saber se mamava ou se cobria: foi porque a Cabra que ele queria pegar hoje é filha da que deu de mamar a ele. Quando o Chabino era pequeno, eu segurava a Mãe, e a Cabrita dela mamava num peito e ele noutro. Agora, quando sentiu o cheiro da irmã de leite, ele se lembrou do tempo em que mamava e sentia o cheiro das duas ao mesmo tempo: foi aí que, de repente, ele ficou querendo mamar e trepar de uma vez só.

Albano Cervonegro

O Bode, no sertão de seu Deserto, sonha o tempo em que as Águas se cumpriam. No entanto, eis que a Poeira e o Sol despontam, carregando, no ventre, a Porta e a Via. E abraçam-se, na carne, o Arco e o Termo, a Sede escura e o Ventre que suspira.

Dom Pedro Dinis Quaderna

Mas vamos deixar o Chabino de lado, porque tenho coisas mais importantes para lhe revelar. Sou proprietário da Universidade Popular Taperoaense e do Grande Circo da Onça Malhada, onde conto com a colaboração de Gregório, Palhaço-Obsceno; Galdino, Palhaço-Herege; João Grilo, Mateus; Chicó, Bastião; Dona Clarabela, A Mestra; Joaquim Simão, O Poeta-Folhetista; e outros e outros.

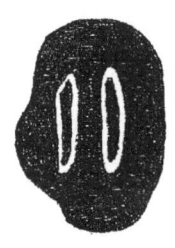

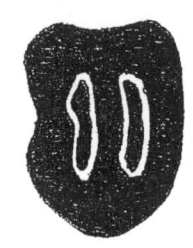

Quanto a mim, como Rei e Capitão-de-Guerreiros, monto uma Eguazinha branca, virgem, de pele-rosada e crinas cor-de-ouro, cujo nome é Dina. Como Profeta, minhas incursões pelas Estradas e descaminhos do Sertão aproximam-se das que o nosso Santo Antônio Conselheiro levava a efeito no Império do Belo-Monte do Sertão de Canudos. Como Poeta, além de ter sido aluno do Cantador João Melchíades Ferreira, aprendi com ele a tocar Viola. Finalmente, como acontece com vários Donos-de-Circo que erram por aí apresentando-se nas Vilas e Povoados nordestinos, acumulei essas funções com a de Palhaço, que não sou tolo de confiar a mais ninguém.

Devo dizer-lhe, ainda, que, além da influência de João Melchíades, "*O Cantador da Borborema*", duas outras foram fundamentais para a minha formação literária de Poeta-Épico e Autor-de-Teatro: a de Leandro Gomes de Barros, Poeta, e a de Lourenço Moreira Lima, "*O Bacharel Vermelho*", o Prosador que conheci no tempo em que, com nome trocado, participei da Grande Marcha de Coluna Aventurosa que foi A Coluna Prestes.

Pois bem; soube de tudo o que aconteceu a seu irmão Mauro e quero avisá-lo: Você e seus outros irmãos estão ameaçados, no Recife. Por isso vim aqui, hoje, esperá-lo; quero que se mude pra cá. Ofereço-lhe o cargo de Reitor-Vitalício e Professor de Filosofia da Arte na Unipopt. Comprometo-me ainda a conseguir para Você o cargo de Secretário da Cultura de Taperoá, que se pode acumular com o de Professor.

Mudando-se, Você escapará aos perigos que o ameaçam no Recife. Mas é claro que, de minha parte, também tenho muito a ganhar com a troca: não iria lhe dar tudo isso de mão beijada. Levo duas vantagens na sua vinda para cá. A primeira é que, não tendo eu Título universitário nenhum, um Doutor como Você significa sólida garantia à minha Universidade. A segunda refere-se a uma Obra que venho tentando escrever desde 1937, quando a comecei, aos 40 anos.

Dom Pantero
Quarenta? Em 1937?

Dom Pedro Dinis Quaderna
Exatamente! Admira-se? Quantos anos Você me dá?

Dom Pantero
Acho que Você é mais ou menos da mesma idade que eu!

Dom Pedro Dinis Quaderna
Errou por 30 anos! No dia 16 de Junho deste ano completei 73 anos! E naquele dia, no qual resolvi compor a Obra da qual falei, tomei ainda a resolução de não envelhecer nem morrer enquanto não a acabasse! E preciso de sua ajuda para terminá-la.

Dom Pantero
Nesse momento, as Nuvens carregadas, que vinham se aproximando pouco a pouco, chegaram bem perto uma da outra. Uma centelha deslumbrante estralou seu raio entre as duas, num estampido ensurdecedor: parecia que o Céu se fendera meio-a-meio e pedaços estilhaçados dele ricocheteavam pelas Pedras

que havia entre o Riacho e o lugar em que estávamos. Foi um tiro só. Mas, pelo eco, pareceu um disparo de Canhão seguido por metralha. O lote de Cabras, espantado e de orelhas fitas, correu em desfilada, embrenhando-se e desaparecendo no Matagal, como um rebanho de Corças e Antílopes assustados.

Quaderna correu atrás delas, entrando também no Mato. No silêncio que a tudo se seguiu, soou o canto do Pássaro que eu já conhecia mas que nunca chegara a avistar. Era o mesmo que o Rei e Cavaleiro ouvira a 9 de Outubro de 1930, na Estrada de Matacavalos. O mesmo que cantara 7 anos depois, em 9 de Outubro de 1937, quando, pela primeira vez, voltamos à Casa recifense dos Savedras, então arruinada. O mesmo que ouvi no Horto do Desencontro, no dia em que, desesperado, vim a descobrir que perdera Liza para "o outro". Pássaro que, por tudo isso — sempre escondido, sempre misterioso —, daí por diante faria soar seu canto na Ilumiara Jaúna todas as vezes em que ali eu ia, como a insinuar que somente quem conseguisse avistá-lo poderia, para além de sua gargalhada escarninha, entrever, como na Vulva, "o segredo do Mundo".

E eu, depois de em vão esperar pela volta de Quaderna, procurei instintivamente voltar à Gruta das Vulvas. No momento em que cheguei diante dela, 3 Cavalos erravam por ali — um branco, um preto e um alazão de pelo dourado. E, por causa dos 3 Cavalos de sela do Rei — Bom-Deveras, Passarinho e Medalha —, comecei a recordar o Poema composto por Altino, Auro e Adriel quando ainda muito jovens e que aqui vai recitado pela voz de seus Autores:

Os Cavalos
Poema evocativo, com cadência de Ode-sagratória

Altino Sotero

O Sol queimava a terra cor-de-sangue, a luz de fogo rebrilhou, violenta. Os Homens se curvaram para a terra, de corpos e de sangue já sedenta.

Adriel Soares

E, de repente, a Luz prisioneira se tornou de umas cores esmaltadas: o Anjo descera sobre a Terra imensa, e endurecera a Pedra consagrada.

Auro Schabino

Os esgalhos das Árvores torciam-se num Ar de alvo diamante e azul escuro. E havia 3 Cavalos, um castanho, um branco e um negro — um negro muito puro.

Altino Sotero

Sentiam-se, no Céu, ruflando, as asas de inúmeros Arcanjos invisíveis; e, nos blocos das Pedras insculpidas, paixões a debater-se, irreprimíveis.

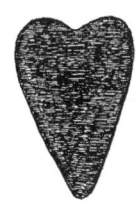

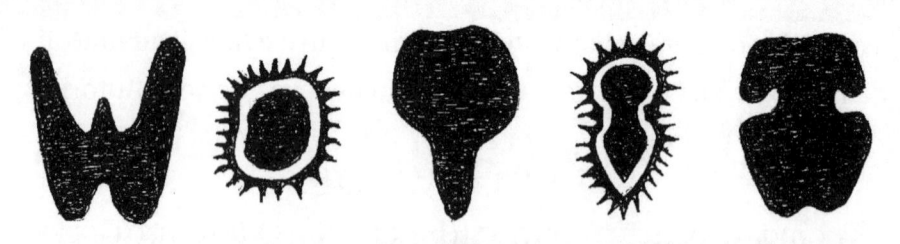

ADRIEL SOARES

A tarde fora apenas pressentida, o Tempo, no seu fogo, leva tudo; e o Vento, feito pedra e feito sonho, perpassava, solene e pontiagudo.

AURO SCHABINO

Antes, a Noite estava dominada pela Lança vermelha do Poente. E, um dia, o nosso Rei, em seu Cavalo, galopou pelo Campo reluzente.

ALTINO SOTERO

Agora, a luz puríssima resplende sobre as águas e a Pedra ensanguentada: os restos da noturna Fronte pairam muito além destas Árvores sagradas.

EOTIA

Adriel Soares

E eu canto as Formas vivas, trabalhadas pelo Sonho inquieto que nos chama. Canto os frutos, os cardos, bichos, águas, neste Mundo que sangra, mas que dança.

Auro Schabino

Canto os próprios Cavalos como formas, e as Pedras como Estrelas limitadas. O resumo da Vida: o Tempo, os Bichos, o Chão, os Rios, Árvores e Nada.

Altino Sotero

E a Tarde acaba, apenas pressentida, e o Tempo, no seu Fogo, leva tudo, enquanto o Vento sonha, feito Pedra, perpassando, solene e pontiagudo.

DOXOLOGIA

Dom Pantero

Foi assim que eu, "*novo Policarpo Quaresma e Dom Quixote arcaico*" (como dizem nossos equivocados adversários recifenses), encontrei aquele "*Sancho e Ricardo Coração dos Outros*" que para mim foi Quaderna: isto é, como Protagonista conheci o Antagonista que anos e anos de convivência transformariam em meu complemento. Sem mim, ele não poderia ser Dom Pedro Dinis Quaderna, O Decifrador. Sem ele, eu nunca poderia me transformar em Dom Pantero do Espírito Santo, Imperador da Pedra do Reino; e os dois, juntos, é que iriam consumar, "*sem Crime*", a Vingança final contra o assassinato de meu Pai (e até contra o suicídio de Mauro, que de certa forma dele fora consequência). Porque foi com Quaderna que aprendi: a humildade era uma qualidade muito boa para um Santo; mas um Poeta não deveria ser alheio ao orgulhoso sonho de erguer sua Obra — e sonhá-la na altura maior possível, de modo a que o Brasil fizesse reluzir a sua Candeia imortal à face de todas as nações do Mundo.

E ao pensar isto, ficou de repente claro para mim que muito longe ainda eu estava de alcançar aquele Perdão verdadeiro e profundo que nosso Pai pedira para os que o tinham matado. Lembrei-me da fala de Hamlet:

Guilherme Schabino Solha de Agitalança

"Oh, que ignóbil eu sou, que Escravo abjeto! Não é monstruoso que esse Ator aí, por uma Fábula, uma Paixão fingida, possa forçar a alma a sentir o que ele quer, de tal forma que seu rosto empalidece, tem lágrimas nos olhos, angústia no semblante, a voz trêmula, e toda a sua aparência ajustada ao que ele pretende? Que não faria ele se tivesse o papel e a deixa da Paixão que a mim me deram?

"Eu, Filho querido de um Pai assassinado, intimado à vingança pelo Céu e pelo Inferno, ficar desafogando minha Alma com palavras, me satisfazendo com insultos! Maldição! Oh, trabalha, meu Cérebro! Ouvi dizer que certos Criminosos, assistindo a uma Peça, foram tão tocados pelas sugestões das Cenas que imediatamente confessaram seus Crimes. Farei, então, com que esses Atores interpretem algo semelhante à morte de meu Pai: e a Peça será a Armadilha que eu usarei para explodir a consciência dos Assassinos."

Albano Cervonegro

Pois é assim: meu Circo pela Estrada. Dois Emblemas lhe servem de Estandarte: no Sertão, o Arraial do Bacamarte; na Cidade, a Favela-Consagrada. Dentro do Circo, a Vida, Onça Malhada, ao luzir, no Teatro, o pelo belo, transforma-se num Sonho — Palco e Prelo. E é ao som deste Canto, na garganta, que a cortina do Circo se levanta, para mostrar meu Povo e seu Castelo.

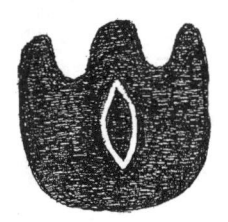

MARIA

Dom Pantero

E, com estes Versos, compostos em Martelo-Agalopado — uma estrofe criada pelos Cantadores brasileiros —, aqui se despede de Vocês, nobres Cavaleiros e belas Damas da Pedra do Reino, este que é, ao mesmo tempo, seu Soberano e seu companheiro de cavalgadas e Cavalaria,

Dom Pantero do Espírito Santo, Imperador.

SOFIA

339

Zélia Suassuna

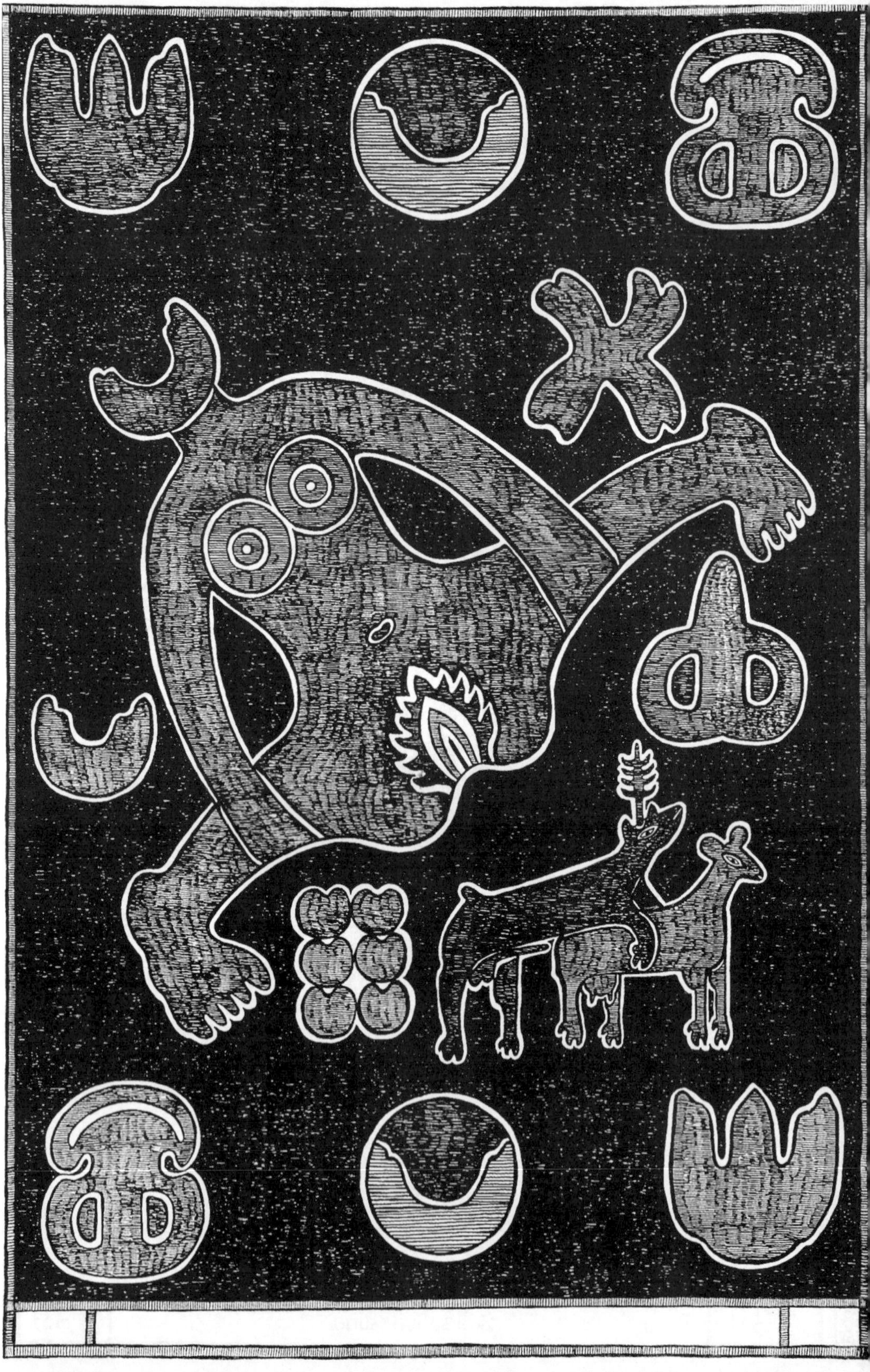

Galope

A Trupe Errante da Estrada

A Trupe Errante da Estrada
Epístola de Santo Antero Schabino, Apóstolo

Escrita por seu afilhado, sobrinho e discípulo Antero Savedra, em homenagem aos Brasileiros descendentes de Árabes, nas pessoas de Raduan Nassar, Myriam Asfora, Elias Sabbag, Carlos Nejar, João Asfora e Carlos Abath.

Dirigida aos nobres Cavaleiros e belas Damas da Pedra do Reino. E enviada, por seu intermédio, aos diversos povos do Mundo; especialmente aos da Rainha do Meio-Dia, aqui representada por Guiné-Bissau.

EPÍGRAFES

"Neste despropositado e inclassificável Livro, não é que se quebre, mas enreda-se o fio das histórias e das observações por tal modo que, bem o vejo, só com muita paciência se pode deslindar e seguir tão embaraçada Teia."

ALMEIDA GARRETT

"Não é bem um Romance-a-chave, mas clara e decididamente também o é. Certamente não é um Romance-de-aventuras, mas, com certeza absoluta, posso defini-lo como o Romance da nossa desventura. Um Romance-de-gancho, pendurado nas prateleiras das nossas livrarias como carne em açougue."

JOSÉ NEUMANNE PINTO

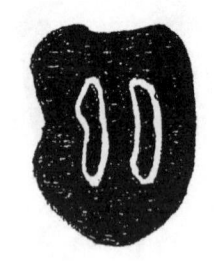

Dedicatória

Este Galope é dedicado a Manuel Dantas Vilar Suassuna e a Maria Denise, Mariana e Saulo Matos Suassuna.

Foi composto em memória de João Urbano Pessoa de Vasconcellos Suassuna e Rita de Cássia Dantas Villar.

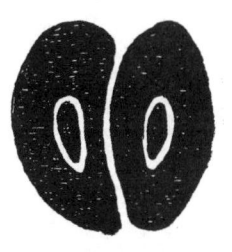

A Trupe Errante da Estrada e um Amor Desventuroso

Largo Melancólico — Presto Dramático

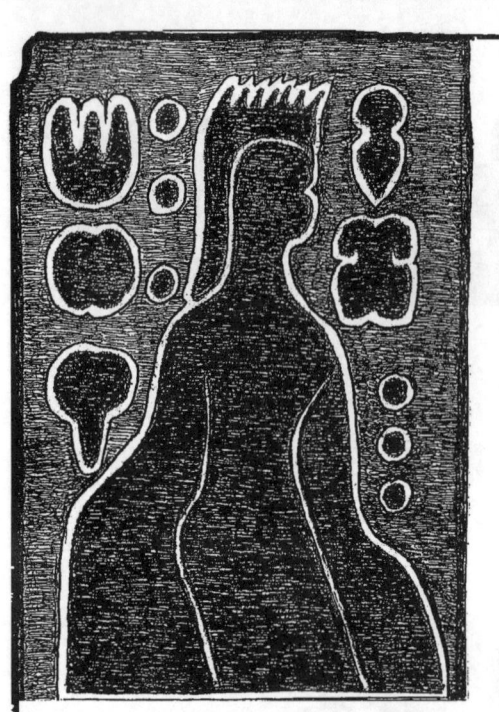

SIBILA
Moda, Turismo & Lazer
Igarassu, 17 de Março de 2014
23 de Abril de 2016

Aos nobres Cavaleiros e belas Damas da Pedra do Reino.

Amigos:

No dia 5 de Outubro de 1937, viajei, com minha Mãe, de Taperoá para o Recife, onde iria estudar no mesmo Colégio onde já estavam, como alunos-internos, meus irmãos Mauro, Afra, Altino, Auro e Adriel.

Entretanto não nos dirigimos diretamente ao Recife: fizemos uma parada no Engenho Chabino, em Igarassu, onde moravam meus Tios e Padrinhos Antero e Maria Francisca Schabino de Savedra. Deixando de lado alguns raros contatos que tivera com ele em 1930, posso dizer então que só naquele dia comecei a conhecer verdadeiramente o Mestre que iria desempenhar papel tão importante na formação de todos nós (pois ele era Professor naquele mesmo Colégio para onde eu ia).

Chegamos ao Engenho aí pelas 5 horas da tarde e foi com grande emoção que vi a Casa, de onde, em 1791, partira meu Bisavô Raymundo Francisco das Chagas Schabino de Savedra Jaúna para morar no Sertão da Paraíba (o que fez rompendo com a Família e jurando ali nunca mais pôr os pés).

Aliás, a Viagem já começara tensa e emocionada em Taperoá e assim permanecera durante toda a Estrada: porque nos dias que se seguiram ao assassinato de meu Pai, seu amigo Francisco Gouveia Nóbrega nos trouxera uma cópia fotostática da Carta que ele nos escrevera (o original ficara guardado nos arquivos da Polícia). Trouxera, também, as vestes ensanguentadas que meu Pai usava no momento de ser assassinado.

Minha Mãe guardara religiosamente aqueles objetos sagrados; mas agora, por sugestão de Tio Antero, ia deixá-los embaixo de um Monumento com que os dois pretendiam reiniciar a restauração da Casa recifense dos Savedras, profundamente atingida e danificada em 1930.

Minha Mãe, então, mandara fazer uma espécie de Urna onde guardara a roupa e a Carta; e fizera toda a viagem abraçada a ela, que, no dia 5, foi provisoriamente colocada junto ao Santuário do quarto de dormir que seria o nosso durante nossa estada. E Vocês bem podem imaginar como eu me sentia ao participar de tudo isso; principalmente desde nossa chegada ao Engenho: primeiro ao notar que a Casa, como a nossa, de Taperoá, tinha uma Torre ao lado, se bem que fosse quadrangular e não arredondada como a sertaneja; e depois ao ver minha amada Mãe e minha não menos amada Tia abraçadas e chorando convulsivamente diante da Urna que continha as últimas lembranças daquele que era o ídolo das duas.

No dia seguinte, 6 de Outubro, completavam-se 7 anos da morte de meu Tio João Sotero, e fomos fazer uma visita ao túmulo dele, no Cemitério de Igarassu.

Cumprido esse dever de piedade familiar (que também nos emocionou a todos), meu Tio resolveu dar uma volta pela parte mais antiga da Cidade — e penso que veio daí a paixão que ainda hoje me liga a ela.

Na medida em que caminhávamos, Tio Antero explicava o que víamos, às vezes pronunciando nomes de Escritores, para mim desconhecidos naquele tempo. Levou-nos, primeiro, para o conjunto de Convento-e-Igreja de Santo Antônio, onde, logo de começo, chamou nossa atenção para os quadros pintados sobre madeira, no forro da entrada da Igreja. Lembro-me de ter sido profundamente tocado pela Insígnia franciscana, "*quase surrealista*", como disse meu Tio, ao mostrar os dois braços — o do Cristo e o de São Francisco — assim como as 5 chagas do Estigmatizado de Assis: lembrei-me eu, imediatamente, de que "*Cinco Chagas*" era o nome do Navio roubado aos Espanhóis por "*Don Pedro Sangre*", Personagem, como "*Scaramouche*", criado por Rafael Sabatini.

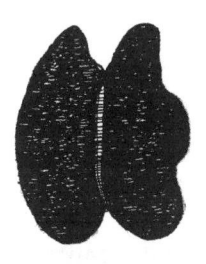

E lembro-me ainda da forte impressão a mim causada por um Quadro que representava um Santo franciscano cavalgando e açoitando um Demônio.

Depois, na Sacristia e na própria Nave, foi o encontro dos Azulejos, entre os quais meu Tio nos disse que "*preferia os abstratos*" (explicando-nos logo, também, o que isto significava). Vimos Lavabos e Golfinhos de pedra, assim como Quadros e Painéis — como um que estava implantado no forro e mostrava um Anjo tocando "*uma Viola ibérica de 10 cordas*", igual àquela que, em Taperoá, eu vira pela primeira vez nas mãos de Antônio Marinho, ao improvisar seus Versos e cantar seu Folheto.

Mas o encanto maior foi, mesmo, o da Pinacoteca; principalmente por causa dos Painéis que, também pintados sobre madeira, representavam a paixão do Cristo, com os perseguidores do Filho do Homem "*figurados numa linha parecida com a de Bosch e Brueghel*". Segundo Tio Antero, tinham sido feitos, no século XVI, por Gilvânio Simaco, amigo e companheiro de arte do nosso antepassado Alexandre Schabino; o Pintor representara-se a si próprio na figura de um homem barbado e de óculos, perdido entre os que assistiam à cena e, como os demais, olhando, impassível, o Cristo ser flagelado por seus Carrascos.

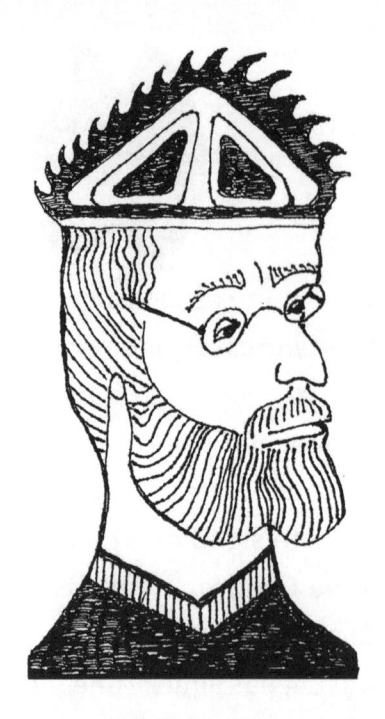

Gilvânio Simaco pintara também um outro Quadro que me impressionou muito — o retrato de um Frade sendo estrangulado pelo Demônio. E, muitos anos depois — após minha primeira Aula-Espetaculosa, a de Patos —, tudo isso seria filmado por Walter Carvalho, num Vídeo no qual apareciam Maria Paula Costa Rêgo, Pedro Salustiano e Gilson Santana dançando o Toré, de Antonio Madureira, no curso de outra de minhas "*Saídas quixotescas*" pelas Estradas e descaminhos do Mundo — a que me levou à aula de Arcoverde, em Pernambuco.

✵

Havia ainda retratos de Santos e Prelados, que, segundo informação do nosso Tio, eram de autoria de um outro amigo de nosso antepassado Alexandre Schabino — Francisco de Almeida.

E então, aos poucos, devagar, na medida em que decorriam os anos, o casario antigo, os conventos, as igrejas, os jardins, o povo e os espetáculos populares de Igarassu, Taperoá e São José do Belmonte foram sendo recriados por minha imaginação e dando origem a uma Cidade mítica, à qual me ligava uma verdadeira encantação, semelhante àquela que existia entre Péguy e Chartres, entre Proust e Combray (ou, melhor, Balbec): principalmente com esta última, porque, no caso, não era de uma Cidade real e cotidiana que se tratava, e sim de outra, forjada por meu sonho a partir do que havia de mais belo naquelas 3 Cidades reais — uma fusão, portanto, de real e sonho, de *"matéria e memória"*, como diria o Mestre-filósofo de Proust, Bergson (que, para o grande Escritor francês, fora o mesmo que Sócrates para Platão, ou Althotas para José Bálsamo, Conde de Cagliostro).

Símaco refletido pelo Espelho

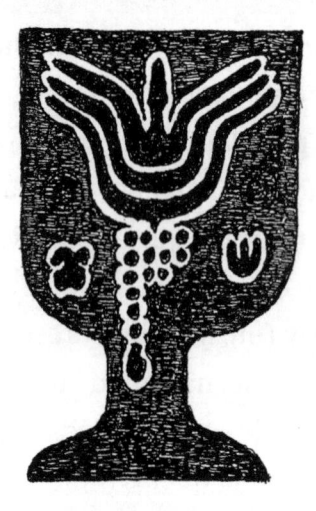

Para exercer suas funções de Professor, Tio Antero ia diariamente ao Recife num Carro. Eu e minha Mãe tínhamos viajado de Taperoá a Igarassu num Carro alugado, no qual ela deveria voltar no dia 10; o que levara meus Tios a hospedar também seu Motorista e proprietário, Seu Herotides, num dos vários e enormes quartos do Engenho Chabino.

No dia 9, partimos para o Recife, eu e minha Mãe no Carro alugado, meu Tio no dele. Mas, ao chegarmos à Praça da Casa Forte, Tio Antero mandou que parássemos para esperá-lo; e foi ao Colégio, para trazer Altino, Afra, Auro e Adriel a fim de que eles participassem da "*cerimônia celebrativa e sagratória*" do reencontro com aquela Casa que, "*depois de devidamente restaurada*", viria a abrigar todos nós (pois ele e sua Mulher deveriam nela morar conosco). Dizia que, só com a restauração, a Casa recifense dos Savedras se transformaria numa fusão da Casa do Paquequer, de Dom Antônio de Mariz, com a d'As Oiticicas, do Capitão-Mor Gonçalo Pires Campelo; e, mais, com a d'O Saco da Onça, a da Acauhan e a da Carnaúba, de Raymundo Jaúna, a do Engenho Chabino, e finalmente com a Casa-urbana, recifense e "*aristocrática*", descrita por Carlos Dias Fernandes em A Renegada:

Carlos Dias Fernandes Schabino

"Ficava na Estação d'Os Aflitos e era uma grande Casa com alpendres laterais, edificada dentro de um Parque.

"Nela entramos num mês de Março. As Roseiras estavam abotoadas, alimentando nas sépalas embutidas aquelas opulentas rosas de Maio, que se ofertam como caçoulas de aroma aos pés sacrossantos de Maria. Apenas floresciam os Rosedás, em ramos seivosos, e os Jasmins-do-Cabo, que se espargiam na grama, como Estrelas alvas.

"Do fundo do enorme Parque, no quintal da Casa, vinha um cheiro doce de Jacas maduras nas lentas camadas do ar fino; e as Mangas douradas, por entre a espessa folhagem, mesclavam a tudo um intenso perfume de terebintina.

"Havia, no Jardim, uma Peluse em forma de losango; em seu centro, um Repuxo, que era uma grande Águia de pedra, tendo ao bico uma Serpente, presa também por suas garras: a água esguichava-lhe da boca entreaberta, caindo em chuvisco no Tanque circular onde Peixes rosados nadavam.

"Uma Grade de ferro verde-musgo delimitava o terreno e, alinhados por ela, erguiam-se, nos flancos deste, dois Palanques em forma de Torre. Sobre eles, se debruçavam as ramagens finas e longas de um Bambual, emprestando a esses recantos um doce recolhimento."

Meu Tio não demorou muito a voltar, trazendo meus irmãos que, abraçando e beijando nossa Mãe, novamente a fizeram chorar. E sua emoção foi maior ainda quando, perto da Praça, entramos por uma Rua à direita e ela se viu diante daquela Casa que, de várias maneiras, revelava a paixão que a ligava ao Cavaleiro (e lembrava os gestos de carinho dele para com sua Mulher).

A Casa pertencera ao Visconde de Savedra, no século XIX. Mas fora vendida em 1870, passando para a mão de estranhos.

Então meu Pai, lembrado de que minha Mãe pertencia ao ramo igarassuano e recifense dos Savedras (o mesmo do Visconde), resolvera comprá-la para ser a residência do jovem casal formado por eles, quando, por acaso, tivessem que ficar no Recife.

Ao chegarmos à sua frente, demoramos um pouco na calçada, à qual faltavam alguns dos grandes tijolos que eram os dela, desde 1870. O Portão estava fechado por uma corrente com cadeado; e, na grade de ferro que rematava o Muro, o esmalte azul, envelhecido e descascado, deixava à mostra, no metal castanho e ferrujoso, "*manchas que pareciam as malhas de alguma velha Serpente cega*", como observou meu Tio.

Na parte de fora das colunas do Portão encravavam-se ainda, insculpidas em pedra-calcária, as armas dos Savedras: mas em estado lamentável, pois tinham sido rachadas, a golpes de marreta, em 1930.

SOFIA

Cantavam Pássaros, entre os quais aquele que ninguém conseguia ver: era o mesmo que, ouvido pelo Cavaleiro no dia de sua morte, passara a sublinhar os momentos decisivos de nossa vida, sempre oculto e sempre, como num aviso de perigo mortal, a nos rondar pelas Estradas e descaminhos do Reino Perigoso do Ladrido.

Ouvia-se também ao longe um ladrar de Cães, enquanto minha Mãe e meu Tio olhavam tudo com uma expressão de melancolia que logo começou a nos contagiar. Ainda assim, ele falou para nós:

Antero Schabijo

As pessoas que não me entendem no Recife estranham o fato de que, no meu Livro A Onça Malhada, exista um capítulo chamado Elogio da Ruína: como se isto não fosse de esperar de um Pensador dialético como eu!

Aliás, esta é a mesma posição dos principais Filósofos que, no Brasil, refletiram sobre a Arte. Mathias Aires, por exemplo, via que, no Mundo e no Homem, a destruição, a ruína, é uma espécie de fogo que tudo reduz a cinzas. Mas via, também, que era este mesmo Fogo, era esta mesma Ruína que tornava possível uma nova Florescência, outra Ressurreição. Assim, constatava a realidade do Ser; mas percebia também a do Vir-a-Ser, momento em que revelava uma estranha atração pelo incessante passar da Ruína à Florescência, da Vida à Morte. Afirmava ele:

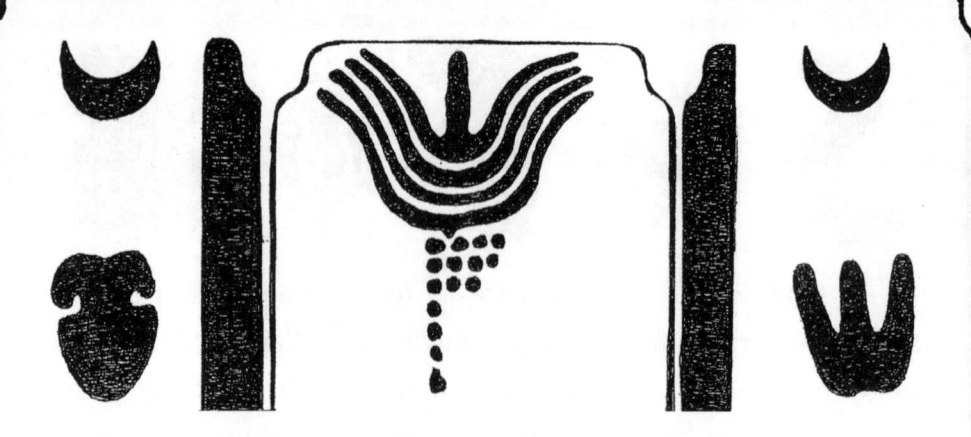

Mathias Aires Savedra

"A natureza de cada coisa também se compõe do seu defeito (isto é, do seu contrário). No Mundo, é trânsito e mudança o que nos parece permanência. De modo que, a rigor, não podemos dizer que as coisas são, e sim, apenas, que elas estão sendo (pois no momento em que as avistamos, já estão a caminho da morte, da ruína e da destruição)."

Dom Pantero

Isto significava que a Vida também se compõe de Morte, e que a Morte e a Ruína implicam na Reflorescência, na Ressurreição. Um século depois de Mathias Aires, João Ribeiro afirmaria, mostrando a permanência desta linha no pensamento brasileiro:

João Ribeiro Schabino

"Tudo, neste Mundo, é morte e ressurreição. Só há dois grandes estímulos no Universo, que são as duas crises máximas: o Amor e a Morte. O Amor explica a eternidade, e a Morte, a juventude do Universo. A Morte traça fronteiras aos Seres que já fecundaram, dá variedade ao Eterno e mantém a juventude universal."

Dom Pantero

Nós entendíamos apenas algumas partes de tudo o que nosso Tio falava; mas o que entendíamos era suficiente para acrescer e aprofundar a melancolia que de nós se apossava na solenidade daquele instante.

Franqueado o Portão, entramos no Jardim, onde havia uma Mangueira e um Cajueiro, cujos frutos apodreciam no chão, bicados por Abelhas e Maribondos. Entretanto, como a confirmar as palavras de Tio Antero — e como se a polpa dos Frutos estragados lhes servisse de adubo —, as duas Árvores estavam novamente florejando. Era como se fosse "*uma teima, um prodígio vital do Ser*", como afirmou Tio Antero: porque os troncos de ambas as Árvores estavam eriçados de Orelhas-de-Pau, sufocados pela Hera, sugados por Orquídeas, Lianas, Imbés e Trepadeiras de todos os feitios, avultando, na copa da Mangueira, as folhagens e os cipós constritores das Ervas-de-Passarinho.

Tudo aquilo nos impressionou de tal forma que, anos depois, num dos Martelos incluídos n'O Pasto Incendiado, Altino, Auro e Adriel cantavam:

Albano Cervonegro

Em Outubro, o Paudarco refloresce, no amarelo e no roxo do seu Fado. O rebanho frutal, incendiado, seu áspero perfume reverdece. O Sol violador como que tece o cerne do seu Fogo, eflorescendo, e os ácidos Cajus, se desprendendo, estragam-se no Chão, entre

zumbidos, enquanto um florejar ensandecido se alimenta da Morte, renascendo.

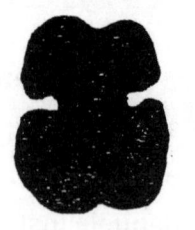

Dom Pantero

Lagartos meio adormecidos vigiavam sonolentamente o Musgo, o Mofo e as Parasitas, espichados ao Sol, por entre as Ervas e os tufos de Capim.

Mas o pormenor que mais nos tocou naquele dia era mais ligado à Arte do que a flores, ervas, frutos e bichos. Acontece que meu Pai, depois de comprar a Casa, para adornar seus muros mandara gravar a fogo, em placas de Cerâmica, alguns versos que, a seu pedido, Tio Antero compusera, na linha de suas famosas Imitações. A ideia surgira do seu Livro A Onça Malhada, no qual havia outro capítulo intitulado A Imitação como Processo Criador das Artes (como depois viríamos a ler e entender).

Ali, na Casa, a primeira de tais "*Imitações*" provinha de uns versos de Tennyson, que agora, manchados pelo Tempo e rachados a picareta pela Multidão, "*assumiam um acento ainda mais melancólico*", como nosso Tio nos fez notar. Os Versos eram os seguintes:

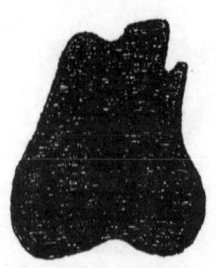

Após Muitos Verões
Imitação Brasileira de Tennyson

ARIBÁL SALDANHA

"Os Bosques apodrecem, as Matas se consomem, a Nuvem se desfaz em Chuva sobre o Solo. O Homem lavra a Terra, sob a Terra jaz; e, após muitos Verões, também o Cisne morre."

DOM PANTERO

Na medida em que caminhávamos pelo Jardim, íamos encontrando Esculturas despedaçadas. Cabeças, troncos, frisos, torsos e pedestais partidos ali permaneciam, escurecidos e manchados pelo Lodo (negro àquela altura, porque era Verão). E, no Muro principal da Casa, rachados também a golpes de marreta e alavanca, viam-se três outros textos, dos quais os dois primeiros eram também Imitações feitas por Tio Antero a partir dos Poetas românticos ingleses, tão apreciados por meu Pai:

URNA
Imitação Brasileira de Keats

ANTERO SCHABINO

"Oh bela Adolescente, de quem cuida o Silêncio, oh tu, ainda não violada, oh noiva do Repouso! Que Legenda, franjada de folhagens, te rodeia a forma de jovem Divindade? Doida perseguição! Que Homem é este, que Mocinha relutante? Que luta por fugir? Que Frautas e Pandeiros, que furor selvagem?"

OZIMÂNDIAS
Imitação Brasileira de Shelley

ANTERO SCHABINO

"Duas enormes Pernas de pedra, separadas do Corpo a que pertenceram, ainda permanecem de pé, no Deserto. Bem a seu lado, meio enterrada na Areia, jaz uma Cabeça humana que, pelo olhar altivo e desdenhoso, atesta que o Artista que a esculpiu soube representar as paixões do seu Modelo, pois elas ainda são visíveis

nos fragmentos inanimados. No Pedestal ainda se pode ler: 'Sou Ozimândias. Sou o Rei dos Reis. Por maior que seja o vosso esforço, a lembrança do que realizei há de sempre fazer-vos estremecer'.

"E nada mais. Em torno destes formidáveis destroços, estende-se apenas o Deserto de areia, despido, infindável e monótono, a perder de vista."

Dom Pantero

O Tanque no qual, antes de 1930, nossa Mãe, Maria Carlota, criava um casal de Cisnes, estava seco e abandonado, fato que merece referência especial porque representava profunda marca na vida dela e na de João Canuto. Os dois amavam-se apaixonadamente e com frequência rezavam a Deus para que a Morte os levasse juntos. Então, um dia, em Novembro de 1926, estando eles na casa do Recife, meu Pai começara a construir o Tanque, dizendo que nele pretendia criar Peixes.

Em Janeiro do ano seguinte, a construção estava pronta. E, a 19 de Fevereiro, ele mandou a Mulher para o Engenho Chabino, dizendo que assim fazia para lhe evitar o incômodo da Obra em seus ajustes finais.

No dia 21, data do aniversário de minha Mãe, meu Pai foi buscá-la, para que os dois a celebrassem juntos, no Recife.

Quando chegaram a Casa Forte, ela encontrou o casal de Cisnes já nadando no pequeno lago.

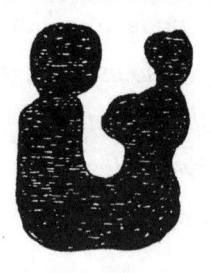

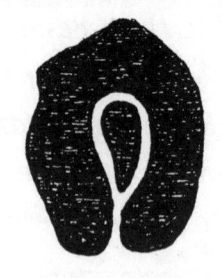

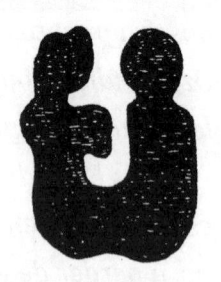

Antero Schabino

Da parte de Canuto, era um gesto cuja delicadeza, além dos dois, somente eu, irmão de Carlota, podia apreciar devidamente, como expliquei a meus Sobrinhos na frente dela, sem me lembrar de quanto ia tocá-la com minhas palavras, avivando suas pungentes recordações.

Canuto gostava muito do Soneto no qual Camões fala na morte dos Cisnes e no Mito que se configurou em torno dela: quando eles a sentem aproximar-se, recolhem-se à beira do Mar, dos Rios ou dos Lagos, escondem-se e desferem aí o belo Canto-de--Despedida, que Saint-Saëns e Villa-Lobos celebrizaram na Música e Pavlova, na Dança.

Gostava muito, também, de outro Soneto no qual o Poeta brasileiro Júlio Salusse escolhera os Cisnes como símbolo do Amor fiel e duradouro. Quando noivo, muitas vezes lera estes dois Sonetos para Maria Carlota. Ela, no de Camões, gostava mais dos Quartetos, e, no de Salusse, dos Tercetos.

Naquele ano de 1927, João Canuto, num gesto de extremo carinho — e aludindo à prece que ele e a Mulher faziam para morrerem juntos —, pedira-me que, noutra Imitação, fundisse os Quartetos de um com os Tercetos do outro. Mandara gravar o Soneto resultante num Painel de cerâmica e encravara-o no muro do Jardim, em frente ao tanque dos Cisnes: era o presente de aniversário que preparara para sua Mulher.

Dom Pantero

Entretanto, no dia 9 de Outubro de 1937, assassinado o dono da Casa, o Tanque estava seco, sujo e deserto, enegrecido embaixo por uma camada de Lama ressecada pelo Sol.

O próprio Painel de cerâmica fora também destruído em 1930; e de maneira mais radical: ali nem sequer fragmentos rachados do Poema restavam mais. Ficara somente a depressão de alvenaria rebentada no trecho do Muro que antes o abrigara.

Mas, "*Autor*" dos versos, como se considerava, Tio Antero sabia de cor o Soneto resultante da fusão, de modo que enquanto, ao acaso, errava conosco pelo Jardim, ia repetindo:

Os Cisnes
Imitação Brasileira de Luís de Camões e Júlio Salusse

Antero Schabino

"*Nós, dois Cisnes, sentindo aproximada a hora que põe termo à nossa vida, harmonia maior, com voz sentida, levantemos na Praia inabitada.*

"*Juntos, vivemos vida prolongada: juntos, cantemos, dela, a despedida. E, mesmo na tristeza da partida, celebremos o fim desta Jornada.*

"*Mas talvez um de nós morra primeiro. Se assim vier o instante derradeiro, no Lago — que talvez o sangue tisne —, que o Cisne vivo, cheio de saudade, nunca mais cante nem sozinho nade, nem nade nunca ao lado de outro Cisne.*"

Dom Pantero

O primeiro Terceto iria se revelar como profético, pois 3 anos depois o Cavaleiro seria assassinado a tiros e seu sangue iria tisnar e marcar para sempre as águas do Riacho do Elo.

Foi ali, então, junto ao Tanque destruído, que Tio Antero nos falou pela primeira vez de um projeto que iria dar rumo a nossas vidas.

Primeiro, disse que ele e sua irmã, nossa Mãe, iriam restaurar aquela Casa recifense destruída; e que, feita a restauração, ele e nós nos mudaríamos para ela. Ele e Tia Francisca deixariam Igarassu e nós Taperoá (pois minha Mãe queria que abandonássemos "*o ambiente carregado de ódios e vinganças do Sertão da Paraíba*").

Apesar desses cuidados, Tio Antero, cuja personalidade era muito diferente da de minha Mãe — como logo depois, no Colégio, iríamos perceber —, não teve muita cautela no modo como nos falou do projeto. Disse que a restauração da Casa deveria ser "*uma espécie de ritual piedoso*", empreendido como vingança e reparação "*à sagrada memória*" de nosso Pai assassinado.

Mas, ao mesmo tempo em que, "*como um Castelo*", se reerguesse e restaurasse a Casa, ele, no Colégio, na qualidade de nosso Professor, iria nos preparar para a outra etapa do projeto: aqueles de nós que "*revelassem algum talento para a Literatura e as outras Artes*" seriam por ele convocados para trabalhar numa Obra que, se fosse levada a cabo, seria a mais importante de sua vida. Ele já publicara A Onça Malhada; o novo Livro, A Divina Viagem, baseado no primeiro (mas composto como Romance), seria resultante de *"uma reescrita literária"* daquele. Mais ainda: seria como um trabalho paralelo ao da reconstrução da Casa, as duas Obras representando, uma do ponto de vista arquitetônico, outra do literário e artístico, uma homenagem a nosso Pai, João Canuto, e ao irmão de nossa Mãe, João Sotero, *"ambos assassinados ao mesmo tempo em que a Casa era destruída"*.

E aí, para desespero de nossa Mãe (que tinha horror a qualquer ideia de vingança e jamais tocava naquele assunto), relembrou a morte do nosso Pai com todos os pormenores. Mostrou-nos um velho recorte do Jornal A Unidade, amarelecido pelo tempo e no qual, pela primeira vez, vimos o corpo do Cavaleiro, morto, estendido, às margens do Riacho do Elo. Revelou o que minha Mãe até ali escondera cuidadosamente de nós: que os Assassinos ainda estavam vivos. Dizia a cada instante:

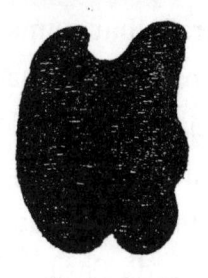

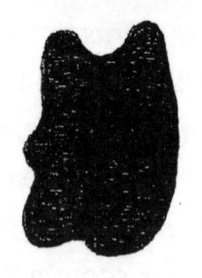

Aribál Saldanha

"Nós, Schabinos de Savedra, não somos edipianos e labdácidas; somos átridas e orestíadas, e é como eles que temos de nos portar."

Dom Pantero

Repetiu a frase pronunciada por um adversário nosso — Homem que, apesar de pertencer *"ao outro lado"*, era sincero, valente e probo:

Alcides Carneiro

"Não culpo o Assassino por tê-lo matado pelas costas: matar Canuto de frente não era empresa para covarde."

Dom Pantero

Depois acendeu 12 Círios, que cravou no chão, cercando com eles o lugar que mandara cavar na véspera, para ali enterrar a Urna que minha Mãe levara. Distribuiu-nos folhas de papel que continham textos, como se faz nos ensaios de Teatro.

Feito isto, mandou que Altino, eu, Auro e Adriel, no texto que nos dera, lêssemos as frases de Orestes, e Afra as de Electra, o que devíamos fazer porque esses dois Personagens, irmãos, também eram, como nós, *"filhos de um Rei assassinado"*.

O texto que recitamos era assim:

Orestes
Imitação Brasileira de Ésquilo e Eurípedes

Altino Sotero

"Ay, ay, ay, três vezes ay! Oh terra de nossos antepassados, oh Deuses da nossa Pátria, dai-nos acolhida em nosso áspero Caminho!

Afra Cantapedra

"Acolhe-nos também, oh casa de meu Pai! Acolhe-nos, porque haveremos de lavar tuas manchas, de ungir e curar tuas chagas — nós, Justiceiros suscitados pelos Deuses!

Auro Schabino

"Oh Terra, oh Casa! Oh deus das Estradas, que estás me impelindo à vingança! Aonde me conduzes, a que Casa perseguida pela Morte?

Adriel Soares

"Casa que clama por vingança, se não quiserem seus donos ser cúmplices de males inumeráveis: assassinatos de Parentes ilustres, gargantas cortadas, dorsos transfixados por Balas, corpos caídos num chão embebido pelo sangue!

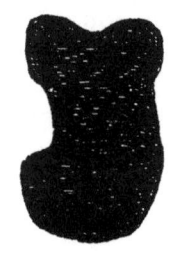

ANTERO SAVEDRA

"É, por desgraça, um Sinal, uma Teia criada pelo Inferno? A Discórdia crescia sobre a Cidade, e, tornada ainda mais escura pelo sangue de outro Assassinado ilustre, exigia, em sua cólera, dura vingança e cruentas represálias! Agora que sabemos que os Assassinos estão vivos, devemos buscar, para eles, a paga devida, o justo castigo por seu Crime infame?

AFRA CANTAPEDRA

"Ou antes, mandando celebrar Missas em silêncio, derramando lágrimas que mitiguem a sede desta dura Terra, devemos somente velar, chorando, esta Urna sagrada onde estão as últimas lembranças de meu Pai, iluminadas pelas chamas de 12 Círios acesos? Ah, meu Pai, que dizer, vertendo sobre tal Urna o óleo sagrado de uma extrema-unção formada por nossas lágrimas?

ALTINO SOTERO

"Como em teu Túmulo sertanejo, aí dorme o Pó em que te transformaste, ao ser teu corpo queimado pela Cal e pelo Fogo! Mas eu gritarei contra o Crime até que a ressurreição da carne seja não mais uma longínqua expectativa, mas sim uma realidade gloriosa, banhada, mas não inteiramente sufocada, pelas águas lustrais da Morte!

Adriel Soares

"Ay de mim! Oh minha terra, que dor insuportável me queima as entranhas e me traspassa o Coração! Divindades cruéis, fados inelutáveis, destituíram-nos das honras que os nossos Maiores duramente haviam conquistado! Arruinaram a Casa e quebraram as Armas dos nossos Antepassados!

Auro Schabino

"Oh Rei, como te lamentar? De dentro do nosso peito, das profundezas de nossos corações dilacerados, que podemos ainda dizer depois de ver o Retrato de teu corpo caído, envolto na Teia forjada pela trama maldita — a ti, de olhos fechados para sempre?

Afra Cantapedra

"Ouve-me, oh Noite, Madre minha! Na armadilha fatal, a Fera odiosa — Serpente de 7 cabeças — enreda em suas malhas o Ginete de pelagem rara!

AURO SCHABINO

"Ela ataca, ferindo pelas costas, e ele tomba! Que o Rebanho cruel, sedento do sangue da nossa Raça, saúde com um feio grito de triunfo o sacrílego, o inominável ritual de sacrifício que ofereceram a Deuses infames!

ADRIEL SOARES

"Quem são estas Mulheres que agora nos aparecem, vestidas de negro e enlaçadas por Serpentes?

ANTERO SAVEDRA

"Nós, nascidos para outra sorte, sofrermos tamanha perda, tamanha humilhação? Nós, com nossa Alma antiga, vermos, além de nosso Pai morto, nosso País aviltado, com os traidores querendo conformá-lo de acordo com uma imagem vulgar e feia, estranha a nós e a ele?

AFRA CANTAPEDRA

"Ah, meu Pai, ah meu Rei infortunado! Que dizer, que falar, que fazer, para atingir, tão longe, o lugar em que estás, com uma lembrança de carinho? Aqui, agora, Luz e Trevas se equivalem, e a lamentação que se endereça aos Mortos é somente um fogo impotente que nos abrasa as entranhas!

AURO SCHABINO

"Ah, meu Pai, por que a morte assim como foi, picado teu dorso por trás, pela Serpente? Por que não morreste em combate, como sonhavas? Ou então, com o peito transfixado por um Punhal, por que não morreste às mãos de um Inimigo, irreconciliável mas valente e leal, que te ferisse pela frente?

ADRIEL SOARES

"Aí, meu Pai, com teu Cetro venerado pelos Mortais, terias legado aos teus, além do Nome glorioso, um Túmulo de pedras consagradas, que nos daria, com o pranto, o alívio do consolo!

Altino Sotero

"Ouve então, oh Rei, estes lamentos desesperados! Teus Filhos esboçam aqui, junto à Urna que contém tuas lembranças, o único gesto de Amor que ainda lhes é possível neste Mundo! E é como se fosse teu Túmulo que nos acolhesse, suplicantes e exilados sobre a Terra, para sempre marcada por teu sangue e por teus passos! Ay, ay, ay, três vezes ay!"

Dom Pantero

Naquela tarde de 9 de Outubro de 1937, nobres Cavaleiros e belas Damas da Pedra do Reino, depois de recitado esse texto, meu Tio cuidadosamente desceu a Urna para o Chão cavado do Jardim. Minha Mãe, ele e nós, começamos a cobri-la com terra — tarefa que Laércio, um vizinho, concluiu. E saímos pelo Portão, que só iríamos transpor de novo com a Casa já restaurada, em 9 de Outubro de 1942, quando nos mudamos todos para ela.

Mas ninguém pense que, naquele ano, a Casa já mostrasse o aspecto que tem hoje. As paredes, tanto internas quanto externas, tinham ficado nuas, desguarnecidas de qualquer adorno. A única coisa que realmente mudara é que minha Mãe e meu Tio, pensando no futuro, tinham mandado derrubar as Fruteiras do quintal — as Mangueiras, o Cajueiro, o pé de Jabuticaba, o de Azeitona, o de Sapoti, a Jaqueira etc. —, aproveitando o terreno assim ganho à vegetação para erguer as 3 outras Casas que até hoje lá se conservam (além da primeira e maior, que pertencera ao Visconde).

Na verdade, somente 5 dos 7 irmãos que éramos ficamos morando no conjunto que eu, depois, batizaria com o nome de *Ilumiara A Coroada*: Gabriel, o mais moço de todos, ficara na *Fazenda Carnaúba*, desmembrada do *Saco da Onça*, que fora invadido em 1930 e passara a outras mãos; e o mais velho, Mauro, passara a morar numa outra Casa que comprara, situada perto, mas separada do conjunto. De modo que, depois de adultos, a distribuição de nossa Família pelas Casas ficou assim: na primeira, a primitiva, ficamos minha Mãe, Tia Francisca, Tio Antero e eu (por ser Afilhado dele); na segunda, Afra e Altino; na terceira, Auro; e na quarta, Adriel e Eliza.

Pode-se dizer, assim, que a transformação da nossa Casa em Ilumiara e Castelo só começou por obra minha, de Eliza e de seus filhos, Guilherme, Manuel e Alexandre Savedra Jaúna, implantando nós ali, no chão e nas paredes, muitas e muitas Obras-de-Arte, entre as quais a Escultura feita por Arnaldo Barbosa que representa a *Utopia* (isto é, a *Sabedoria*, prefiguração d'A *Misericordiosa*) e que está sobre o chão onde se encontra a Urna com as vestes ensanguentadas de meu Pai.

Foi então na sua Casa, ainda não marcada pela presença das Obras-de-Arte que agora a caracterizam, que, no dia 15 de Agosto de 1976, meu irmão Adriel recebeu um recado do Padre Matias

Falacho Daro: pedia-lhe este que fosse encontrá-lo na Favela Ilha de Deus, onde orientava um grupo de jovens viciados em drogas. O Padre — um Negro bastante mais moço do que nós — precisava tomar uma providência urgente em favor de um dos rapazes viciados e pedia, para isso, a ajuda imediata de Adriel.

Saindo do bairro da Casa Forte, Adriel chegou à Favela que, por causa de seu nome, chamávamos carinhosamente de Favela-Consagrada. Lá, deixou o carro às margens do grande Alagado, viveiro de Mariscos e base principal de sustento da população ilhoa. A pé, meu irmão cruzou a velha e estreita Ponte de madeira que naquele tempo ligava a Ilha ao Continente.

Quando chegou à frente da Casa onde o Padre Matias morava e mantinha seu grupo de trabalho, de dentro da sala da frente partiu um tiro que matou Adriel. Quase imediatamente, soou um segundo tiro que, no interior da Casa, matou o Padre, irmão de Joana, uma das 3 discípulas prediletas de meu irmão Auro (naquele dia preso, acusado de atividades subversivas, pelos Órgãos de Segurança do Regime Militar).

As versões que logo surgiram para explicar o crime eram muito desencontradas. Segundo a Polícia, ambos os assassinatos tinham sido cometidos pelos traficantes, inconformados com o trabalho que o Padre estava desenvolvendo na Favela. Dois deles teriam se infiltrado no grupo: um levara o recado para Adriel; o outro tinha disparado os tiros que mataram meu irmão e o Padre.

Mas os amigos e admiradores do Padre Matias rebatiam essa versão. Afirmavam que a própria Polícia armara a emboscada, na qual Adriel também fora incluído porque *"apesar de menos radical do que Auro, também apoiava o Padre e, como ele, antipatizava com o Regime"*.

Abalados pela morte do Padre, mas principalmente pela de Adriel, eu e Eliza de Andrade, mulher dele, queríamos realizar as cerimônias fúnebres na Igreja da Conceição dos Militares, na Rua Nova: primeiro porque Adriel tinha especial devoção por Nossa Senhora; depois por causa do Painel pintado sobre madeira no forro-e-tecto do Coro, o qual representava a Batalha de Guararapes, símbolo da luta que, no século XVII, impedira o Brasil de ser afastado dos caminhos da Iarandara, da Rainha do Meio-Dia da qual falara o Cristo, num de seus derradeiros Sermões proféticos.

Mas a Polícia proibiu isso *"para evitar qualquer descaracterização da cerimônia religiosa, que poderia ser transformada em manifestação política"*. Correu logo também a notícia de que *"quem fosse ao enterro sem pertencer às Famílias dos mortos se tornaria suspeito aos Órgãos de Segurança"*. E, a pretexto da necessidade de fazer-se um rigoroso exame de delito dos corpos, a Polícia encarregou-se do enterro, sendo os dois sepultados quase em segredo, no Cemitério de Paulista, cidade próxima ao Recife.

Pode-se bem imaginar em que situação fiquei naquele momento. Primeiro, cabia-me o dever de assumir Eliza e os filhos que meu irmão deixara órfãos e que logo passei a considerar meus. Depois, quem poderia garantir que eu mesmo não estaria começando a ser visado? Nos primeiros tempos do Golpe militar fôramos deixados em relativa paz porque, contrariando os grupos radicais da Esquerda, tínhamo-nos oposto à nossa aliança com os Marxistas, que usavam dois pesos e duas medidas em sua análise das relações entre os Estados Unidos, o Brasil e a União Soviética. Mas, na medida em que passava o tempo, Auro, desesperado, começou a pender para a Oposição, fosse ela qual fosse, e terminara por ser preso. Agora, para minha surpresa, chegara a vez de Adriel, que até ali nunca fora sequer considerado suspeito (pois ele e eu continuávamos a nos opor à nossa aliança com os Marxistas).

Assim, mal acabou a cerimônia do sepultamento, corri a falar com um Delegado, Arnaldo Pessanha Villoa, que fora meu colega na Faculdade de Direito. Apesar de pertencer à Família inimiga da nossa, era protegido por meu Tio Antero Schabino: por intermédio de um Deputado eleito por Igarassu, fora Tio Antero quem lhe conseguira aquele cargo de Delegado. Profundamente grato a meu Tio, Arnaldo Villoa era-lhe fiel até as últimas consequências.

Fui encontrá-lo em seu Gabinete, situado na Rua da Aurora; e lá, assim que pude, falei daquela surpresa que, além do choque e da tristeza, me deixara assombrado ante a morte de meu irmão.

Ele, pensativo, cuidadoso, escolhendo as palavras, respondeu assim:

Arnaldo Villoa

Em primeiro lugar, quero que Você me faça a justiça de não me julgar envolvido na morte de um sobrinho do meu protetor e amigo, seu tio Antero Schabino; nem eu nem os setores que trabalham sob minhas ordens na Secretaria da Segurança Pública.

Agora, para poder ajudá-lo como quero, preciso de alguns esclarecimentos sobre Você e seus irmãos. É verdade que seu Tio está rompido com Vocês?

Dom Pantero

Não. Romper, mesmo, ele só rompeu com Auro.

Arnaldo Villoa

Qual foi o motivo do rompimento?

Dom Pantero

A princípio, foi somente um problema literário. Meu Tio, enciumado, nunca perdoou a Auro a publicação de seu Romance d'A Pedra do Reino e a criação do Movimento Arraial, que ele considerou uma dissidência inútil e inferior de seu próprio Movimento Grial.

ARNALDO VILLOA
Você disse "*a princípio*"... E depois?

DOM PANTERO
O rompimento se agravou quando Auro, levando cada vez mais a sério suas preocupações religiosas, resolveu aprofundar aquilo que Tio Antero chamava "*sua demagógica afetação ascética*": Auro deixou nossa Casa e foi morar na Favela-Consagrada d'A Ilha de Deus.

ARNALDO VILLOA
Você e Adriel apoiaram seu irmão ou seu Tio?

DOM PANTERO
Na Ilha de Deus nós nos limitávamos a encenar, num Barracão — o Teatro Antônio Conselheiro —, as peças que Adriel escrevia, Afra coreografava e eu dirigia.

Quanto à briga, procuramos manter um certo equilíbrio em relação aos dois. Em busca de uma reconciliação fomos falar primeiro com Tio Antero. Mas, assim que tocamos no assunto, ele ficou furioso. Disse que nós — Auro, Adriel e eu — éramos "*3 Parricidas*": morto nosso Pai, tínhamos escolhido a figura dele próprio como "*Imagem paterna*", imagem que podíamos apunhalar sem culpa como estávamos fazendo agora — eu e Adriel menos, Auro com mais gravidade.

Por isso, Arnaldo, não entendo que Vocês tenham se voltado agora contra Adriel. Contra Auro, ainda posso admitir, se bem que deseje reafirmar, mais uma vez, que ele não é nem nunca foi Marxista.

Arnaldo Villoa

O Romance dele, a meu ver de propósito, foi escrito de maneira muito complicada. Ainda assim, tem uma frase estranha onde ele afirma: *"Meu sonho é fazer do Brasil um Império do Belo Monte de Canudos, um Reino de república-popular, com a justiça e a verdade da Esquerda e com a beleza fidalga, os cavalos, os desfiles, a grandeza, o sonho e as bandeiras da Monarquia Sertaneja."* Veja bem: *"República-popular, justiça e verdade da Esquerda."* Repúblicas-populares são atualmente as marxistas, da Cortina de Ferro!

Mas o que preciso saber agora é a que ponto Você e Adriel apoiavam Auro e o Padre Matias, na Ilha de Deus.

Dom Pantero

Como normalmente acontece nas Famílias sertanejas nós todos éramos, e somos, profundamente unidos. Mas não nos sentimos obrigados a subscrever todas as opiniões, todos os atos, uns dos outros. Por exemplo: nem eu nem Adriel nos mudamos para a Ilha de Deus!

ARNALDO VILLOA

Mas Você deve se lembrar de que Adriel escreveu um Poema chamado Soneto de Babilônia e Sertão. Sua memória é conhecida: faça o favor de recitá-lo!

DOM PANTERO

Pois não, ouça!

SONETO DE BABILÔNIA E SERTÃO
Com tema de Camões e mote de Tupan Sete

Aqui, o corvo-azul da Suspeição apodrece nas Frutas violetas; e a Febre-escusa, a Rosa-da-infecção, canta aos Tigres de verde e malhas pretas.

Lá, no pelo-de-cobre do Alazão, o Bilro-de-ouro fia a Lã vermelha. Um Pio-de-metal é o Gavião, e são mansas as Cabras e as Ovelhas.

Aqui, o Lodo mancha o Gato-pardo. A Lua esverdeada sai do Mangue e apodrece, no Medo, o Desbarato.

Lá, é Fogo e limalha a Estrela-esparsa: o sol da Morte luz no sol do Sangue,"mas cresce a Solidão e sonha a Garça".

ARNALDO VILLOA

Na sua opinião, o que é que significa este Soneto?

Dom Pantero

Você o leu no Jornal ou na *Vida-Nova Brasileira*, do Livro O *Pasto Incendiado*?

Arnaldo Villoa

No Jornal.

Dom Pantero

Se fosse no Livro saberia: no Soneto, Adriel, como Sertanejo "*exilado*" que era, falava da oposição entre a Cidade, a "*Babilônia*" onde vivia, e o Sertão, onde passara a infância. Para isso aproveitou o tema de um Salmo bíblico — tema que Camões usara numa Redondilha onde opõe "*Babilônia, o mal presente*" a "*Sião, o tempo passado*".

Arnaldo Villoa

Chamo sua atenção para um fato importante: no Soneto de seu irmão, todos os verbos estão no presente, de modo que, nele, a "*Babilônia*" é o Recife, lugar "*de podridão, perigo e sofrimento*"; e o Sertão, onde se fia sossegadamente "*a Lã vermelha*", por entre "*a mansidão das Cabras e das Ovelhas*", é uma espécie de "*Sião*", não passada mas atual, e livre de sofrimentos e perseguições.

Mas vamos, também, deixar isso para lá, porque tudo o que vou lhe dizer daqui para diante é estritamente confidencial.

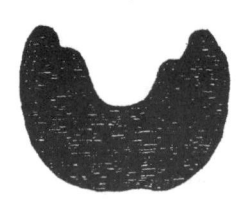

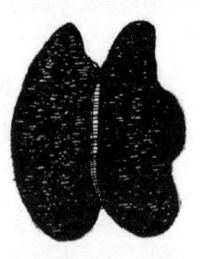

Se Você revelar qualquer coisa a respeito desta nossa conversa, colocará em perigo não só a sua vida, mas também a minha. Você sabia que fui eu que mandei prender Auro?

Dom Pantero

Não!

Arnaldo Villoa

Pois saiba agora! Fiz isso a pedido de seu Tio, para protegê-lo! E estou arrependido por não ter feito o mesmo com Adriel: se ele tivesse sido preso por mim não estaria morto, como está. E o fato que vou lhe revelar agora é o mais terrível e mais perigoso de todos, tanto para mim quanto para Você: dentro da Revolução e dos Órgãos de Segurança existe um Poder paralelo, implacável, sinistro, ultrassecreto. Às vezes esse Poder é exercido por fora até do conhecimento e da autoridade dos Generais, incluindo-se aí o Presidente da República! Para que Você possa avaliar até onde vai esse Poder, basta que lhe diga: foram seus Agentes que praticaram a maior parte dos atentados que estão ocorrendo no Brasil, com o resultado sangrento que Você conhece.

Pois bem, foi dos meios próximos a esse Poder que chegou a informação: o Soneto composto por Adriel não é tão inocente quanto Vocês querem dar a entender; aquela "*Febre-escusa*", aquela "*Rosa-da-infecção*", é a Revolução que Vocês chamam de "*Golpe *militar de 64*"; e aqueles "*Tigres de verde e malhas pretas*" são os Oficiais do Exército que a chefiam.

Mas até no que lhe diz respeito tenho que avisá-lo: seu Tio e eu sabemos que, durante os meses de Abril e Maio de 1964, Você escondeu em sua Casa um quadro importante do Comitê-Central do Partido Comunista, Hiram Pereira. E, logo nos primeiros momentos da nossa Revolução, Você aceitou um convite de Dom Hélder Câmara para dar suas Aulas na sede do Arcebispado.

De acordo com meu interesse pessoal — e também com o da Revolução da qual faço parte — Você deveria ser preso agora mesmo; e preso por mim, o que me levaria a ganhar pontos perante o "*Poder secreto*". Mas, levando em conta tudo o que devo a seu Tio e Padrinho, não vou fazer isso. Vou até mais longe, arriscando-me a lhe dar um conselho que pode deixá-lo mais resguardado. É alguma coisa que me foi sugerida pelo próprio Soneto de seu irmão. Você tem condições, agora, de passar uma temporada longe do Recife? Em Taperoá, por exemplo?

Dom Pantero

Tenho! Há tempo recebi um convite de uma pessoa que mora lá e que, seguindo o exemplo de Balduíno Lélis, fundador da Universidade Leiga do Trabalho, criou a Universidade Popular Taperoaense — Unipopt. Ele me convidou para ser, nela, Professor e Reitor (o que fez levando em conta o título de Doutor que me deram na Universidade Federal de Pernambuco).

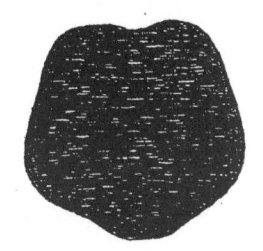

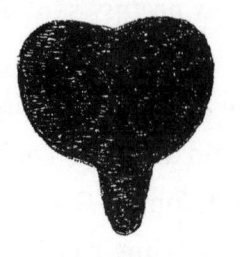

Só existe um problema: é que, de início, eu teria que tirar uma Licença-Prêmio para me afastar da Universidade, e não posso conseguir isso assim de repente!

ARNALDO VILLOA
Você conhece, na Reitoria, um homem chamado Ernâni?

DOM PANTERO
Conheço!

ARNALDO VILLOA
Ele é ligado a nós! Pertence a meu grupo e tem conhecimento de quase tudo o que estamos conversando. Vá lá, porque, a meu pedido, ele resolverá, ainda hoje, todos os problemas a respeito de sua documentação.

Neste momento quero, mais uma vez, assegurar a Você que meu Pai não teve nenhuma participação no assassinato do seu; Aristides, sim, meu Pai não. Muitas vezes eu ouvi, dele, afirmações em tal sentido, num tom que tinha alguma coisa de "Confissão sagrada".

Se puder, viaje amanhã mesmo. E agora, sem levar em conta as nossas divergências políticas e nossas velhas brigas de família, me dê um abraço e vá-se embora. Se puder, também, evite passar por Campina Grande, onde os Órgãos de Segurança são mais atentos e bem organizados: seu nome e seu retrato já podem estar por lá, entre os Suspeitos!

Como se vê, esta foi uma Saída que não planejara e que fui forçado a empreender levando em conta o terrível golpe que acabara de sofrer. Segui o conselho de Arnaldo Villoa e fui para a Reitoria, onde Ernâni realmente resolveu todo o problema burocrático que me prendia à Universidade.

Depois, em casa, teria a oportunidade de, mais uma vez, admirar a fortaleza que era minha Mãe. Viúva aos 34 anos, cobrira a alma e o corpo de um luto que nunca deixaria de usar até sua morte, em 26 de Abril de 1990. Depois, vira Mauro — seu filho predileto — matar-se daquela maneira terrível. E agora via Adriel morrer, como o Cavaleiro, enredado nas teias amaldiçoadas do ódio político. Mantinha-se forte e, quando cheguei em casa, ela estava confortando Eliza pela perda de Adriel.

Beijei as duas e combinei com Eliza: eu iria para Taperoá na frente, e depois, caso o convite que Quaderna me fizera desse certo, mandaria buscá-la, com os filhos. E parti no dia seguinte, em meu Carro, ao qual, sem querer, de maneira quase inconsciente, forçava uma velocidade bastante superior à habitual. Meu medo maior era que algum posto da Polícia Rodoviária Federal me mandasse parar para uma inspeção de rotina e descobrisse meu nome entre os dos "*Procurados*".

Mas passei incólume pelo primeiro, o de Abreu e Lima. E ao chegar às proximidades de Goiana, resolvi de repente abandonar a Estrada principal, provavelmente mais vigiada, tomando a que segue por Itambé e Juripiranga.

Ideia semelhante tive ao chegar a Itabaiana: ao invés de seguir a Estrada que me levaria de volta à principal, dobrei à esquerda, pelo caminho mais estreito, porém mais deserto, de Mogeiro e Ingá.

A chegar ao local do desvio que leva à famosa Itaquatiara, parei; estava indeciso entre continuar logo a Viagem, como a prudência me recomendava, e me deter um pouco para "*pegar*" a energia daquela Pedra sagrada, tão parecida com a do Altar-central da Ilumiara Jaúna, e que, para mim, era e fora sempre uma espécie de "*Pedra da Roseta*", a guardar, em seus misteriosos hieróglifos, "*o segredo do Mundo*".

Olhei em torno, e o sossego do lugar me devolveu um pouco da tranquilidade de que necessitava: não era possível que aquele terrível "*Poder secreto*" do qual falara Arnaldo Villoa tivesse tomado conhecimento até do culto que nós, filhos de meu Pai, prestávamos àquelas Pedras, mandando então seus Agentes para me espreitar naquela congênere menor da Ilumiara Jaúna que era a Itaquatiara do Ingá.

Aí, liguei de novo o motor do Carro e segui pelo desvio que leva à Pedra. Mas ao chegar a suas proximidades tive um sobressalto: ao contrário do que esperava, 3 Caminhões estavam estacionados ali, e uma porção de gente, espalhada por todo canto, examinava curiosamente o grande Monólito insculpido e deitado da Itaquatiara.

Meu medo só não foi maior porque um dos Caminhões tinha, sobre a Cabine, uma espécie de Flâmula na qual estava escrito Trupe do Cavalo Castanho. E bastou um primeiro olhar sobre aquelas pessoas para sossegar-me: estava entre minha querida e estranha "*tribo de Teatro*". Pensei, como André Luiz Moreau, em Scaramouche:

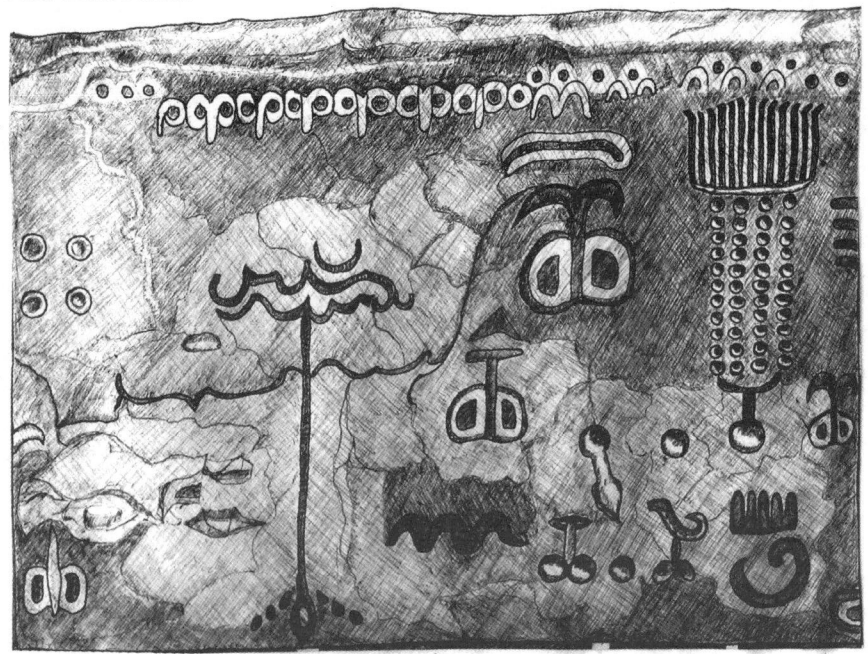

Antero Rafael Sabatini Savedra

"Eram gente esquisita mas simpática. Estavam todos alegres, despreocupados, sem se importar com os apuros e tribulações de sua vida nômade. Eram singularmente artificiais, mas de uma artificialidade amável, teatrais na maneira de fazer as coisas mais simples, exagerados nos gestos, afetados no falar. Pareciam pertencer a um mundo à parte, mundo de irrealidades que somente se tornava real à luz da Ribalta, no tablado do Palco."

Dom Pantero

Aproximei-me do grupo e falei: *"Desculpem a inconveniência, mas sou também de Teatro e queria saber quem são Vocês e de onde vem a Companhia."*

Destacando-se dos outros, apareceram 2 homens que, pelos modos, pareciam ser os dirigentes da Trupe. E o que parecia mais velho e mais importante falou:

Dom Pancrácio Cavalcanti
Somos do Rio Grande do Norte e estamos batalhando pelo Teatro há bastante tempo — eu e meu irmão Porfírio, que é este aqui e que, comigo, dirige a Trupe do Cavalo Castanho! Fazemos Teatro ambulante; mas ultimamente os tempos andam ruins e estamos pensando em dissolver a Companhia, vender os Caminhões e estabelecer-nos, como Comerciantes, em Campina Grande. E o senhor, quem é?

Dom Pantero
Sou daqui mesmo, da Paraíba, e chamo-me Aribo Sallemas. (*Eu resolvera adotar este nome, que tinha as mesmas iniciais de Antero Savedra, porque meus lenços e minhas camisas tinham o monograma A S, bordado por minha irmã Afra.*)

Dom Porfírio de Albuquerque

Estamos espantados com esta Pedra, é a primeira vez que estamos vindo aqui. O senhor sabe nos dizer alguma coisa sobre ela?

Dom Pantero

Pouca coisa! Mas quanto à admiração de Vocês não me espanto. Sempre que venho aqui, fico possuído de uma sensação de respeito quase religioso. Porque, na minha opinião, esta Pedra é uma espécie de Altar, de Ara, esculpida em baixo-relevo, há milhares de anos, pelos antepassados dos povos Cariris, que habitaram o Sertão alto da Paraíba — terras que, por causa deles, ainda hoje são chamadas de Sertão dos Cariris Velhos da Paraíba do Norte.

Mas me digam uma coisa: pelo que entendi, Vocês estão querendo acabar a Trupe apenas por dificuldades financeiras, não é isso?

João Sotero Veiga: Livro Negro do Cotidiano

Dom Pancrácio Cavalcanti
É isso mesmo!

Dom Pantero
Então, tenho uma proposta a fazer a Vocês. Estou viajando para Taperoá, onde vou assumir o cargo de Reitor da Universidade Popular Taperoaense. Lá, pretendo fundar um Departamento de Teatro, e uma Companhia experiente como a de Vocês pode muito bem nos servir de base para a dinamização dele. Vocês dois podem ser nomeados Professores-titulares, por exemplo, de Teoria do Teatro e História do Teatro; os outros, como depois resolveremos, poderão ser Assistentes das diversas Cadeiras — Caracterização, Cenografia, Expressão Corporal, Dicção etc.

Agora, não é necessário que Vocês assumam imediatamente compromisso nenhum comigo: viajaremos juntos; e se, depois, chegarem à conclusão de que a proposta não convém ao Grupo, voltam para Campina Grande, vendem os Caminhões e se estabelecem, lá, como Comerciantes.

Dom Porfírio de Albuquerque
A proposta é generosa, e, noutras condições, nós a aceitaríamos na hora! Mas nossas necessidades são urgentes, já estamos com pouco dinheiro e nossa decisão tem que ser tomada já, porque

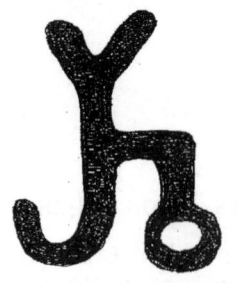

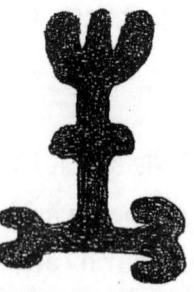

Campina tem condições melhores de mercado, tanto para vender os Caminhões quanto para abrir nossa Loja!

Dom Pantero

Acho que tenho, também, uma solução para este problema: trouxe comigo o texto manuscrito de uma Peça que encenei há muito tempo; é *Romeu e Julieta*, adaptada de um Folheto escrito por João Martins de Athayde. Não estava satisfeito com a primeira versão que encenei e pretendia corrigir o texto logo que chegasse a Taperoá, para encená-lo na Unipopt. Poderíamos acampar em Ingá, ensaiar a Peça e exibi-la em Campina Grande. Acho que com o Espetáculo, melhoraremos o caixa da Trupe, que assim poderá viajar comigo até Taperoá, adiando, ou talvez até acabando de vez, com essa triste resolução de fechar a *Trupe do Cavalo Castanho*.

Dom Pancrácio Cavalcanti

Acontece que um público como o de Campina Grande só iria ver *Romeu e Julieta* se fosse uma Peça "*imprópria para menores*", o que não é o caso!

Dom Pantero

Numa das encenações que fizemos antes, um Tio meu (que foi meu Professor e do qual depois falarei melhor a Vocês) acrescentou ao Folheto "*textos quentes de vários Escritores famosos*", como Aluízio Azevedo, José de Alencar e Júlio Ribeiro. Estou convencido de que, se os usarmos, o Público campinense acorrerá em massa para ver a Peça. Um de Vocês deve ir, antes de nós, a Campina, e dar entrevistas ao Jornal da Paraíba e ao Diário da Borborema. Nelas, deixará bem claro que o texto é *"pesado"* — o que, tenho certeza, atrairá o Público ao Teatro.

Dom Porfírio de Albuquerque

Mas existe o problema da Censura. Antes, com o mesmo objetivo, costumávamos avisar que só deveriam comparecer a nossos Espetáculos *"adultos de sólida formação religiosa, moral, poética e filosófica"*. Mas agora a Censura está mais rigorosa e deixamos isso de lado.

Dom Pantero

Bem, não acredito que a Censura vá nos incomodar. Depois de vários choques violentos que teve com a classe teatral, ela celebrou conosco uma espécie de acordo tácito, não escrito, pelo qual, desde que deixemos a Política de lado, eles fecham os olhos para outros assuntos, inclusive a obscenidade.

Dom Pancrácio Cavalcanti

Sendo assim, acho que podemos aceitar a generosa proposta que nos fez.

Dom Porfírio de Albuquerque

Sou da mesma opinião! Todos nós, inclusive os Atores, fomos infeccionados de uma vez para sempre com "*o vírus do Teatro*"; e, se nos aparece uma oportunidade como esta de levar adiante nossa bela "*Doença*", nós a aceitamos, profundamente agradecidos!

Dom Pantero

Foi assim que, como André Luiz Moreau em Scaramouche, eu me coloquei "*a serviço de Téspis*".

Ao encontrar a Trupe, pensara que, se me juntasse a ela, seria muito mais fácil para mim escapar aos Órgãos de Segurança em Campina, lugar mais perigoso da Viagem segundo fora advertido por Arnaldo Villoa. E tudo aconteceu como planejáramos, inclusive no que dizia respeito à Censura. Paramos em Ingá e ensaiamos a Peça até que os Atores a tivessem na ponta da língua.

Outra coisa: para garantir-nos ainda mais, eu reescrevera o texto, adotando uma Ortografia complicada e pretensamente antiga. Com isso pretendia entediar os Censores a ponto de eles, perdendo a paciência, deixarem de lado uma leitura completa e cuidadosa da Peça (o que realmente veio a acontecer). E escrevi outra versão, simplificada e clara, para facilitar o trabalho dos Atores nos ensaios.

Também tivera o cuidado de confiar os papéis masculinos de Velhos mais importantes a Pancrácio e Porfírio, a fim de que eles me perdoassem o de Narrador, que reservara para mim, no Espetáculo.

Por outro lado, vendo que os dois adotavam os pomposos nomes-artísticos de Dom Pancrácio Cavalcanti e Dom Porfírio de Albuquerque, acrescentei um P ao nome falso que vinha usando e resolvi aparecer em cena sentado a uma Mesa, fixada no Palco do lado direito do Público. De lá, eu faria a Narração com o nome de Dom Paribo Sallernas, Personagem que passei a encarnar (vindo, depois, a fazer-me substituir por dois Atores — alternadamente João Cláudio Moreno e Aramis Trindade —, quando me era mais conveniente não aparecer em cena e assumir somente minha condição de Encenador).

Mas, para aquele primeiro Espetáculo, não havia necessidade de esconder-me, pois a máscara de Palhaço me disfarçava a cara, talvez já conhecida pelos temíveis Órgãos de Segurança do Regime Militar.

Outra coisa que devo explicar: sendo aquela a minha estreia como Ator, eu, por segurança, levei cópia do texto para minha Mesa; poderia lê-lo quando a memória falhasse, evitando-me assim qualquer fiasco diante do Público e dos outros Atores mais experientes.

De modo que foi assim que me juntei àquela Trupe que bem podia começar sendo, para mim, um "*Circo*", parecido com aquele que povoava meus sonhos desde Menino:

Albano Cervonegro

O Circo: sua Estrada e o Sol de fogo. Ferido pela Faca, na passagem, meu Coração suspira sua dor, entre os cardos e as pedras da Pastagem. O galope do Sonho, o Riso doido, e late o Cão por trás desta Viagem.

Dom Pantero

De fato, eu achava que, integrado àquela Trupe ambulante, cujos Atores deixavam suas Casas para viver ao Sol de fogo da Estrada, conseguiria neutralizar um pouco o sofrimento causado pela morte de meu irmão Adriel; e, pela primeira vez em minha vida, realizava o sonho que, desde Menino, me acompanhava — o de ser Palhaço e Dono-de-Circo; sonho que me perseguia desde que, em Taperoá, vira o Circo Stringhini, com o extraordinário Palhaço Gregório como Figura central: um Circo em que, a despeito de todos os meus extravios, tudo fosse feito, como queria Santo Inácio de Loyola, "*ad majorem Dei gloriam*", para maior glória de Deus.

E assim, na noite de 11 de Setembro de 1976, exatamente 20 anos depois de Adriel estrear seu "Auto d'A Misericordiosa", abriram-se as portas do Teatro Municipal de Campina Grande para a versão brasileira de Romeu e Julieta, um estrondoso sucesso. Tão grande que a direção do Teatro nos concedeu mais 3 dias para uma temporada que nos trouxe muitos aplausos do Público, da Crítica dos dois maiores Jornais campinenses e, o que foi melhor, os maiores lucros que a Trupe já tinha conseguido em sua vida errante pela Estrada (o que Dom Pancrácio e Dom Porfírio tiveram a generosidade de me confessar).

Quanto à Peça, propriamente, preciso explicar que quando lera pela primeira vez o Folheto escrito por João Martins de Athayde, eu já conhecia um artigo no qual o Escritor paraibano Alfredo Pessoa de Lima dizia que a luta secular travada por nossa Família, os Savedras, com a dos Villoas, era semelhante à das Famílias florentinas, os nossos equivalendo aos Montéquios e os Villoas aos Capuletos.

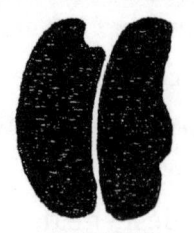

Ora, em seu Folheto, João Martins de Athayde chamara os Montéquios de "*Família honesta e humana*" que, com razão, se opunha à "*Raça tirana*" dos Capuletos (o que, desde 1945, me causava imenso orgulho).

Por outro lado, já então Liza — que eu perdera para "*o outro*" — se transformara para mim no "*Sonho louco, vago, impossível*" do qual falava Gustavo Adolfo Bécquer. Assim sendo, no Espetáculo estreado em Campina, pensando no Antero Savedra jovem, eu o colocara no papel de Romeu Montéquio, e Liza Reis no de Julieta Capuleto.

Agira de modo parecido com outros Personagens: fundira o Duque de Capuleto com o Doutor Jayme Villoa; Teobaldo com Aristides Villoa: Aristides fora o mandante do assassinato de meu Pai, o Cavaleiro João Canuto (fundido por mim, na Peça, com o Conde Montéquio); minha Mãe, Maria Carlota Savedra, era a Condessa Montéquio; Otacílio Negromonte, empreiteiro do assassinato de meu Pai, era o Conde Páris; e os dois executores do crime, isto é, Antônio Granjeiro e Miguel Alves de Sousa, apareciam, no Espetáculo, como os 2 Carrascos que conduziam a Condessa Montéquio para a morte.

Seguindo a ideia que tivera antes, eu reservara o papel do Duque de Capuleto para Dom Pancrácio Cavalcanti; o do Conde Montéquio, para Dom Porfírio de Albuquerque; o de Liza-Julieta para a Atriz mais jovem e bela da Trupe; assim como o de Antero-Romeu para o Ator jovem mais bem apessoado do Elenco.

Finalmente devo dar a todos os nobres Cavaleiros e belas Damas da Pedra do Reino outra informação sobre o Espetáculo: eu sabia cantar uns versos de Lorenzo Stechetti e do Marquês de Sapucaí (respectivamente *Medievo* e *Violetas*), porque minha Mãe costumava cantá-los para me fazer dormir. Assim pude ensiná-los a Renata Máttar (que fazia parte da Trupe) e à outra Atriz que fazia a *Duquesa de Capuleto*, Lucinha Guerra, a fim de que as Canções pudessem ser apresentadas em cena.

Mas é melhor passar logo ao Espetáculo, que falará a respeito de tudo isso bem melhor do que eu.

A História do Amor de Romeu e Julieta
Segunda Introdução a'O Palco dos Pecadores

Dom Paribo Sallemas

"Eu vou contar, neste Palco, a história de Romeu, a sua curta existência, e tudo o que padeceu: foi a história mais tocante que a minha Pena escreveu.

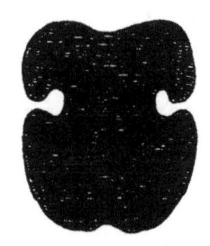

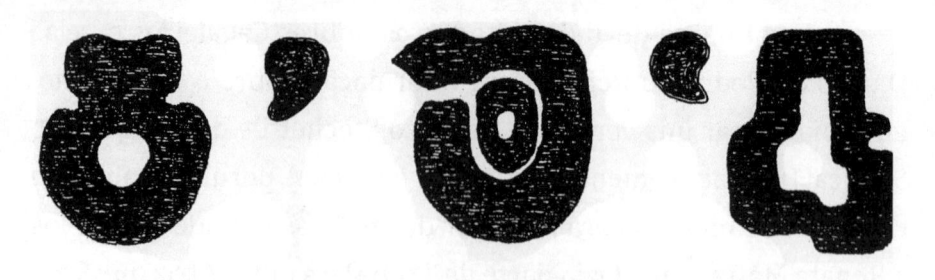

"É uma história conhecida em quase toda Nação. No Teatro e no Cinema, tem causado sensação, deixando amargas lembranças no mais brutal coração.

"O que sofreu Julieta, quem, como eu, já tem lido todo o seu padecimento como foi acontecido, depois de seis, sete anos, inda não está esquecido.

"Olinda, grande Cidade da terra pernambucana, foi berço dos Capuletos, aquela Raça tirana, inimiga dos Montéquios, Família honesta e humana.

"O Duque de Capuleto, que tinha grande poder, queria ao Conde Montéquio aniquilar e vencer. Os dois viviam sonhando ver um ou o outro morrer.

"Ali, tudo era desgosto, intriga e rivalidade. Um dia, corre a notícia que assombrou toda a Cidade, notícia que era o começo da grande fatalidade.

"Romeu tinha quatro anos quando veio um Pelotão, mandado por Capuleto, por uma cruel traição. Nesse dia foi Montéquio trancado numa Prisão.

"Ficou o Conde Montéquio naquela Prisão sombria. Ali ele ignorava se era de noite ou de dia. Era preso e acorrentado: nem se mexer não podia."

Dom Pantero

Neste momento do Espetáculo, Antônio Granjeiro e Miguel Alves de Sousa traziam a Condessa Montéquio, ela com Romeu nos braços. O Conde, que não os via no primeiro momento, falava então:

João Canuto Montéquio Jaúna

"Aqui estou acorrentado, sem socorro de ninguém. Aqui estou aprisionado, sem saber como e por quem! E, ah meu Deus, minha Mulher vem ali, presa também!

"Que dor no meu coração, ao ver minha Esposa amada, trazida por dois Carrascos, um de Lança, outro de Espada, ela com Romeu nos braços, triste, só e abandonada!

Maria Carlota Montéquio Jaúna

"Eu te abraço, meu Marido, minhas queixas relatando! Vê nosso filho Romeu, que, inocente, está chorando!

Jayme Capuleto Villoa

"Aqui é chegada a hora de eu ir na Prisão entrando.

"Canuto, agora eu me vingo: hoje hás de me pagar! Eu tenho ódio dos teus e agora vou te mostrar o furor da minha ira a que ponto vai chegar!

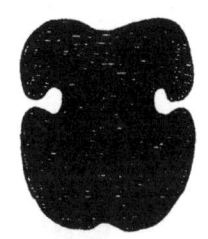

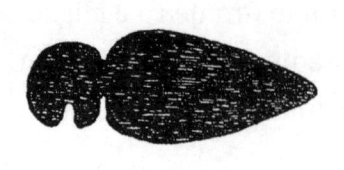

"Estás aí, como preso: para mim, não tens perdão! Vou decidir tua sorte, tenha ou não tenha razão! A vida de tua Esposa está aqui, na minha mão!

"Tua querida Mulher vai morrer, para teu mal! Talvez ela nem mereça esta sorte tão fatal: mas vai morrer assim mesmo, cravada por um Punhal!

João Canuto Montéquio Jaúna

"Eu digo, Jayme Villoa, que roubaste meu direito! Prendeste-me à traição, não tens coração no Peito! Mata-me a mim! Que ela viva, e eu morrerei satisfeito!

Jayme Capuleto Villoa

"Não, Canuto, eu vou matá-la: não adianta chorar! Te odeio profundamente, mas vivo vou te deixar, para que da morte dela sempre te possas lembrar!

Maria Carlota Montéquio Jaúna

"Ah meu Deus, que sina triste! Me sinto desfalecida! Olho, aqui, para meu Filho, por ele choro, sentida, pois vejo que não me resta nem meia-hora de vida!"

Dom Pantero

Aqui, Antônio Granjeiro arrancava Romeu dos braços de sua Mãe, enquanto Miguel Alves de Sousa, obedecendo às falas do Duque, apunhalava a Condessa:

Jayme Capuleto Villoa

"A teus pedidos, Canuto, meu sangue não atendeu! Já ordenei a Granjeiro, que logo me obedeceu: dos braços de sua Mãe foi arrancado Romeu!

"Tu, Pai dele, estás aí, infeliz e acorrentado! Tu, Carlota, vem pra cá, aqui pr'este outro lado, que é pra teu Marido ver meu ódio em ti saciado!

"Miguel tirou o Punhal que à cintura carregava. Já crava no peito dela — era o que eu sempre jurava! — e o sangue sai da ferida, quando o Punhal inda entrava!

Maria Carlota Montéquio Jaúna

"Você, Duque, é muito ruim: seu coração é perverso! Mas tenha dó do meu Filho, que ainda dorme de berço!

Jayme Capuleto Villoa

"Miguel, enterra o Punhal para entrar até o terço!

Dom Paribo Sallemas

"Com a dor da punhalada, a Condessa estremeceu:

Maria Carlota Montéquio Jaúna

"Adeus, meu querido Esposo! Cuida do nosso Romeu! Diz a Romeu que a Mãe dele, sendo inocente, morreu!

Jayme Capuleto Villoa

"Já está morta a Condessa, prostrada na Laje fria! Vou arrancar o Punhal, onde o sangue já esfria; e mostro ao Marido dela que foi como eu garantia!

"Então, querido Canuto, já viste como sou eu! Guarda o Punhal para ti: agora o Punhal é teu. Quando teu Filho crescer, dá de presente a Romeu!

"O corpo de tua Esposa, não deixarei sepultar! Vocês, Carrascos, o levem, pela rua a se arrastar. Depois, coloquem num Saco e joguem dentro do Mar!

Dom Paribo Sallemas

"Aí tendo praticado tamanha barbaridade, Villoa foi para casa. Quando chegou à Cidade, deu ordem pra que Canuto fosse posto em liberdade.

"Canuto, desesperado, saiu daquela Prisão, dando uma mão para o Filho, com o Punhal na outra mão. Foi chorar a sua sorte, sozinho, na solidão.

"Dezesseis anos passaram!

"Romeu via sempre o Pai, muito triste, a suspirar. E o filho no seu segredo não podia penetrar. Como o Pai nunca se abria, Romeu não quis perguntar.

"Mas um dia o Pai achou que já havia condição de Romeu vingar a Mãe; fez do crime a narração; e concluiu o que disse fazendo uma exortação:

João Canuto Montéquio Jaúna

"Foi assim, querido Filho, que a tua Mãe morreu. No fim, Capuleto disse: 'Agora o Punhal é teu. Quando teu Filho crescer, dá de presente a Romeu!'

"Filho, foi este o Punhal que a tua Mãe traspassou. Faz hoje dezesseis anos que o Duque a assassinou, morta por este Punhal que um dos Carrascos cravou.

"Hoje inda choro, Romeu, a nossa infelicidade! Tenho-te dado instrução só por força de vontade. Desde aquele dia vivo fora da sociedade.

"Isto que te digo agora, guardei na minha lembrança. Passaram dezesseis anos, eras ainda criança. Meu Filho, o tempo é chegado: peço-te a nossa vingança!

"Parte, Romeu, sem demora! Sai da sombra! Parte, vai! Mata o Duque! É o que te pede o coração de teu Pai!

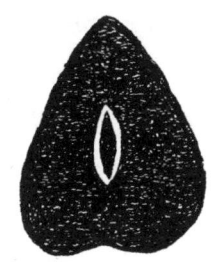

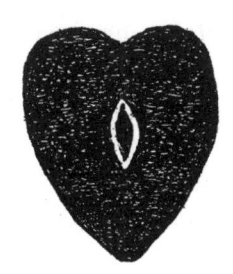

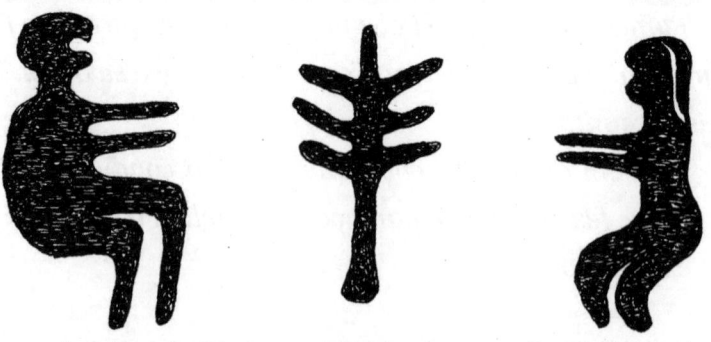

Antero Romeu Montéquio Savedra
"Eu recebo este Punhal que o meu sangue derramou! Beijando a Cruz de seu cabo, juro o que meu Pai jurou! Mato o Duque com o Punhal que a minha Mãe me levou!

João Canuto Montéquio Jaúna
"Recebo o teu juramento com muita satisfação, pois vais cumprir a vingança que te dei como missão!

Antero Romeu Montéquio Savedra
"Sim, eu juro, meu bom Pai, que vingo essa maldição!

Dom Paribo Sallemas
"No outro dia, Romeu, com um amigo dedicado, dirigiu-se para Olinda e o castelo do Ducado. Dizia para o amigo que o Pai seria vingado.

"Esse amigo de quem falo e que ia com Romeu, junto a ele se criara, junto com ele cresceu. Eram como dois irmãos: Mercúcio era o nome seu.

"No dia em que os dois chegaram lá nas terras do Ducado, o aniversário da filha do Duque era celebrado. O Castelo estava em festa, ricamente embandeirado.

"Romeu saltou do Cavalo e combinou com o Amigo. Entraram lá disfarçados, naquele Castelo antigo, pois ambos eram valentes, não fugiam do perigo.

"Os que estavam lá na Festa, tinham ido mascarados. Assim fizeram os dois: entraram fantasiados, ambos de Castelo adentro, em Capotes embuçados.

"Dentro, tudo era alegria, muitos Rapazes dançavam. Algumas Moças, sentadas, com seus Noivos conversavam. Tocavam alguns dos Músicos, outros alegres cantavam."

Dom Pantero

No Espetáculo realizado em Campina Grande, eu escolhera dois Atores e uma Atriz que tinham boa voz para que, com a música do Romance de Minervina, cantassem a História de Bernal Francês, apresentada ali como um triste augúrio sobre o amor de Romeu e Julieta:

A Amada
"Quem bate na minha Porta? Quem bate? Quem está aí?

O Amante
"É Dom Bernaldo Francês, sua Porta mande abrir.

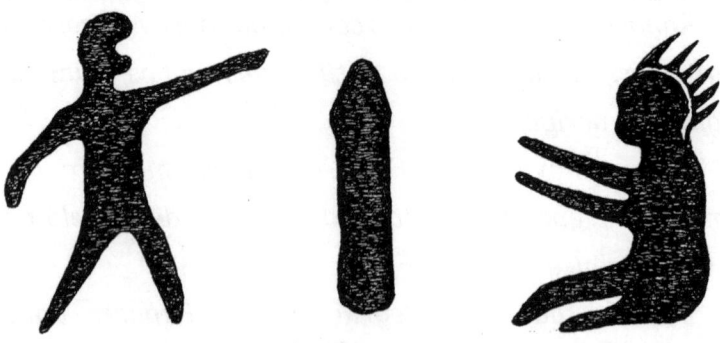

A Amada

"No deitar da minha Cama, eu rompi o meu Frandil. No descer da minha Escada, me caiu o meu Chapim. No abrir da minha Porta, apagou-se o meu Candil.

"Peguei Bernal pela mão, levei-o para o Jardim; fiz-lhe uma cama de Rosas, travesseiro de Jasmim. Lavei-o em água de cheiro, deitei-o em cima de mim."

Dom Pantero

Aqui, por exigência da Censura, representávamos, por sombras projetadas num Lençol estendido, a posse da Amante por Dom Bernal Francês; e, depois disso, a Narração continuava, com este voltando ao Jardim depois de algum tempo:

O Amante

"Deixem que volte de novo, com minha Capa a cair. Quero ver se a minha Dama inda se lembra de mim!

O Amigo

"Tua Dama, meu Amigo, está morta, e eu bem a vi. Os sinais que houve disso, vou dizer-te agora, aqui: os Sinos que lhe tocaram eram cento e onze mil; o Caixão em que a enterraram era de Ouro e Marfim.

Dom Paribo Sallemas
"Palavras não eram ditas, morre Bernal, no Jardim. Esta foi a sua história, foi este o seu triste Fim."

✸

"A filha de Capuleto, a formosa Julieta, dançava com um Rapaz que vestia roupa preta. Tinha ao seio, por enfeite, um cacho de Violetas."

Dom Pantero
Quando Romeu avistava aquela Mocinha, ficava como que fulminado pelo raio da Paixão terrível e avassaladora que haveria de matar os dois. E falava para Mercúcio:

Antero Romeu Montéquio Savedra
"Meu Deus, estou encantado com toda aquela beleza! Aquela Moça parece uma Fada, uma Princesa! Mercúcio, quem é aquela? Quem é aquela lindeza?"

Mercúcio José Laurênio de Melo
"É filha de Capuleto! O Leque que ela trazia, caiu de sua bela mão, quando, há pouco, se movia!"

Antero Romeu Montéquio Savedra
"*Eu vou lá, vou apanhá-lo!* (Oferecendo o leque a Julieta) *É de Vossa Senhoria?*

Liza Julieta Villoa Capuleto
"*Sim, o Leque me pertence! Muito obrigada, Senhor! E em troca da gentileza, queira aceitar esta Flor. Receba esta Violeta, em paga de seu favor!*

Antero Romeu Montéquio Savedra
"*Eu beijo esta bela Flor, de perfume delicado! Vou guardá-la junto ao peito, com todo amor e cuidado, como se fosse uma Joia que aqui eu tivesse achado.*

"*Eu não penso mais na jura que fiz a meu velho Pai, pois o Amor é água pura que nas nossas almas cai, e o desejo de vingança no sonho do Amor se esvai.*

"*Deixe a Festa, Julieta! Finja que vai passear. Guardo comigo um segredo que a Você vou revelar. Vá lá para a outra Sala: me espere, que chego lá!*

Liza Julieta Villoa Capuleto
"*Sinto que empalideci, que estou da cor de um Jasmim!* (Mais alto) *Para a outra Sala, não! É melhor lá no Jardim! Lá tu podes me dizer o que desejas de mim!* (Já no Jardim) *Há pouco, quando falavas, o meu peito estremecia! Como te chamas?*

Antero Romeu Montéquio Savedra
"Romeu!

Liza Julieta Villoa Capuleto
"Pois, Romeu, não sei se vias que vieste me salvar da tristeza em que eu vivia. Que é que tens pra me dizer?

Antero Romeu Montéquio Savedra
"Escuta, linda Criança! Eu vim tomar, de teu Pai, a mais dura das vinganças. Mas deponho meu Punhal, diante das tuas tranças!

"Tua beleza me queima: sinto meu peito chagado. Por teus olhos verde-azuis eu fiquei enfeitiçado! Eu estou louco de amor! Estou cego, apaixonado!

"Teu Pai matou minha Mãe, quando eu era bem Menino. Jurei vingar esse Crime: porém decreta o Destino que tudo seja esquecido ante teu rosto divino!

"Serei perjuro! Jamais a meu Pai eu voltarei! A teus pés, bela Menina, o teu Escravo serei. Juro que junto de ti viverei ou morrerei!

"Pois bem, Julieta; agora eu quero este Amor selar, e na tua linda boca um beijo depositar. (Beija-a)

Liza Julieta Villoa Capuleto
"O que é isto? Sem pudor eu já me deixo beijar?

ANTERO ROMEU MONTÉQUIO SAVEDRA
"Existe, só, um remédio pr'atenuar o pudor: é repetirmos o beijo, agora com mais calor! (Beija-a novamente)

LIZA JULIETA VILLOA CAPULETO
"Meu Deus, eu me sinto tonta! Foi a Dança ou é o Amor?"

DOM PANTERO
Neste momento, Aristides, um Tio de Julieta, que reconhecera Romeu, irrompia pelo Jardim, cego de raiva:

ARISTIDES VILLOA CAPULETO
"Romeu, que fazes aqui? Responde-me, miserável! Que vieste procurar? Teu sangue é sangue execrável! Sai daqui, senão a Morte é teu fim inevitável!

ANTERO ROMEU MONTÉQUIO SAVEDRA
"Julieta, quem é este que está ali, naquele canto, pior que um Tigre feroz, cheio de raiva e de espanto?

Liza Julieta Villoa Capuleto
"É Aristides, meu Tio! Ah meu Deus, te odeia tanto!

Aristides Villoa Capuleto
"Julieta, sai daqui! Senão serás arrastada!

Liza Julieta Villoa Capuleto
"Não, Romeu, não lhe respondas! Meu Tio, guarda esta Espada!

Aristides Villoa Capuleto
"Não vais desobedecer à minha ordem, já dada!

Antero Romeu Montéquio Savedra
"Aristides, não te atrevas! Não toques nem sua mão! Se tu deres mais um passo, cairás, morto, no chão, pois minha Espada certeira traspassa-te o coração!"

Dom Pantero
Aqui, os dois começavam, a Espada, um Duelo mortal que tínhamos ensaiado cuidadosamente. E Julieta, aterrada, comentava:

Liza Julieta Villoa Capuleto

"Meu Deus! Romeu e meu Tio cruzam, já, suas Espadas! Sinto que aqui vou cair sobre o solo, desmaiada!"

Dom Pantero

Chegando-se a este momento, Julieta perdia os sentidos, que só recobrava para tomar conhecimento de seu infortúnio: quando acabara de encontrar aquele que seria o grande e único Amor de sua vida, a terrível vindita familiar que separava os dois tinha feito mais uma vítima, pois Romeu matara seu Tio.

Ainda tonteada pelo desmaio, ela se erguia, passava a mão nos olhos, como para afastar a visão insuportável, e falava:

Liza Julieta Villoa Capuleto

"Meu Deus, o que se passou? A luta está terminada!

J. Borges: Julieta

"Tio Aristides no chão, por golpe mortal varado! O pano de sua roupa está, de sangue, molhado! E Romeu, de pé, contempla o corpo do assassinado!

"Já lá chega, do Castelo, o pessoal que dançava!

Jayme Capuleto Villoa

"O que foi que houve aqui? Quem foi que tais gritos dava? O quê? Aristides morto? Meu irmão, que eu tanto amava?

"Prendam, já, este assassino! Levem-no para a Prisão! Vai ser condenado à Morte, sem demora e sem perdão! Quem derrama, assim, meu sangue, não merece compaixão!"

Dom Pantero

Aqui, entravam novamente no Palco Antônio Granjeiro e Miguel Alves de Sousa, que acorrentavam Romeu, enquanto Renata

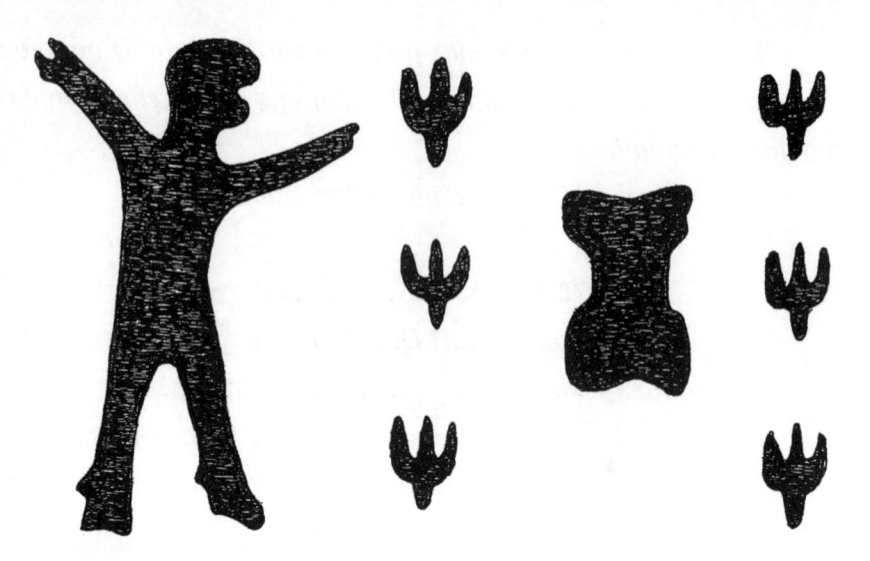

Máttar cantava a versão, em Português, do Poema *Medievo*, de Lorenzo Stechetti:

Renata Máttar

"Pesadas trevas, úmidas, caíam, e o Castelo real silente estava. No fundo de um Cárcere, gemendo, prisioneiro, o Pajem murmurava:

"'Ai de mim, ai de mim, quanto me custa louco ideal de um coração ousado! Amo, idolatro a pálida Princesa, e é por isso que aqui estou sepultado!

"'Se uma lágrima, só, eu merecesse, um compassivo olhar, um pensamento, eu não trocava esta Prisão sombria por tudo quanto é luz no firmamento!'

"Nisto, uma Sombra pálida, esguia, como um Fantasma assomou à Porta. 'Quem és? Quem és?' — pergunta o Prisioneiro, baixando a voz: — 'Quem és, mísera Morta?'

"'Morta não sou!' — volveu a branca Imagem. 'Sinto no peito a alma ardente, louca! Ninguém nos ouve: a Sentinela dorme! Sou a Princesa! Oh, vem, beija-me a boca!'"

Dom Paribo Sallemas

"Fazia, já, 7 dias que Romeu fora detido, quando, uma noite, ele ouviu na Prisão grande ruído, e apareceu Julieta, envolta em branco vestido.

Liza Julieta Villoa Capuleto

"Romeu, Romeu de minh'alma, quanto sofri tua ausência! Debalde pedi, por ti, a meu Pai pra ter clemência! Eu vim te tirar daqui, desta cruel penitência!

"Eu falei com Frei Lourenço, a quem contei, lealmente, que tinha por ti, Romeu, uma paixão louca, ardente! O Frade me prometeu casar-nos secretamente!

"Vem! Eu subornei os Guardas: não há ninguém nos seguindo. Já soou a meia-noite, os meus Pais estão dormindo. Não tenhas medo, que é noite, mas o luar está lindo!

Antero Romeu Montéquio Savedra

"Meu Deus, que felicidade! É a minha noiva-amante!

Liza Julieta Villoa Capuleto
"Vamos lá para a Capela, chegamos lá num instante! Frei Lourenço nos espera, com o Coroinha-ajudante!"

Dom Pajtero
Aqui, noutro prenúncio de desgraça, enquanto Romeu e Julieta, de joelhos diante de Frei Lourenço Loredano, eram por ele casados, soava a música do *Romance de Minervina*, que fora usada, na Festa, para se cantar o *Romance de Bernal Francês*. E, acabada a cena do Casamento, a Narração era retomada por mim:

Dom Paribo Sallemas
"Assim, Romeu, na Capela, com Julieta casou. Debaixo dos pés do Cristo foi que ele se ajoelhou e, diante de Deus, por ela, amor eterno jurou.

Frei Lourenço Donaciano Francisco Loredano
"Romeu, vou dar-lhe um conselho: é melhor Você partir. Você deve ir pra Goiana, lá, um tempo residir. Prometa à sua Mulher ir dela se despedir.

"Ela sai: vai esperá-lo, fiel, em sua janela. Você, daqui a momentos, vai lá, para estar com ela. Pule o muro do Castelo e vá para o quarto dela.

Liza Julieta Villoa Capuleto

"Romeu, vou em tua frente, para o Castelo, esperar-te. Por enquanto, aqui tu ficas, para o Frade aconselhar-te; pois o Frade é nosso amigo: o que pretende é salvar-te! (Sai)

Frei Lourenço Donaciano Francisco Loredano

"Muito bem, Romeu, meu filho! Você agiu bem, Romeu! Mas agora é necessário cuidar do futuro seu. Você não diga a ninguém que quem os casou fui eu!

"Hoje mesmo, antes que o Sol tenha chegado a sair, Você deve ir pra Goiana: Julieta fica aqui. Se o ambiente melhorar, eu mandarei prevenir.

"Na sua ausência, eu prometo por Julieta velar. Os ódios de Capuleto, procurarei abrandar. Se conseguir, a notícia logo mando lhe levar.

Antero Romeu Montéquio Savedra

"Beijo-lhe a mão, meu bom Frade, mas minh'alma está ferida! Vou procurar Julieta: vou procurar minha vida! Sei que me arrisco, mas vou celebrar a despedida!

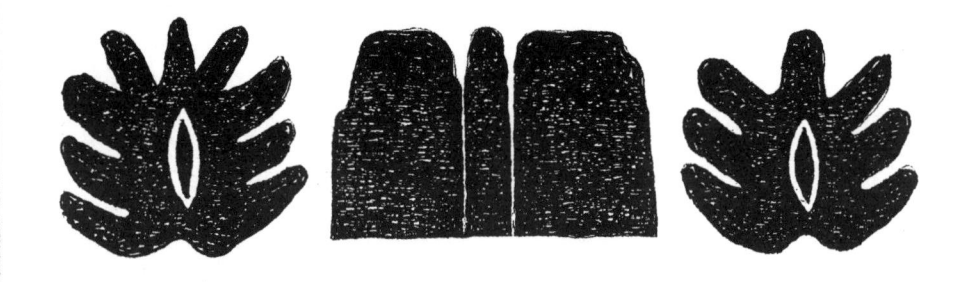

Dom Paribo Sallemas

"Ao chegar lá no Castelo, Romeu achou sua Amada. Julieta o esperava, na Varanda debruçada. Romeu parecia ter a alma inteira exaltada!

Liza Julieta Villoa Capuleto

"Quem bate na minha Porta? Quem bate? Quem está aí?

Antero Romeu Montéquio Savedra
"Ah, minha Amada, é Romeu! Sua Porta venha abrir!

Liza Julieta Villoa Capuleto
*"No deitar da minha Cama, se rompeu o meu Frandil.
No descer da minha Escada, me caiu o meu Chapim.*

"Eu te pego pela mão, tu entras no meu Jardim. Te faço cama de Rosas, travesseiro de Jasmim. Te lavo em água de cheiro, te deito em cima de mim.

Dom Paribo Salletmas

"O que se passou ali (digo ao Teatro onde estou) é impossível descrever, tal foi a cena de amor. Imagine-a quem já tenha vivido um igual ardor.

"Mas, pra falar do que houve, uso um verso conhecido, que não é da minha lavra, pois caiu num outro ouvido. Ele dá pálida ideia do que ali foi sucedido."

J. Borges: A Ama de Julieta

Dom Pantero

Aqui, enquanto os Amantes falavam, um Ator e uma Atriz, por trás de um lençol, projetavam nele suas silhuetas, que iam reproduzindo, por gestos, as imagens daquilo que Romeu e Julieta diziam:

Antero Romeu Montéquio Savedra

"Eu tirei minha Gravata, ela tirou o Vestido. Eu, o cinto, com Revólver, ela seus 4 Corpinhos. As Anáguas engomadas soavam nos meus ouvidos como um tecido de Seda, por 20 Facas rompido.

"Eu toquei seus belos Peitos, que estavam adormecidos, e eles se ergueram, de súbito, como ramos de jacinto.

"Naquela noite eu passei pelo melhor dos caminhos, montado em Potrinha branca, mas sem Sela e sem estribos. Suas coxas me escapavam, como Peixes surpreendidos, metade cheias de Fogo, metade cheias de Frio.

Liza Julieta Villoa Capuleto

"Ele tirou a Gravata, eu tirei o meu Vestido. Ele, o cinto, com Revólver, e eu, meus 4 Corpinhos. As Anáguas engomadas soavam, nos meus ouvidos, como um tecido de Seda, por 20 Facas rompido.

"Ele tocou nos meus Peitos, que estavam adormecidos, e eles se ergueram, de súbito, como ramos de jacinto.

"Naquela noite eu corri pelo melhor dos caminhos, montada por um Ginete, mas sem Sela e sem estribos. Minhas coxas lhe escapavam, como Peixes surpreendidos, metade cheias de Fogo, metade cheias de Frio."

Dom Paribo Sallemas

"D'ahy a algũuns momentos, gemia a Donçela, cujas coxas pareçiam brilhar:

Liza Julieta Villoa Capuleto

"Ah, meu Amor! Estás de tal maneyra presente ẽm mỹm que nom há parte algũuma d'o meu corpo que nom te ssinta! Nom me mates de-todo, que, sse tiveres compaixom de mỹm, eu te dou pleno poder para me usares como Mulher, e nom te terei por Cavaleyro sse declarares paz antes que ssangre tenha corrido!"

Dom Paribo Sallemas

"Então, que imagine o Público esta cena de Noivado, e o tempo em que estiveram aqueles dois abraçados; quantos beijos, quantos toques, quantos êxtases trocados.

"O Dia já vinha entrando pela brecha da Alvorada. Eles, coitados, pensavam que inda era a Madrugada; e Romeu, feliz, beijava o corpo de sua amada.

"Mas, de repente, os dois viram a Cama se iluminar. Romeu disse a Julieta:

Antero Romeu Montéquio Savedra

"Eu inda estava a sonhar! Adeus! Nesta hora triste, eu parto: vou te deixar.

"Vamos viver separados, pois o Destino assim quis. Eu peço a Deus que te faça, no Mundo, muito feliz. Eu partirei para o exílio: cumpro uma Sina infeliz!

"Se algum dia tu souberes que eu, longe de ti, morri, murmura a Deus uma prece por quem tanto amou a ti. Nunca esqueças que a Família por teu amor eu traí.

"Quanto a mim, também te juro que, se morreres primeiro, sobre o teu leito de morte eu virei, triste Romeiro, dar, abraçado contigo, meu suspiro derradeiro.

"Eu estou sentindo um triste pressentimento de Morte. Minh'alma, como uma Nau que está perdida e sem norte, vagueia num Mar de fogo, entregue a terrível sorte.

"Como vai ser triste e duro o tempo que vou passar longe de ti, Julieta, da bênção do teu olhar! Adeus, enfim: vou seguir! Adeus: eu vou te deixar.

"Adeus, Olinda, onde deixo meu sonho, minha paixão! Adeus casas, ruas, praças, sou ave de arribação! Adeus, Julieta, eu parto, mas fica o meu coração!

Dom Paribo Sallemas

"Beijaram-se os dois Amantes, se abraçaram longamente. Juraram que haveriam de se amar eternamente. E afinal se separaram, chorando o Amor inocente.

"Logo após Romeu deixava o Castelo e a Morada; Julieta, soluçando, na Varanda debruçada, ficou até que Romeu se sumiu no pó da Estrada.

"Daquele dia em diante, a Moça não mais sorriu. Sonhando pelo Jardim, nunca mais ninguém a viu. Do Castelo de seu Pai, pra canto nenhum saiu.

"Todos ficaram pasmados, perante aquela tristeza. Pensavam que era doença sua profunda frieza. Só à imagem de Romeu é que se mantinha presa.

"Um dia, seu Pai chamou-a até a sua presença:

Jayme Capuleto Villoa

"Minha Filha, escuta aqui: eu quero que te convenças de que vou dar-te um remédio pra esta tua doença!

"Ontem, veio o Conde Páris te pedir em casamento. Por ser um moço de bem, dei-lhe o meu consentimento. Vou te apresentar a ele dentro de poucos momentos.

Liza Julieta Villoa Capuleto

"Pai, não faça esta desgraça! Eu não quero me casar! Eternamente solteira, quero meus dias findar! Somente a Você, meu Pai, é que na vida hei de amar!

Jayme Capuleto Villoa

"Não, minha Filha, ouve bem: tu deves ter um Marido! Já dei meu consentimento e o voto será cumprido! Já tenho o Conde por genro — e um genro muito querido.

"Se não cumpres esta ordem que agora estou dando a ti, podes dizer para o Mundo: 'Para meu Pai, eu morri'; pois nunca mais deitarei minha bênção sobre ti!

Liza Julieta Villoa Capuleto

"Paciência! Como Pai, o senhor faz o que quer! Mas eu, desse Conde Páris, nunca serei a Mulher! Desculpe, querido Pai: não posso lhe obedecer.

Dom Paribo Sallemas

"Capuleto, furioso, de raiva cerrou os dentes. Chegou a empurrar ao chão a pobre Filha inocente. E, todo cheio de cólera, saiu dali bruscamente.

"Julieta, em desespero, sua Criada chamou:

Liza Julieta Villoa Capuleto

"Vá procurar Frei Lourenço, que é o meu Confessor. Diga-lhe que, sem demora, venha aqui onde eu estou!

Dom Paribo Sallemas

"Alguns momentos depois, quando o Frade ali chegou, Julieta, para ele, os seus desgostos contou. A cena que o Pai fizera, também toda relatou.

"Acabada a Narração, começa o Frade a falar.

Frei Lourenço Donaciano Francisco Loredano

"Ah, Filha, Você não deve deixar-se desesperar! Acho que tenho um remédio pro casamento evitar!

"Precisa muita coragem! Mesmo assim, vou lhe propor. E Você não tenha medo: confie em Nosso Senhor. Escute então o que eu digo, pois meu plano vou lhe expor.

"Eu tenho, há muito, comigo, um frasco de dormideira. Se Você tomá-la, fica morta, uma semana inteira. Com ela é que vou salvá-la, pois não vejo outra maneira.

"Você bebe a dormideira, e vão pensar que morreu. Seu Pai faz o seu enterro: quem vai celebrar sou eu! Acabada a cerimônia, mando avisar a Romeu.

"Ele vem, leva seu corpo, para Goiana, no exílio. Um dia, talvez, seu Pai o receba como Filho. Se for assim, Vocês dois vão viver o seu idílio.

Dom Paribo Sallemas

"Julieta aceitou tudo o que o Frade propusera. À noite, toma o narcótico, como o Confessor dissera. E, com pouco, no Castelo, sua Mãe se desespera."

Dom Pantero

No espetáculo de Campina, Julieta caía ao chão, em cena aberta, à frente do Público. A Duquesa de Capuleto aparecia no limiar. Ao ver a Filha, dava um grande grito, corria para ela, beijava-a, abraçava-a, e depois, sentando-se no chão, colocava sua cabeça no colo, embalando-a e cantando a canção Violetas (que eu escolhera porque, na Peça, a Violeta era como que a Flor emblemática de Julieta e de seu infortunado amor por Romeu):

Duquesa Villoa de Capuleto
"Da planta que mais prezavas, que era, Filha, os teus amores, venho, de pranto orvalhadas, trazer-te as primeiras Flores.

"Em vez de afagar-te o Seio, de enfeitar-te as lindas tranças, perfumarão esta lousa do Jazigo em que descansas.

"Já lhes falta aquele viço que o teu desvelo lhes dava: gelou--se a mão protetora, que, tão fagueira, as regava.

"Desgraçadas Violetas, a fim prematuro correm! Pobres Flores, também sentem! Também de saudade morrem."

Dom Pantero
Por outro lado, na encenação, eu introduzira algumas novidades. Em primeiro lugar, a pretexto de que a Casa pertencente ao pai de Julieta era um Castelo, no Espetáculo eu a fundira com o Castelo pertencente ao Conde Afonso Donaciano Francisco, fazendo então com que Frei Lourenço o descrevesse assim:

Frei Lourenço Donaciano Francisco Loredano
"Meu Castelo ée ssingular, agreste, misteryoso, e n'ele eu posso me entregar a tôdo-los extravios d'a minha imaginaçom. Ssó n'o Castelo ée que eu posso ezerçer tôdo-los meus direytos, gozar

tôdo-los prazeres. N'ele eu vivo sseguro, por trás de ũuma primeyra e larga Muralha, a de ensaio. Despois d'esta primeyra Muralha, existem algũuns Fôssos. Despois d'eles, ũuma ssegunda Muralha, rromanesca. Despois d'esta, ũuma Çerca viva, poética e florida. N'o fỹm, ũuma terçeyra Muralha, teatral e poderosa, porque tem 10 pées de espessura. Ahy, existe ũuma Porta de pedra que ssomente eu tenho força ssufiçiente para manejar.

"Quando eu, Frade renegado, chego aly cõm algũuma Beldade, algũuma Mocinha que consigo persuadir a entrar n'o Castelo do Monstro, ela vê ũuma Escada tortuosa que conduz às entranhas d'a Terra.

"Despois que passamos a Porta, a Pedra volta a fechar-sse, e eu, ssempre çercado de trevas, chego a'o çentro d'os ssoterrâneos e Moradas mais profundas d'o Castelo: trata-sse de me familiarizar côm a idéia d'a Morte, e nom há melhor caminho pera isso d'o que ligar-la a ũuma vida libertina."

Dom Pantero

Além disso, como fora o romantismo de José de Alencar que abrira caminho para as cenas de sexo naturalistas de Aluízio Azevedo e Júlio Ribeiro, eu fazia com que Frei Lourenço Loredano, furiosamente desejoso de Julieta (em quem, para ele, se tinham fundido Cecy, Isabel, Lucíola, Pombinha e Lenita), mandasse deitar o corpo da amada de Romeu em sua Cama, dizendo que só ali é que poderia fazer bem sua encomendação.

Com ervas que somente ele conhecia, preparara outra beberagem capaz de acordar Julieta do sono aparentemente mortal em que ele próprio a mergulhara. Mas estava resolvido a despertá-la aos poucos e somente até certo ponto: queria que a Mocinha permanecesse tolhida por uma espécie de torpor que quebrasse suas resistências, deixando-a inerme, mas não insensível, a ponto de não tomar conhecimento das carícias que ele sonhava lhe fazer.

Era, então, o que se continuava a narrar, por meio das palavras daqueles Escritores; eu tinha certeza de que, por sua fama, eles impressionariam os Censores, principalmente entediados como estariam pelo Português antigo (e falsificado) que eu inventara:

José Schabujo de Alencar

"*Vendo Julieta deitada à ssua mercê ẽm ssua Cama, Frey Lourenço Loredano aproximou-sse e verteu antre sseus lábios as 3 primeyras gotas de sseu Licor.*

"*D'ahy a pouco, ao invés de morta, a Menina voltara a parecer apenas adormeçida, envolta nas alvas rroupas de sseu Leyto, e antre as Cortinas de cassa que aly vendavam o asilo d'o pudor e d'a inoçência. Ssua delicada cabeça loura apareçia antre as rrendas finíssimas ssobre as quais sse desenrolavam os lindos anéis de sseus Cabelos.*

"*O talho de ssua Camisola, abrindo-sse, deixava entrever ũum colo de linhas puras, mais alvo d'o que a Cambraia. E com o ondular que a branda rrespiração voltara a imprimir a sseu peyto, desenhavam-sse, ssob a lençaria diáfana, os Sseyos mimosos.*

"Frei Lourenço Loredano aproximou-sse mais, tremendo, pálido, ofegante. A paixão brutal devorava-o, escaldando-lhe o ssangue n'as veyas e fazendo ssaltar-lhe o coração no peito.

"E Julieta sorria, começando talvez a enlear-sse n'algũum Ssonho graçioso. Era o Anjo ẽm façe d'o Demônio, era a Mulher ẽm face d'a Serpente, a Virtude ẽm façe d'o Víçio e d'o Crime.

"Julieta ssonhava. Sseu rrosto esclareceu-sse cõm ũuma expressão angélica. Ssua mão, que rrepousava aninhada entre os Sseyos, moveu-sse cõm a indolênçia e a moleza d'o Ssono. A pequena Cruz de esmalte que tinha a'o colo, e que estaba agora presa antre os dedos, rroçou-lhe os lábyos. E ũuma Música çeleste escapou-sse d'elees, como sse Deus tivesse vibrado ũuma d'as cordas de ssua Harpa. Foi, a-prinçípio, ũum ssorriso que lhe adejou n'os lábyos. Despois, o ssorriso colheu as asas e formou ũum beijo. Por-fỹm, o beijo entreabriu-sse como ũuma Flor e exalou ũum ssuspiro perfumado: Romeu!

"O colo arfou doçemente, e a mão, descaindo, foi de-novo aninhar-sse antre o talho de ssua Camisola de cambraya.

"Frei Lourenço ergueu-sse, pálido. Não sse animava a tocar n'aquele corpo tão casto, tão puro. Nom podia fitar aquela fisionomia, rradiante de inoçênçia e candura.

"Mas o tempo urgia. Fez ũum esforço ssupremo ssobre ssy mêsmo. Firmou o joelho àa borda d'o Leyto, fechou os olhos e estendeu as maãos."

Dom Paribo Sallemas

"Primeiro, despojou a Menina d'a Camisola que a cobria e ficou olhando aquele Campo-Castelo-e-Rreyno; aquele Horto-e-Jardym povoado de Flores e de Fruitos; a Ilha que tinha, plantada ao çentro, aquela Fenda-Gruta-e-Fonte em que talvez sse pudesse deçifrar o Enigma, o ssegredo d'o Mundo, e onde tudo o que era ssagrado podia aconteçer."

Júlio Savedra Ribeiro

"Despois de olhá-la mũyto tempo, ele verteu em ssua boca mais 3 gotas de sseu cordial. Acarinhou-lhe os peytos e lh'os osculou, primeiro rrespeitoso e atée medroso, como sse cometera ũum ssacrilégio, e logo oufano, insolente, lasçivo e bestial como ũum Ssátyro.

"Creçendo ẽm ssua exaltaçom, ele lh'os amachucou e lh'os chupou, mordiscando seus pequenos bicos, arreytados porque, mesmo n'o estado de meia-inconsciência ẽm que estava a Menina, as carícias cada vez mais atrevidas de Frei Lourenço começavam a alvoroçar-lhe o sangue."

Mateus Schabinno Bandello

"Julieta, que já digerira a poção que tomara, começando a despertar falou: 'Ah Frei Lourenço, é esta a confiança que Romeu lhe dedicava?'"

Aluízio Savedra de Azevedo

"De-rrepente, ssentou-sse n'a Cama e começou a dar mostras de que estava estranhando tudo aquilo. Vendo-sse descomposta, cruzou os braços sobre o sseyo, vermelha de pudor.

"Mas Frei Lourenço, despindo-sse, ssentou-se na Cama, perto d'ela, afagando-lhe a çintura, as coxas e o colo.

"'Deixa!' — ssegredou-lhe o Frade, cõm os olhos envesgados, a pupila trêmula.

"E, apesar d'os protestos, d'as ssúplicas e atée d'as lágrimas de Julieta, preçipitou-sse contra ela, a beijar-lhe todo o corpo, a empolgar-lhe com os lábyos o rróseo bico d'o peyto."

Frei Lourenço Donaciano Francisco Loredano

"Entonçe, aly, longe de tôdo-los olhares, dirigi-me àa Menina, dizendo-lhe o que queria. E, como não tinha ela como fugir-me, começei a apalpar-la. Inquietas, minhas maãos, quitando ssas vestimentas, ofereçerom a meus ávidos olhos coixas tão maçias, de brancura tão deslumbrante, que dei pausa a'o discurso para ocupar-me ssó cõm a ação. Sseguro que estaba de obter tão bela Menina, acabei por pensar n'ũum gênero de ataque que, n'outras condições, nũnca me teria vindo a'o espíryto.

"Peytos de alabastro sse-me apresentaram, mesmo cõm a rresistênçia de ssua jovem dona. Mas, n'o estado ẽm que me encontrava, mais propenso a'o furor d'o que àa ternura, mais inclinado a'os maltratos d'o que àas caríçias, ẽm-vez de beijar-los, como talvez ela esperasse, apertei-os, mordi-os e machuquei-os.

"Entom começou a haver, n'a Menina, ũuma loita, ũum combate entre o ssofrimento e o prazer, o que ficou claro porque logo os gemidos de dor que ela emitia começaram tambẽm a mostrar desejo."

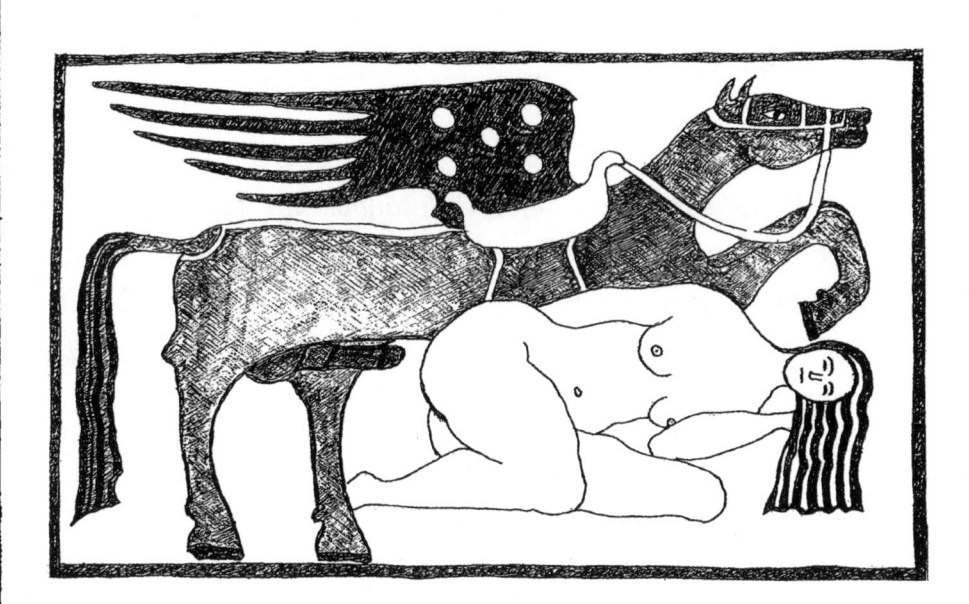

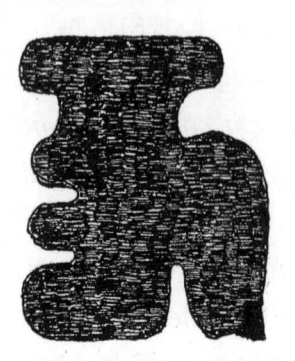

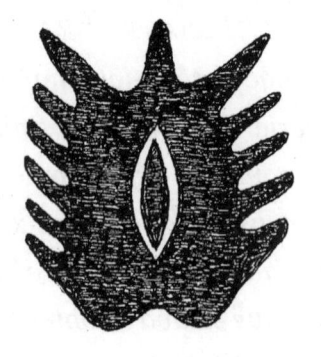

José Schabino de Alencar

"Era outra Mulher. O rrosto, cândido e diáfano, transformara-sse completamente; tinha agora ũuns toques ardentes e ũum fulgor estranho que o iluminavam. Os lábyos finos e delicados pareciam túmidos d'os desejos que os incubavam. Havia ũum abysmo de ssensualidade n'as asas transparentes d'as narinas, que tremiam cõm o anélito d'o rrespiro curto e ssibilante.

"Aà ssuave fluidez d'o gesto meigo tinham ssuçedido a veemência e a energia d'os movimentos. O talhe perdera a flexão ligeira que de-ordináryo o curvava, e agora arqueava, enfunando a rrija carnadura d'o colo e traindo ondulações felinas, n'ũum espreguiçamento voluptuoso."

Aluízio Savedra de Azevedo

"Mas Julieta arfava, ainda rrelutando. Entretanto, o rroçar vertiginoso d'aqueles ásperos pelos e o atrito d'aquela espéçie de coluna rrija n'a estação mais ssensitiva de ssua feminilidade acabaram por foguear-lhe o ssangue, desertando-lhe a rrazão a'o embate d'os ssentidos."

Frei Lourenço Donaciano Francisco Loredano

"E entom, n'o momento que forçosamente a isto sse sseguiu, como foi fasçinante e dificultosa a entrada n'o centro d'o Castelo! Como era estreyta e apertada a fenda por onde ela sse dava! Que calor, que prazer me deu aquela victórya! E — oh maravilhoso efeyto d'a Natureza! — sservida, assÿm, de modo tão cruel e ssingular, Julieta, apesar da rrepugnância que por mỹm ssentia çedeu àss impressões contradictórias d'a forma de prazer que eu a forçava a experimentar, e goçou.

"Ah, nom existe nada en' o Mundo que torne mais fortemente açeso o ssentimento de prazer ligado àa cólera lúbrica d'o que ssentir ũuma Moçinha compartilhar conosco de tais prazeres; prinçipalmente quando, rresistindo a prinçípyo, estranhamente passa a acumpliçiar-sse conosco n'o gozo d'eles."

Aluízio Savedra de Azevedo

"Julieta agora espolinhava-sse toda, çerrando os dentes, fremindo-lhe a carne ẽm crispações de espasmo, a'o passo que Frei Lourenço Loredano, por-cyma, doido de luxúria, irracional, feroz, rrevoluteava ẽm corcovos de Cavalo, bufando e rrelinchando.

"E metia-lhe a língua tersa pel'a boca e pel'as orelhas, e esmagava-lhe os olhos cõm sseus beijos lubrificados de espuma, e mordia-lhe os ombros, e agarrava-lhe convulsivamente o cabelo, como sse quisesse arrancar-lo a'os punhados.

"Ateé que, cõm ũum assomo mais forte, devorou Julieta n'ũum abraço de todo o corpo. E afinal desabou para um lado, exânime, inerte, os membros atirados n'ũum abandono de bêbado.

"Quanto àa Menina, voltara a ssy, e torçendo-sse logo ẽm ssentido inverso a'o adversáryo, çingiu-sse a'os travesseyros, chorando, envergonhada e corrida."

Frei Lourenço Donaciano Francisco Loredano

"Não chores! Que toliçe a tua! Não vês que ssou teu Confessor e que, comigo, não ée pecado? Estávamos apenas brincando! Não tirei pedaço nenhũum de teu corpo; e, de tua parte, não traíste Romeu, pois estavas adormeçida!"

Liza Julieta Villoa Capuleto

"Vou contar a meu Pai tudo o que aconteceu aqui."

Frei Lourenço Donaciano Francisco Loredano

"Se ele ouvir tua acusação vai saber que não morreste, e te casará com Páris!"

Liza Julieta Villoa Capuleto

"Então contarei a Romeu!"

Frei Lourenço Donaciano Francisco Loredano

"Só poderás contar-lhe a primeira parte da cena. Eu contarei a segunda, e, mesmo que ele me mate, nunca te perdoará! O melhor que tens a fazer é voltar a beber o narcótico que te dei antes e vestir por cima da Camisola o Vestido mais belo que haja em teu guarda-roupa. Eu direi que vesti teu corpo depois de encomendá-lo, e o nosso plano continuará do mesmo jeito."

Dom Pantero

Vendo que não tinha outro caminho, Julieta resignou-se e fez-se tudo como Frei Lourenço aconselhara para o enterro.

Mas é melhor voltar à Narração da forma como foi imaginada por João Martins de Athayde.

Dom Paribo Sallemas

"O Duque de Capuleto ordenou um Funeral como nunca fora feito neste Mundo terreal: Julieta teve enterro como não houve outro igual.

"O Povo seguia o Carro pelas ruas da Cidade. Eram mais de 1.000 Tocheiros, dando, a ela, claridade, e o Pai muito arrependido de sua brutalidade.

"*Foi aí que aconteceu a maior fatalidade:*

"*Antes que o Frade mandasse o aviso pra Romeu, Mercúcio, indo a Goiana, a triste nova lhe deu:*

Mercúcio José Laurenio de Melo

"*Ah, meu amigo Romeu! Dou-lhe a notícia chorando, pois Julieta morreu. Vim te buscar para a veres, linda, no túmulo seu.*

Dom Paribo Sallemas

"*Romeu ficou como louco, ao ser-lhe a notícia dada. Comprou então um Veneno, cingiu ao cinto a Espada, e partiu com o projeto de morrer junto da Amada.*

"*Selou depressa o Cavalo, e, como um raio, partiu, em galope doido e cego, como ninguém nunca viu; pelo caminho de Olinda, num momento se sumiu.*

"*Quando, lá no Cemitério, pelo Portão já entrara, encontrou Páris que ia levar Rosas que comprara pra colocar junto ao corpo da Bela que o desprezara.*

"*Páris gritou a Romeu:*

Páris Otacílio Negromonte

"*Que vens tu fazer aqui? Bem sabes que Capuleto tem grande ódio por ti! Retira-te, se não queres também ficar morto aí!*

Antero Romeu Montéquio Savedra

"A resposta que te dou é tirar a minha Espada e descarregar em ti tal golpe de cutilada que te decepe a cabeça como Navalha afiada!

Dom Paribo Sallemas

"Matou-o, guardou a Espada e correu para onde estava o belo corpo daquela a quem, mais que tudo, amava, e que, naquele momento, como morta ali se achava."

Dom Pantero

Ao chegar perto do corpo, vendo, desesperado, como Julieta continuava bela, sem que a Moça Caetana tivesse obtido qualquer vitória sobre seu corpo e sua beleza, beijou seus lábios e bebeu o Veneno, dizendo:

Antero Romeu Montéquio Savedra

"Este Veneno é quem salva, de sua morte, a Romeu! Nada mais tenho no Mundo, pois Julieta morreu! Vou viver, mas lá no Reino ao qual ela se acolheu!

"Meu Amor, vou encontrar-te: eu não me deixo abater. Já faz efeito o Veneno: 'stou começando a morrer. Já estão cegos meus olhos! Mas, vendo-te, volto a ver! (Morre)

Dom Paribo Sallemas

"Nesse instante, Julieta de seu sono despertou, e então, muito espantada, Romeu ali avistou. Estava, porém, já morto, e ela se desesperou:

Liza Julieta Villoa Capuleto

"Romeu! Ah, que dor terrível! Romeu, diz-me que estou louca! Com todo o meu sacrifício, nossa sorte ser tão pouca? Não é possível! Romeu, dá um beijo em minha boca!

"Acorda, Romeu, acorda! Faz-me um último carinho! Vamos nós dois, descuidados, seguir o nosso caminho, e, longe daqui — bem longe! — fazer, pra nós, outro Ninho!

Dom Paribo Sallemas

"Ficou assim, muito tempo, chamando por seu Esposo, até que viu que ele fora para o lugar do repouso, lá, onde um outro sentido têm Amor, e sonho e gozo.

"Tirou, então, de Romeu, o seu Punhal afiado e enterrou no coração aquele Ferro aguçado, caindo, morta, por cima do corpo do seu Amado.

"Aí, algumas pessoas que foram ao Cemitério, ficaram muito espantadas com todo aquele mistério: morto o casal, morto Páris, na entrada do Presbitério.

"Depois, soube-se de tudo, porque o Frade contou. Capuleto, muito triste, um Túmulo preparou e os Amantes, abraçados, dentro dele sepultou.

"Somente depois de mortos foi que puderam se unir, tendo, seus dois jovens corpos, já deixado de existir, e nada mais, neste Mundo, lhes sendo dado fruir."

Dom Pantero

Na encenação de Campina, aqui os Atores se imobilizavam, deixando-me meio isolado para concluir a Narração.

Dom Paribo Sallemas

"Quem está aqui no Teatro e viu o que sucedeu, sabe a Condessa Montéquio em que condições morreu. Também conhece a fraqueza em que seu Filho incorreu.

"Romeu, que era valente (diz a sua biografia), soube, dita por seu Pai, a dor que seu Pai sofria. E Romeu jurou vingá-lo, no mesmo ou num outro dia.

"Mas esqueceu a promessa, no fundo de uma gaveta. Bastou ver, num belo seio, um cacho de Violetas: mesmo de sangue inimigo, se rendeu a Julieta.

"Nas condições em que estava, não tinha nenhum rodeio: era vingar-se de tudo, fingindo como um passeio. Não tinha que perguntar se o rosto era belo ou feio!

"Mas ele não fez assim: quando entrou naquela Sala, viu Julieta dançando, fez tudo pra conquistá-la. Inda ela sendo uma Deusa, ele tinha que odiá-la!

"Romeu foi falso a seu Pai, daí veio seu castigo. Faltou-lhe tenacidade: não percebeu o perigo de se casar com a Filha de seu pior inimigo!

"Foi este o maior motivo de sua infelicidade. Romeu traiu a Família, faltou-lhe com a lealdade. Onde existe um ódio antigo, não pode haver amizade.

"Os dois amantes de Olinda tiveram fim desgraçado, embora Romeu morresse com Julieta abraçado, Julieta apunhalada e Romeu envenenado.

"De modo que o Espetáculo acaba com a última estrofe do Folheto sertanejo que lhe deu origem:

"Quem odeia a traição, tem que dizer como eu: 'Como o Rapaz não vingou-se de tudo o que o Pai sofreu, eu escrevi, mas não gosto da história de Romeu.'"

Dom Pantero

O Espetáculo acabara, nobres Senhores e belas Damas da Pedra do Reino; e o Público inteiro, num só movimento, se pôs de pé, aplaudindo, gritando e assobiando.

Depois de agradecer várias vezes a ovação que consagrava nosso triunfo, recolhemo-nos aos Camarins. Eu, que tacitamente já assumira, na Trupe, o posto de Chefe dos Comediantes, tivera direito a um aposento especial, isolado; e para ali me recolhi, sentindo-me profundamente amargurado e triste, apesar do triunfo; é que a morte de Adriel, além da perda de um irmão querido, me trazia o desgosto de constatar: com ele, tinham se acabado as últimas esperanças que nos restavam de compor aquela Obra vasta e importante que Tio Antero sonhava e da qual nos falara em 9 de Outubro de 1937, diante da Casa arruinada dos Savedras. Mauro e Altino estavam mortos. Auro, preso, resolvera se calar e abandonar a Literatura. E agora Adriel morria daquela maneira, tendo tido uma conversa terrível comigo, poucos dias antes de sua morte. Nela me dissera:

ADRIEL SOARES

Todos aqueles sonhos que iluminaram nossa juventude estão mortos, Antero! Envelhecemos e nenhum de nós conseguiu realizar uma Obra verdadeiramente grande que nos justificasse perante nós mesmos! O pior é que às vezes estivemos a ponto de fazê-lo; mas, por falta "*daquilo que realmente importa*", todos nós falhamos!

DOM PANTERO

Não fale assim, Adriel! Suas peças fazem sucesso com o Público.

ADRIEL SOARES

Isso que Você chama "*sucesso*" é a coisa mais equívoca do Mundo! Uma vez sonhei que encenava uma espécie de Ópera e, no meio dos aplausos que saudavam o final do Espetáculo, nosso amigo Fernando Raposo me advertia: "*Quem se mistura aos Anões termina por ser um deles.*" E o Público é um Anão de mil cabeças, cujo aplauso marca um sucesso mas não um êxito. Hamlet jamais terá o sucesso de qualquer obra ligada à cultura de massas. Mas daqui a 3 séculos ninguém saberá mais nem sequer os nomes desses "*ídolos*", tão cultuados agora, enquanto o Hamlet estará tão vivo e forte quanto hoje!

Pois era com uma grandeza como a de Hamlet que eu sonhava na juventude! Não fazia por menos, e não posso me consolar do meu fracasso com nenhum aplauso do Público.

Dom Pantero

Mas eu sabia: Adriel falava assim pensando numa Tragédia shakespeariana. Entretanto, como Autor cômico, Molière era superior a Shakespeare, e uma vez eu lera um Crítico teatral que afirmava: *"A França tem Molière. O Brasil, felizmente, tem Adriel Soares, cujo Auto d' A Misericordiosa apresenta todos os grandes problemas da condição humana."*

De qualquer maneira, era a lembrança dessas palavras de Adriel que me acabrunhava agora, no Teatro. Era curioso que ele tivesse falado em Hamlet, porque mesmo quando há pouco eu estava no Palco (e apesar de estarmos encenando Romeu e Julieta) eram falas daquela outra Peça que de vez em quando me vinham à memória, juntamente com uma de Xavier de Maistre que sempre me obsedara:

Xavier Schabino de Maistre

"Não conheço, por dentro, a alma do criminoso (porque não sou um criminoso). Conheço a do Homem honesto: é horrorosa."

Dom Pantero

Uma das falas de Hamlet seguia linha semelhante:

Guilherme Schabijno Solha de Agitalança

"Eu também sou razoavelmente virtuoso. Ainda assim, posso acusar-me a mim mesmo de tais coisas que talvez fosse melhor minha Mãe não me ter parido. Sou luxurioso, arrogante, vingativo, ambicioso; com mais crimes na consciência do que pensamento para concebê-los, imaginação para desenvolvê-los e tempo para executá-los."

Dom Pantero

Era assim que me sentia no Camarim, enquanto removia a pintura com que a Máscara de Dom Paribo Sallemas me disfarçara; e constatava mais uma vez como estava longe daquele Perdão que minha Mãe pedira concedêssemos aos assassinos de meu Pai (e que, agora, eu devia estender aos de Adriel). Toda a Peça, recriada por mim para a Encenação, era uma vingança contra eles. Amargurado, eu voltava a Hamlet, e às suas palavras que já citei antes:

Guilherme Schabijno Solha de Agitalança

"Oh, que ignóbil eu sou, que Escravo abjeto! Não é monstruoso que esse Ator aí, por uma Fábula, uma Paixão fingida, possa

forçar a alma a sentir o que ele quer, de tal forma que seu rosto empalideceu, tem lágrimas nos olhos, angústia no semblante, a voz trêmula, e toda a sua aparência ajustada ao que ele pretende? Que não faria ele se tivesse o papel e a deixa da Paixão que a mim me deram?

"Eu, Filho querido de um Pai assassinado, intimado à vingança pelo Céu e pelo Inferno, ficar desafogando minha Alma com palavras, me satisfazendo com insultos! Maldição! Oh, trabalha, meu Cérebro! Ouvi dizer que certos Criminosos, assistindo a uma Peça, foram tão tocados pelas sugestões das Cenas que imediatamente confessaram seus Crimes. Farei, então, com que esses Atores interpretem algo semelhante à morte de meu Pai: e a Peça será a Armadilha que usarei para explodir a consciência dos Assassinos."

Dom Pantero

Então naquela noite jurei à memória de Adriel que iria retomar seu sonho por meio do Circo da Onça Malhada, das Aulas-Espetaculosas, da Trupe do Cavalo Castanho e principalmente do Simpósio Quaterna, que concebi e batizei ainda no Camarim. Por meio dele, remeteria a uma unidade a poesia de Altino, o romance de Auro e o teatro de Adriel, juntando-me aos 3 a fim de formarmos aquela Quaterna a que o nome do Simpósio também aludiria.

Como na *Vida Nova*, de Dante, o Romance que resultaria dos anais do Simpósio seria uma Autobiografia em prosa-e-verso, onde o Circo pudesse levar Mariano Jaúna, pelo "*Riso a cavalo*" e pelo "*galope do Sonho*", a superar aquele Antero Savedra luxurioso, vingativo e orgulhoso, conduzindo-o da Queda ao perdão que nossa Mãe nos pedia e à redenção que A Misericordiosa, por seu Filho, nos significava.

E então, no dia seguinte ao do último Espetáculo, retomamos a Estrada, em direção a Taperoá.

Ao chegarmos à Praça do Meio do Mundo, parei e desci do Carro pedindo a atenção do pessoal da Trupe. Disse a eles:

— Parei aqui de propósito para fazer a todos uma revelação: meu nome verdadeiro é Antero Savedra; mas Dom Paribo Sallemas vai ficar sendo, daqui por diante, minha "*Máscara teatral*".

Foi por isso que, no Espetáculo e para a Viagem de hoje, vesti esta roupa preta-e-vermelha. E aqui, neste lugar que é mesmo o "*do meio do Mundo*", peço à jovem Atriz que fez o papel de Julieta que me coloque ao pescoço o Medalhão que me consagra na condição que sempre sonhei.

Enquanto a Moça fazia o que eu pedira, as palmas dos Atores davam brilho à celebração, tornada ainda mais solene pelos cactos, pedras e cardos da Caatinga que nos cercava.

Apesar da simplicidade da cerimônia eu estava profundamente emocionado. Lembrava-me do momento em que, como Auro contara, Quaderna, junto à Pedra do Reino, se consagrara a si próprio como Rei, narrando o fato assim:

Dom Pedro Dinis Quaderna

"Ergui-me, atei ao pescoço, jogando-o para as costas, o Manto real, e subi à Pedra dos Sacrifícios, onde fora degolada a Princesa Isabel. Coloquei a Coroa sobre a cabeça e fiquei um momento com o Cetro na mão direita e o Báculo na esquerda, de pé, na posição em que Dom João Ferreira-Quaderna, O Execrável, aparece na gravura do Padre. Olhava o Sertão batido de sol, as pedras faiscando, os catolezeiros gemendo na ventania quente, os cactos espinhosos, o chão pedreguento. Comecei a pronunciar as palavras sacramentais.

"De repente senti aumentar, de modo insuportável, a terrível sede que já vinha sentindo. Em algum lugar, ali perto, escancarou-se a boca-de-fornalha do Sertão, o bafo ardente e felino me crestou. Uma espécie de oura começou a girar, esquentar e encantar meu juízo, meu sangue a estremecer pelo terror sagrado e epilético, num ridimunho de glória, inferno e realeza. Rangi os dentes: 'Vou morrer! Ninguém pode ir tão longe e tão alto!' Mas reagi e me mantive firme, pronunciando até o fim as palavras da 'Oração da Pedra Cristalina', até que senti que meus lombos tinham sido consagrados e minha fronte definitivamente selada com o Régio Selo de Deus."

Chegamos a Taperoá, e tudo se passou como eu esperava, inclusive com minha nomeação para o cargo de Reitor e os Atores da Trupe do Cavalo Castanho admitidos como Professores da Unipopt.

Somente no ano de 2000, porém, é que eu iria ter condições de organizar o Simpósio Quaterna, por meio do qual pretendia reapresentar, num Palco, as obras de Altino, Auro e Adriel.

O principal motivo de tal demora era o caráter exigente, a personalidade cheia de escrúpulos de meu irmão Auro, o que passo a explicar.

Logo depois de concluir o Romance d'A Pedra do Reino, ele pretendia escrever outro cuja ação começaria com a morte do Rei e Cavaleiro que foi nosso Pai, João Canuto, e terminaria com a do nosso irmão Mauro.

O Livro chamar-se-ia O Sangue do Cavaleiro; e achava meu irmão que, se acertasse a envolver aquela história, para nós terrível, numa espécie de bruma ficcional, poética e musical, finalmente conseguiria contá-la.

Mas Auro nunca conseguiu realizar seu projeto: fez uma, duas, três versões, que abandonou, pois esbarrava sempre, tolhido pela carga de sofrimento que o assunto lhe acarretava.

Albano Cervonegro

A sagração do Sol na dor antiga: sou filho e pai do Sangue derramado. Quem se adentrar no fogo deste Pasto há de encontrar, nas águas do Riacho, o Tiro esquerdo e o Punhal ferido: meu Sangue é minha Fonte-do-Cavalo.

Dom Pantero

Auro abandonou então o Romance e tentou fazer a Obra em verso, num Poema que se chamaria Cantar do Potro Castanho.

Pensava que a Poesia era mais apta a criar um distanciamento que lhe permitisse, afinal, compor a homenagem que sonhava.

Mas a nova tentativa também se frustrou e Auro terminou queimando todos os manuscritos do Livro, que abandonou de vez; entre outros motivos porque, depois de se mudar para a Favela-Consagrada d'A Ilha de Deus (e tornando-se cada vez mais sério, para ele, o problema religioso), foi a própria Literatura que começou a lhe aparecer como uma idolatria pecaminosa, sacrílega. Ele chegou até a renegar A Pedra do Reino, a pretexto de que o Romance resultara de sua orgulhosa pretensão de escrever uma grande Obra. E eu, ao empreender a feitura d'A Ilumiara, também ficava tolhido por escrúpulos terríveis, principalmente nos trechos em que teria de recriar os textos de Auro.

Entretanto, aquele era mais um excesso, entre os muitos que perturbavam a alma de meu irmão, fazendo com que ele esquecesse: além da Verdade e do Bem, o outro Candelabro que, na Ilumiara, apontava o caminho para Deus era o da Beleza.

O fato é que, depois de certo tempo, o exercício da Literatura começou a parecer pecaminoso a nosso irmão: passou a significar para ele o mesmo que a Escultura São Miguel e o Demônio representava para um certo Menezes, cujo primeiro nome se ignora mas que se sabe ter sido um Artista brasileiro e barroco do século XVIII.

Foi por intermédio de Altino que tomamos conhecimento da vida e da obra de Menezes, a respeito de quem ele nos falou por imagens obscuras, como sempre fazia em tais ocasiões; e, também como sempre, Auro e Adriel procuraram dar alguma ordem àquele novo e estranho "*comunicado das Sombras*" que Altino nos transmitira.

Menezes ficava apavorado toda vez que esculpia um São Miguel e o Demônio. Por isso, durante certo tempo, tentou fazer o Anjo sem a Besta (e tenho, em casa, uma das tais versões "*expurgadas*" que ele criou do São Miguel). Mas recaía logo na pecaminosa versão anterior, porque, como dizia, "*a Besta me tenta e eu não tenho forças para lhe resistir*".

Então, como exorcismo e esconjuro, depois que aprontava uma versão do São Miguel, dedicava-se a fazer uma Nossa Senhora — e estes eram os dois trabalhos que repetia obsessivamente. Costumava modelar a Nossa Senhora em barro cozido e pintado; e esculpir, em grandes toras de Cedro, O Anjo e a Besta Fouva, como faces de um Corpo só, bifronte; e eu possuo, também, em casa, uma das belas imagens da Mãe de Deus que ele executava em barro.

Foi então com fundamento nesse Artista e em sua estranha obsessão que Altino e Auro compuseram o Poema que começa assim:

Auro Schabino

Esse Tronco — este Livro — a tempestade, que da Sombra e da treva foi gerado, não me permite um Sono sossegado, exigindo, em meu sangue, a liberdade. Preciso exorcismá-lo entre essas

grades, e esculpi-lo na Tenda do meu pouso; pois o Escopro me tenta, e, desejoso de afirmar a bifronte Face escura, atenderei à Voz que me conjura, entregando-me ao Sopro perigoso.

Altino Sotero

Não sei por que razão, remoto e estranho, me encontro desterrado no Deserto, onde o Vento levanta, mal desperto, ondas de um Pó escuro em que me banho. Sinto-me triste e só, e mal tamanho não me veio, decerto, impunemente. Perto, o Mar: Sol nas águas, claro e quente. Mas cala-se às perguntas que lhe faço, e espero que, na paz do seu regaço, a Noite me liberte novamente.

Dom Pantero

Menezes tinha uma personalidade estranha, nobres Senhores e belas Damas da Pedra do Reino. Vivia errando de Vila em Vila, ao sabor das encomendas que recebia e do terror que aqui e ali o assaltava, sem qualquer outra causa que não fosse o exercício de sua Arte.

Fixava-se temporariamente numa Cidade ou num Povoado, em cujos arredores ficava numa Tenda (como fez, certa ocasião, junto à Fortaleza de Pau Amarelo, em Olinda). Solicitado pela Autoridade religiosa local, o Artista, em sua Tenda, esculpia um São Miguel e o Demônio. Depois, de repente, possuído pelo pavor, convencia-se, mais uma vez, de que, com a feitura de sua Obra, cometera um grave pecado.

Aí, tomava o Escopro, o Martelo e os poucos trastes que possuía e, como um criminoso, fugia, ao ladrar de Cães, do lugar em que trabalhara e no qual — de graça e como compensação pela Besta que esculpira — deixava a última imagem da Nossa Senhora que modelara em barro.

Assim, de fuga em fuga, viajou Menezes, a pé, do Nordeste até Minas, onde veio a morrer, confessando seus pecados e muito arrependido dos sacrilégios que cometera *"ao juntar, tantas vezes, o Anjo e a Besta numa Entidade só"*. E o mais grave é que, tendo a nossa Família seu tronco inicial surgido na dos Menezes, Altino e Auro começaram a se identificar com aquele remoto e longínquo Parente nosso; e a considerar cada Poema ou Romance que compunham como versões da Besta monstruosa, obsessivamente repetida pelo Escultor:

Auro Schabinjo

Permanece fechada, a Fortaleza. Será ela um Castelo indecifrável? Talvez a sua Face impenetrável nos esconda os sinais da luta acesa. Impassível no Sol, é-me defesa. Exige o Arcanjo, o grito, o lodo, a Cobra, o capacete, as Asas, as esporas; e hei de transpor seus Muros arruinados, transfigurando, em êxtases cifrados, essa Fronte mortal na luz da Aurora.

Altino Sotero

Vejo formas de fogo, poderosas: as Areias, ao Vento ensandecido, batidas contra o Forte derruído, desenham-se em Figuras

ominosas. Em que Lodo emprenharam-se, nojosas, criando a Cobra feia, essa Visão? Não sei. Como não sei por que razão, oh forma dessa Besta me dominas, enquanto invoco todas as Matinas de um Reinado de fogo e solidão.

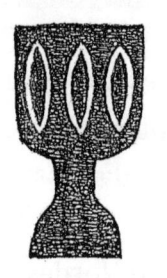

Dom Pantero

Em sua agonia, que foi longa e penosa, Menezes pedia a Nossa Senhora que, levando em conta as humildes e toscas imagens que lhe dedicara, intercedesse junto a Deus para que "*o ídolo da Besta, talhado em madeira*", lhe fosse perdoado:

Auro Schabino

Sopra o Vento, o Sertão incendiário: a Morte ronda agora o Matadouro. Crescem Flechas, Punhais, vozes em coro, que me apontam o velho Itinerário. Já nasceu meu Arcanjo solitário, o áspero Monstro um dia imaginado. Que estranho Sol de cobre-flamejado me oculta a Fortaleza e seus combates? Ouço tocarem Sinos a rebate: é a vez do Santo, o Anjo, o Santo alado.

Altino Sotero

Ele é, só, o Possível-do-outro, embaixo. E chega, com o Clarim, a Trompa e a Rota; a Armadura, a Bandeira, as duas Botas; as Asas, o-que-busco-e-que-não-acho. O resplendor, a Espada, a Lança, o facho, a Luz amiga, os Olhos descansados, a Gola-em-cedro, cheia de rendados; o firme Cinturão que tudo explica; a força e a mansidão — fogo e pelica — saltando de seu Peito e dos bordados.

Dom Pantero

Nas almas complicadas de Auro e Altino, parece que algo semelhante acontecia, ambos considerando cada obra que terminavam como equivalente a cada Vila, a cada São Miguel que Menezes abandonava em sua atormentada Viagem de fuga:

Auro Schabino

Pronta a Obra, eu enfrento os Areais, num êxodo de sonho não sagrado. Como saber se guio, ou sou guiado, por esse estranho Ser de fogo e paz? Esculpi as Molduras, os Florais; e, triste pelas últimas lembranças, tomo as Arcas, reato as Alianças, impelido ao final desta empreitada, e recomeço a Volta projetada, num misto de terror e de esperança.

Altino Sotero

Afinal, entre o Anjo e seu destino, somente a areia, o Mato e a soledade. A escolha já foi feita e a Potestade envolve os ombros deste Peregrino. Conquistei a Coroa: um claro Sino me espera no fim turvo desta Estrada. Por ela vim! Oh Rota procurada! É preciso enfrentar o Julgamento! Que lembranças me traz a voz do Vento, mandando-me apressar a caminhada?

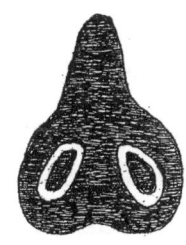

Auro Schabino

Passei por 3 Engenhos, no Caminho, por Bandeiras nas hastes drapejando; e, apesar de uma Igreja ir procurando, descartei qualquer Mago ou Adivinho. Decifraram-se velhos Pergaminhos enquanto estive ausente tantos dias. Ruiu a Torre, ruiu a Sacristia, os Monges outras duas vão erguendo, e à Besta já meus passos vou cedendo, cumprindo um Voto insano e a Profecia.

Dom Pajutero

De modo que, na obra dos Savedras, talvez somente o teatro de Adriel escapasse às demências penumbrosas que obscureciam a prosa d'A Pedra do Reino e a poesia d'O Pasto Incendiado. E, até para mim, cada Saída, cada Espetáculo da Trupe do Cavalo Castanho ou do Circo da Onça Malhada era como uma das muitas Vilas que Menezes ia abandonando, depois de deixar na Igreja uma versão de sua Obra-monstruosa; enfim, era como se A Iluminara fosse a recriação musical, poética, ficcional e espetaculosa do Poema que Auro e Altino tinham composto sobre o Escultor e que terminava assim:

Altino Sotero

É preciso chegar. Mas onde e quando? O fim da Caminhada se aproxima. Chego ao termo arriscado da Vindima, pois sinto que o Terror vai aumentando. Ao longe, vou aos poucos avistando a Vila e suas Casas mais cuidadas. São para nós as áureas badaladas que pousam sobre as asas do meu Santo? Oh vinde, aves-de-prata! Eis meu Encanto, que eu esculpi, cravando-me de Espadas!

Auro Schabino

Cumpridos eram, já, 40 dias, desde que eu fora, só, com passo incerto, para o fogo e as areias do Deserto, pra talhar, na madeira, a Jerarquia. Agora volto. E o som da Litania? Aqui é a Porta: a Casa e a Babilônia; o jaspe, a Pedra, a telha, a calcedônia, o odor do incenso, os Sinos, a turquesa; e abrem sulcos meus passos na dureza das ruas de Granito e eterna insônia.

Altino Sotero

Ninguém me nota: tédio e indiferença. Eu brado, triste: "Oh Cidadãos errantes! Daqui parti, com passos vacilantes, atendendo ao Mandado sem dispensa! Não desejo Coroa ou recompensa, vossa Mesa, dinheiro ou mesmo a Glória!" Mas ninguém liga ao grito de vitória, e eu caio, insano e só, cansado e vão. É melhor procurar um outro Chão onde se exalte o fogo da Memória.

Auro Schabino

E agora só me resta ir para a Igreja. Subo a Ladeira. A Porta. A escura Nave. Com o Santo aos ombros, vou como uma Ave de madeira vermelha que esvoeja. Vazio, o Nicho, em ouro, ali chameja. Subo ao Altar. No vão, perto da grade, deposito a futura Raridade.

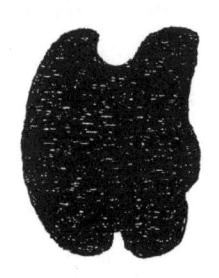

Vou ao Padre. Recebo a minha Tença. E, em meio da geral indiferença, abandono — mais uma! — esta Cidade.

Dom Pantero

Devo explicar, portanto, nobres Cavaleiros e belas Damas da Pedra do Reino, que, quando decidi escrever estas Cartas que meu Tio, Padrinho e Mestre me sugerira, várias vezes fui assaltado pelo terror: tinha medo de que O Castelo da Ilumiara terminasse sendo para mim o mesmo que o São Miguel e o Demônio era para Menezes — uma Variação composta sobre o tema da luta entre o Anjo-Abrasador e a Besta Fouva, a Besta Ladradora (risco ainda maior, para mim, por causa de São Cipriano). Lembrava-me do que Aderito Viseu narrara entre os Enguerimanços atribuídos ao Santo Pecaminoso:

O Pacto
Enguerimanço d'O Mágico Prodigioso

Aderito Viseu Schabino

"Victor Siderol era um jovem Lavrador dotado de grande inteligência; e, entendendo que as terras de sua Aldeia não eram dignas de rapaz tão instruído, começou a deixá-las sem cultivo, resultando daí que sua colheita fosse sempre diminuindo.

"Um dia, já caindo a Noite, sentiu um mal-estar indizível ao concluir uma sementeira; soltou os Bois, deixou o Jugo atravessado em cima do timão do Arado e disse: 'Aqui te deixo para sempre, meu velho Arado. Que te leve o Demônio, assim como todos os mais apetrechos de Lavoura que tenho na minha Casa. E com eles, quero dar-lhe a minha Alma!'

"Quando Siderol acabou de proferir a imprecação, ouviu reboar pelo espaço estas palavras, que lhe pareceram saídas das entranhas da Terra: 'Tira-lhe o Jugo, que eu não quero nada com a Cruz.'

"Neste somenos, tremeu a Terra e a Lua, toda manchada de sangue, desceu rapidamente. Um Homem corpulento apareceu e Siderol sentiu-se acometido por um frio extraordinário. O Homem tirou da Algibeira um quarto de papel marcado sobre o qual estava escrita uma doação referente à alma do Rapaz. Ele picou o dedo mínimo de Siderol que, com o próprio sangue, assinou aquela Escritura.

"Após a cerimônia, o Demônio deu ao jovem Lavrador muitos centos de Dobrões e 75.000 Cunhos de ouro, dizendo-lhe: 'Hei de dar-te ainda a riqueza de 7 Reinos!'

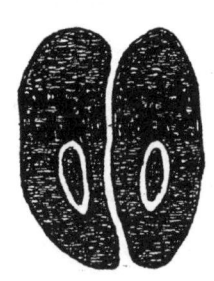

"Depois de receber tal fortuna, a primeira coisa que Siderol fez foi comer em um dos melhores restaurantes da Cidade. Depois de jantar como um Príncipe, dirigiu-se ao Alfaiate, vestiu-se com a melhor roupa que encontrou, barbeou-se e, estabelecendo residência num bom Hotel, chamou seu protetor, Lúcifer.

— "Que desejas de mim? — perguntou o Demônio.

— "Meu amigo, onde encontrarei uma Donzela nova, bonita e amante?

— "No *Teatro Grego*, onde se representa hoje uma Tragédia de *Ésquilo* — respondeu o Diabo.

"O agora querido filho da Fortuna encheu as algibeiras de Ouro e foi ao lugar indicado. Entre grande número de pessoas pertencentes à Nobreza, encontrou lá 3 Mulheres, Mãe e duas Filhas no esplendor da juventude; ficou encantado com uma delas, que logo soube chamar-se *Rosa*, e que lhe pareceu o que no Mundo se podia imaginar de mais sedutor.

"Aproximou-se delas, com o desembaraço inspirado por sua atual opulência. E disse que ficara tão encantado com Rosa que estava resolvido a casar-se com ela.

"A Menina, por sua vez, reclamou contra a precipitação do Rapaz. Mas sua Mãe repreendeu-a e disse a Siderol que levava muito gosto em ver a união de sua Filha com um Rapaz tão distinto.

"Acabado o Espetáculo, Siderol, vendo-se tão bem acolhido pelas Mulheres — coisa que antes nunca lhe acontecera —, ofereceu o braço a Rosa, que o aceitou sem a menor hesitação.

"Uma rica Liteira esperava-os diante do Teatro. Logo que chegaram à casa das Mulheres, elas convidaram Siderol para cear, e serviram-no com a maior urbanidade.

"Durante a Ceia, soube Siderol que as 3 Mulheres eram provincianas e estavam na Cidade tratando do processo de uma Herança. Deram-lhe a entender que o Juiz aceitaria receber 2.000 Cunhos de ouro para resolver o pleito em favor delas.

"Siderol, atrevidamente, ofereceu-lhes aquela quantia. Elas, porém, recusaram com alguma reserva. Mas, como tinha as algibeiras recheadas, o Rapaz insistiu e apresentou-lhes a quantia inteira em Ouro.

"Aí concordaram, mas com a condição de que lhe dariam um Recibo em forma, para futuro pagamento da dívida. Ele aceitou; e a Mãe, com a outra Filha, passou a seu Gabinete para preparar o Recibo, deixando Siderol a sós com a encantadora Menina.

"O Rapaz pensou que, após um empréstimo de 2.000 Cunhos de ouro, podia tomar algumas liberdades com Rosa; e foi o que fez.

"A Menina contentava-se em opor fracas mãos aos ataques do atrevido conquistador.

"Defendendo-se daquela insistência, ela recuou insensivelmente e tropeçou num sofá. Siderol aproveitou o ensejo e empurrou-a suavemente. Com o impulso dele, ela caiu sobre o sofá. Ele lançou-se *sobre a Menina e depois... eles é que poderiam descrever o que realmente daí por diante aconteceu."*

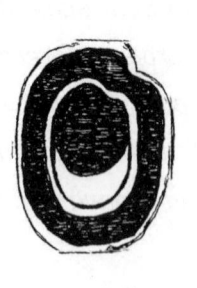

Dom Pantero

Eu relia estas palavras de Aderito Viseu e ficava pensando: será que, se a imagem de minha amada Liza Reis não tivesse acorrido tão prontamente para socorrer-me, cena igual ou parecida não teria acontecido entre mim e a Moça que me aparecera em Patos? E, pior: entre a estranha declaração da Moça e o aparecimento da imagem de Liza, não houvera um momento em que, perturbado, eu sentira, num relâmpago, a tentação de seguir pelo caminho que a Desconhecida me sugeria? Preocupado, recordava as palavras do Cristo:

São Mateus Schabino de Savedra

"Ouvistes que foi dito aos antigos: 'Não cometerás adultério.' Eu, porém, vos digo: 'Todo aquele que lançar um olhar de cobiça para uma Mulher, já adulterou com ela em seu coração.' Tendes ouvido o que foi dito: 'Amarás o teu próximo e odiarás o teu inimigo.' Eu, porém, vos digo: 'Amai vossos inimigos, fazei bem aos que vos odeiam, orai pelos que vos perseguem e vos maltratam.'"

Dom Pantero

Eram exigências a que eu não me sentia capaz de atender. Quanto às Cartas que iriam configurando A Ilumiara, via que as 4 primeiras pelo menos já formavam uma Peça-Musical em 4 Movimentos — Prelúdio, Repente, Chamada e Galope. Havia, é claro, o fato de ser O Jumento Sedutor apenas a primeira parte d'A Ilumiara, o que talvez prejudicasse sua publicação isolada. Mas isso estava dentro de meus planos. Lembrava-me de Machado de Assis:

Machado Schabino de Assis

"Então tive uma ideia singular: rematar a Obra agora, fosse como fosse; qualquer coisa servia, uma vez que deixasse um pouco da minha alma na Terra — um diálogo do Abismo, um cochicho do Nada."

Dom Pantero

Aí, fiz uma espécie de pacto com Deus: se Ele achasse que a tarefa que eu ousava levar adiante era sacrílega, que a interrompesse pela Morte — sentença com a qual desde ali me declarava de acordo.

Como, afinal, cheguei até aqui, considerei tal fato como uma concessão (provavelmente d'Ele obtida pela Misericordiosa). Entenda-se: minhas preocupações eram religiosas; porque, do ponto de vista da Arte, tinha a convicção de que aos poucos estava realizando "*o Poema, o sagrado, o que importa*"; de modo que me sentia também autorizado a pedir, como o Poeta:

Manuel Bandeira Hölderlin de Savedra

"Mais um Verão, mais um Outono, oh Parcas, para amadurecimento do meu Canto, peço me concedais: então, saciado do doce Jogo, o coração me morra.

"Não sossegará no Orco a alma que em vida não teve a sua parte de Divino. Mas se em meu coração acontecesse O-que-importa, o Sagrado, o Poema — um dia teu silêncio entrarei, Mundo-de-sombras, contente inda que as notas do meu Canto não me acompanhem, que, uma vez, ao menos, como os Deuses vivi, nem mais desejo."

Dom Pantero

Foi assim que aqui cheguei, atrevendo-me até a dedicar a Obra inteira à Misericordiosa, a cujos pés me prostro, repito, *"entregando-lhe a sorte da minha alma, do meu corpo e do meu Sonho — do meu Auto imortal"* (onde esperava, como espero, fundir Queda e Redenção, à luz de uma só Estrela).

O que tornou possível tal ousadia foi o fato de ter somado o Circo da Onça Malhada, de Quaderna, à Trupe do Cavalo Castanho, de Dom Pancrácio Cavalcanti e Dom Porfírio de Albuquerque; e, acompanhado por meu grupo de Cantores, Músicos, Atores e Bailarinos, ter começado a apresentar minhas Aulas-Espetaculosas pelo Sertão do Piauí, do Ceará, do Rio Grande do Norte, da Paraíba, de Pernambuco, de Alagoas, de Sergipe, da Bahia etc., realizando, já na velhice, meu antigo e frustrado sonho de me tornar Ator, Palhaço e Dono-de-Circo; apresentando o Mundo como Palco, e a Vida como Representação (o que eu fazia tendo como base física a minha Casa e o Circo-Teatro Savedra).

E, mesmo quanto a estas Cartas, eu arranjaria um jeito de também as colocar à disposição de Deus, para que as interrompesse quando lhe parecesse melhor: eu acabaria todas elas sempre com as mesmas palavras, sempre com os mesmos Versos. Assim, A Iluminara seria a grande Obra e cada Carta um Padrão, um Marco semelhante àqueles que, segundo Fernando Pessoa, os Navegadores portugueses iam semeando nos areais da costa africana na medida em que costeavam a terra em busca da Índia:

Fernando Schabino Pessoa

"*O esforço é grande e o homem é pequeno. Eu, Diogo Cão, Navegador, deixei este Padrão ao pé do areal moreno e para diante naveguei.*

"*A Alma é divina, a Obra é imperfeita. Este Padrão sinala aos Céus que, da Obra toda, é minha a parte feita; o por-fazer é só com Deus.*"

Dom Pantero

De modo que posso passar à Despedida:

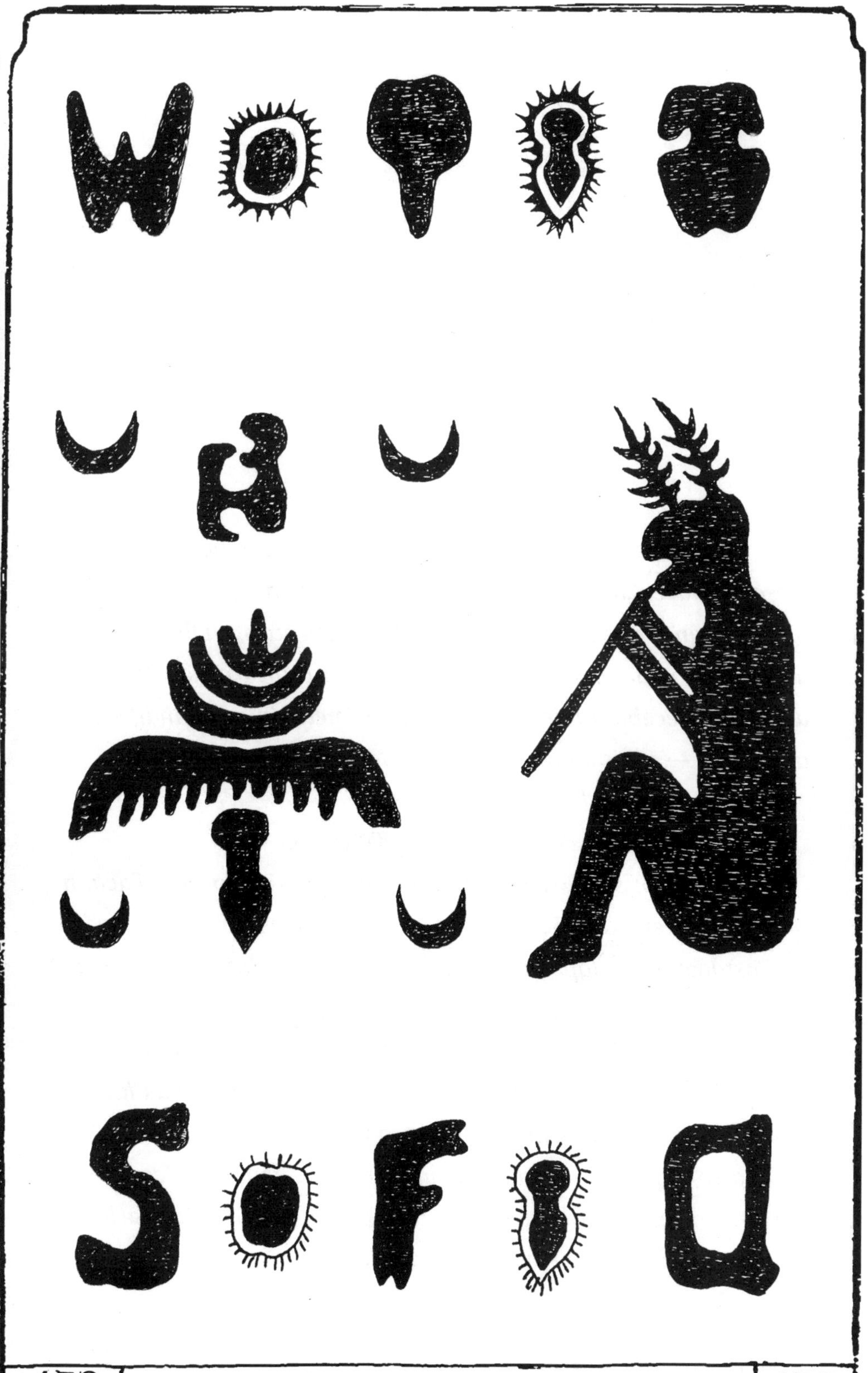

Doxologia

Auro Schabino

Agora, só me resta ir para a Igreja. Subo a ladeira. A Porta. A escura Nave. Com o Livro aos ombros, vou como uma Ave de papel preto e branco que esvoeja. Vazio, o Nicho, em ouro, ali flameja. Subo ao Altar. No vão, perto da grade, deposito a futura Raridade. Vou ao Padre. Recebo a minha Tença. E, em meio da geral indiferença, abandono — mais uma! — esta Cidade.

Albano Cervonegro

O Circo: sua Estrada e o Sol de fogo. Ferido pela Faca, na passagem, meu Coração suspira sua dor, entre os cardos e as pedras da Pastagem. O galope do Sonho, o Riso doido, e late o Cão por trás desta Viagem.

Pois é assim: meu Circo pela Estrada. Dois Emblemas lhe servem de Estandarte: no Sertão, o Arraial do Bacamarte; na Cidade, a Favela-Consagrada. Dentro do Circo, a Vida, Onça Malhada, ao luzir, no Teatro, o pelo belo, transforma-se num Sonho — Palco e Prelo. E é ao som deste Canto, na garganta, que a cortina do Circo se levanta, para mostrar meu Povo e seu Castelo.

Dom Pantero

E, com estes Versos, compostos em Martelo-Gabinete e Martelo-Agalopado — duas estrofes criadas pelos Cantadores brasileiros —, aqui se despede de Vocês, nobres Cavaleiros e belas Damas da Pedra do Reino, este que é, ao mesmo tempo, seu Soberano e seu companheiro de cavalgadas e Cavalaria,

                Dom Pantero do Espírito Santo, Imperador.

SUASSUNA
A ILUMIARA

DIREÇÃO EDITORIAL
Daniele Cajueiro

EDITORA RESPONSÁVEL
Janaína Senna

PRODUÇÃO EDITORIAL
Adriana Torres
André Marinho

FIXAÇÃO DE TEXTO E CRONOLOGIA DE ARIANO SUASSUNA
Carlos Newton Júnior

PESQUISA ICONOGRÁFICA
Mariana Suassuna
Ester Suassuna Simões

REVISÃO
Ana Grillo, Pedro Staite, Rachel Rimas,
Eduardo Carneiro, Luíza Côrtes

DIREÇÃO DE ARTE
Manuel Dantas Suassuna

CAPA, PROJETO GRÁFICO E DIAGRAMAÇÃO
Ricardo Gouveia de Melo

Este livro foi impresso em 2017
para a Nova Fronteira.

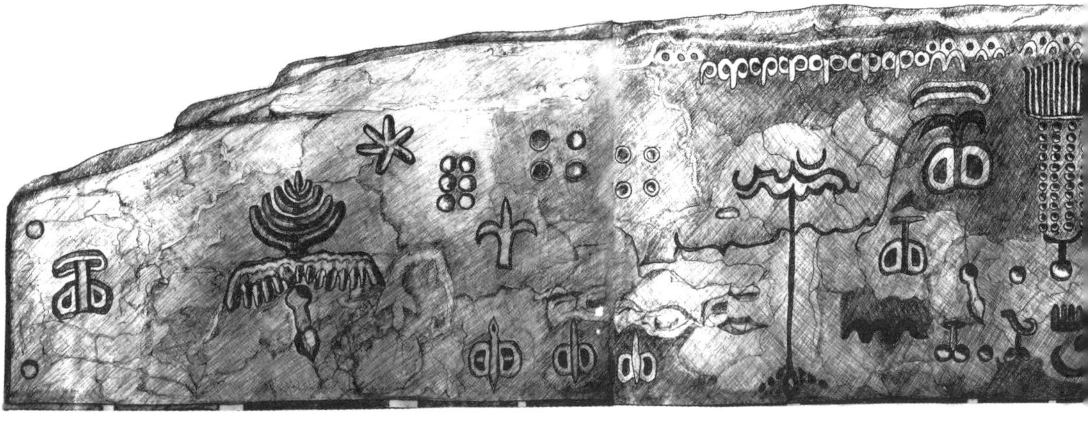

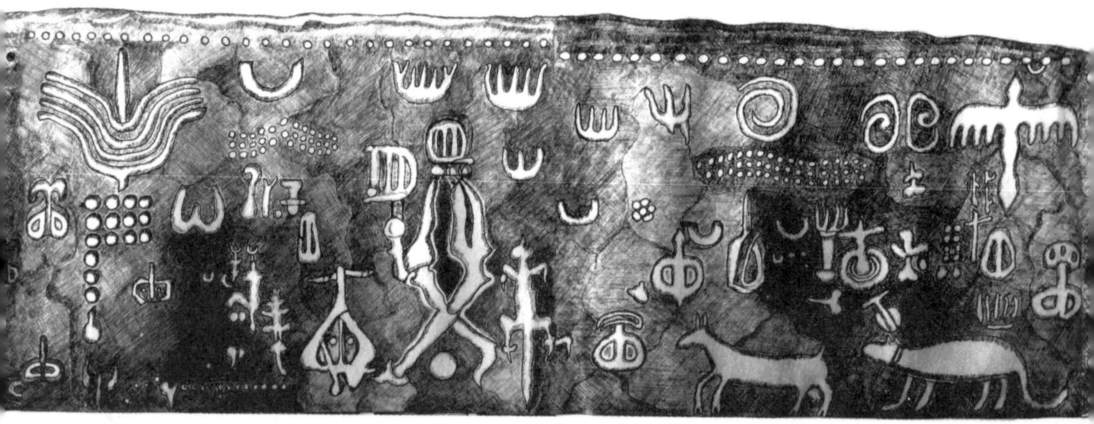